新汉语水平考试精讲精练 HSK 六级

梁鸿雁 / 编著

- 听力材料
- 参考答案
- 解题攻略
- 答题卡

目 录

听力材料及参考答案

听力材料及参考答案

HSK（六级）模拟试卷 *1* 听力材料

（音乐，30 秒，渐弱）

大家好！欢迎参加 HSK（六级）考试。
大家好！欢迎参加 HSK（六级）考试。
大家好！欢迎参加 HSK（六级）考试。

HSK（六级）听力考试分三部分，共 50 题。
请大家注意，听力考试现在开始。

第一部分

第 1 到 15 题，请选出与所听内容一致的一项。现在开始第 1 题：

1. 调查报告不是单纯写得好不好的问题，调查工作没有做好，用什么样的方法也写不出好的调查报告。

2. 一个小女孩趴在窗口，看着人们埋葬她心爱的小狗，伤心不已。祖父见状，把她引到另一个窗口，让她欣赏窗外的玫瑰花园。果然，小女孩的心情好多了。祖父托起她的下巴说："孩子，你开错了窗户。"

3. 很多人认为药酒就是保健酒，事实并非如此。专家介绍，药酒主要以治疗疾病为主，必须取得国药准字号，有药物的基本特征，必须在医生监督下饮用，在正规医院药房或药店销售。而保健酒以养生健体为主，没有治疗作用，产品上不能明确宣传其疗效，只需获得保健食品批号。

4. 中国是唯一用香椿做蔬菜的国家。香椿因其浓郁的清香、柔嫩的质地和丰富的营养，曾与荔枝一样在明清时期作为贡品，深受宫廷贵人的喜爱。香椿中含有蛋白质、维生素 E、钙、磷、铁等多种元素，居木本蔬菜之冠。此外，香椿的根、皮、果实都能入药。

5. 根据医学资料记载，全球癌症的发病率 20 世纪下半叶比上半叶增加了近 10 倍，成为威胁人类生命的第一杀手。这说明，20 世纪下半叶以高科技为标志的经济迅猛发展所造成的全球性生态失衡是诱发癌症的重要原因。

6. 储蓄是经济增长的资源基础，但最大限度的储蓄增长率绝不是最优的经济增长率，只有适度的储蓄增长率才容易带来较大的经济增长率。

7. 内向的人也许结交不是很广泛，但他们在工作上却有着外向的人无法企及的长处。与外向的人相比，内向害羞的人在处理视觉信息时，其大脑某些区域更加活跃；同时，在作决策时，他们愿意花大量时间思考，不喜欢闲扯其他话题，更能专心致志地奔着一个目标努力，因此他们成功的概率也相应增加。

8. 孩子在发育过程中，一方面个子不断长高，一方面眼球也在不断长大。如果饮食搭配不合理，肉吃得过多，而维生素、蔬菜摄入过少，就可能诱发近视。眼睛和维生素的关系非常密切，我们看物像是一个光化学过程，而这个光化学过程中所需的感光物质视紫红质，正是维生素 A 的一种衍生物。如果缺乏维生素 A，人就会出现夜盲症。

9. 春天气候变化无常，时风时雨，外出春游时一定要备足衣服、携带雨具。有过敏病史的人，要尽量回避有花之处，预防花粉过敏。要避免过度劳累，特别是患有慢性疾病的中老年人，更应量力而行。

10. 当人活动时，心跳加快，心肌收缩力增强，血流量增加；当人休息时，心脏也同样处于休息状态。如果长时间地睡眠，就会破坏心脏活动和休息的规律。心脏一歇再歇，最终会收缩乏力，稍一活动便心跳不已、疲倦不堪、全身乏力，因此只好躺下，形成恶性循环，导致身体衰弱。

11. 中国人传统的生活方式是子孙满堂，这一点令西方老年人很羡慕。儒家文化提倡“父母在，不远游”，贫困地区的父母更是把生男孩当做自己养老的保障。而有些西方人则认为，培养孩子是一种社会责任而不是自我牺牲，孩子的回报不是反哺父母，而是努力使自己成才。尽管西方国家有较为完善的社会福利制度来保障老年人的日常生活，但老年人在情感上与后代缺少交流。

12. 一般来说，银行获得的存款量决定了银行的贷款能力，但是在许多时候，银行的贷款数量会超出它所获得的存款数量，这是一个众所周知的事实。如果这种贷款的数量超出过多，就会造成通货膨胀。

13. 通常的高山反应是由高海拔地区空气中缺氧造成的，当缺氧条件改变时，症状会很快消失。由于具有脑缺氧病征的急性脑血管梗阻的症状与高山反应类似，所以，在高海拔地区，这种病会危及生命。

14. 天气预报与人们的生产生活息息相关。准确的天气预报使人们实现活动结果的可能性比较大；而天气预报也有不准的时候，弄不好就会给人们的正常活动带来不可估量的损失。

15. 实验证明，记忆后在大脑中保留的经验随时间的推移而逐渐衰减。这种衰减在学习后的短时间内特别迅速，但经过较长时间的间隔后，虽然在记忆中保留的数量减少了，但遗忘进程却比以前要缓慢得多。

第二部分

第 16 到 30 题，请选出正确答案。现在开始第 16 到 20 题：

第 16 到 20 题是根据下面一段采访：

女：作为家族企业的掌门人，你觉得家族企业是好还是不好呢？

男：我觉得不能完全用好与不好的观念去评判，一般情况下要想找几个不是一个家族的人志同道合做一番大事业很难。主要是因为每个人心里的排外心理、小算盘心理、担心利益分配不均等问题。现在很多家族企业对外挂名股份，其内在也是家族企业。家族企业的关键是发展及管理的眼光，要跟上外面现代企业的发展，要用一套灵活管用的制度去发展、去用人。这样，家族企业才有可能越做越好。家族企业最大的问题在于老板会不顾一切地以自己的利益为中心，从而去安置很多的亲信。这么做的出发点是对的，但有一点必须做好，就是这个家族的管理人要有才有德，企业需要的不再是所谓的亲信"卧底"，而是一个真正能担起重任的人。这一点不能平衡把握的话，家族企业的发展会很受制约。

女：家族企业的优点主要有哪些方面呢？

男：因为老板相信家族亲信，所以就可以放心地让亲信去做事。有一句话叫"用人不疑，疑人不用"，如果老板用得好的话，用对了一个亲属是一件很好的事。老板可以留出更多的时间去处理重要的事、决策上的事。如果亲属以自己家族拥有这个企业而自豪的话，他们更不会对报酬斤斤计较，而且会更加敬业，更加忠诚于企业。这也是一个企业巨大的财富。家族企业在企业发展大方向上更容易做到有机会就夺取，不用像合资或股份制企业那样要商量，要开会征求众人的意见，因为有时意见的分歧是对企业发展最大的制约。家族企业则不一样，如果老板看准了一个发展方向，他可以就像战场上的将军总指挥，马上付诸行动。抓住机会，有时就是抓住了财富，赢得了胜利。

女：凡事有一利就有一弊，家族企业的缺点主要有哪些方面？

男：亲信中的人才能力与素质是很受限制的。选人的范围缩小，创造的价值也会缩小，人才资源的不足将成为影响家族企业发展的最大问题。此外，亲信太多的家族企业会让亲信管理人滋生自负心理，认为自己是小团体的主人，更多沉浸在别人的赞美和认同中，不会用发展的眼光去改变不足，不会主动创新，这都有碍企业的发展。在发展的策略方针上，家族企业也容易出现老板的思想就是圣旨、不能广纳贤言的现象，以致造成决策上的失误。

16. 男的认为家族企业要发展，最重要的是什么？
17. 男的认为家族企业最大的问题是什么？
18. 男的认为什么会制约股份制企业的发展？
19. 关于家族企业的优势，下列哪项没有提到？
20. 男的认为什么是制约家族企业发展的重要因素？

第 21 到 25 题是根据下面一段采访：

女：餐馆、制造公司的运营成本、材料成本很高，那为什么还有人去开餐馆、建制造公司呢？这本身不就说明这些行业还能赚钱吗？

男：的确是这样，各个行业都有赚钱的机会，关键还得看有没有办法降低成本，或者巧妙地创新商业模式。比如说，“星巴克咖啡”的创始人霍华德·舒尔茨通过开咖啡馆成了亿万富翁。他在 1985 年成立星巴克公司的前身，今天星巴克的市值是数百亿美元，短短 30 多年内，他就在有 300 多年历史的传统行业里创造出了这个奇迹。

女：这我就不明白了，像星巴克这样没有新科技的、老掉牙的行业，怎么还有机会呢？

男：首先在于规模。星巴克现在差不多有 1.3 万家分店，遍及全球，这是星巴克跟微软类似的地方，都有广大的消费群体。

女：为什么星巴克的品牌这么好，世界各地的人都愿意去，都愿意为星巴克咖啡付这么高的价格？他们是不是花很多钱做广告？

男：这个问题问得好！的确，几乎所有公司都要花大钱做广告，以此在消费者群体中建立信任和形象。可星巴克不一样，虽然它没有花过一分钱做广告，但它的品牌却是全球咖啡行业中最响的，这是星巴克成功的最大秘诀。

女：为什么星巴克不用花钱做广告就能建立顶尖品牌形象呢？

男：最重要的因素就是全球化和全球范围内的人口流动，这为星巴克这样的品牌连锁店带来了空前的机会。就像我吧，经常在世界各地跑，不管到哪儿，我都没有时间，也没有兴趣去了解当地的咖啡馆。因此，如果一看到星巴克，很自然，我肯定就会去那里，因为我熟悉他们的咖啡单和咖啡口味，一进去就知道要什么。换句话说，一旦星巴克把我变成了顾客，我就成了世界各地的星巴克的顾客。因此，是全球化带来的跨国人口流动造就了星巴克，为星巴克节省了广告开支，使它每卖一杯咖啡的边际成本都很低。还有就是，从一开始，星巴克就选择只在最繁华的市区交叉路口开咖啡店，虽然这些地段租金很高，但非常醒目的位置给星巴克带来了最自然的广告效果。过路的人不可能看不到招牌门面，看的次数多了，品牌信任自然就来了。有一点很关键，就是人们在各地、各国间的流动要具有规模、要频繁，也就是空运、高速公路等交通网络必须很发达，跨国旅行得很方便。否则，这种跨地区、跨国的品牌协同效果就很差，这就是为什么在 20 世纪 80 年代全球化重新启动之前，即使有人想像舒尔茨先生那样去创办全球连锁咖啡馆也难以成功的原因。另外一个因素是，星巴克在纳斯达克上市了。1992 年，它的股票正式上市交易，也就是说，我们都可以通过买股票成为星巴克的股东。许多人认为，向大众发行自己公司的股票只是一个融资事件，如果我的公司不需要资金，好像就不必上市。实际上，远远不是这样，公司股票上市除了融资外，另一个同样重要的效果是巩固公司的品牌，增加公司的知名度。

21. 男的说各行各业能否赚钱关键在于什么？
22. 男的认为星巴克成功的秘诀是什么？
23. 男的说微软与星巴克相同的地方是什么？
24. 男的认为什么成就了星巴克？
25. 男的认为星巴克发展成全球连锁咖啡馆得益于什么？

第26到30题是根据下面一段采访：

女：在现代社会中，心中存有隐私是不可避免的，但这不等于说有隐私就有利于婚姻家庭。我觉得那些不和谐的家庭就是因为隐私太多了吧。所以应当提倡无隐私家庭，即使这一点不容易做到，我们也要努力争取。如果不能容忍对方的缺点和错误，与真诚之爱还有较大距离，那么这样的夫妻就只能在窥探与反窥探中生活。有的话现在可以不说，但不能视为隐私，视为隐私的无疑是永远都难以启齿的吧。不愿意说不能算隐私，不能说的才是隐私。当然不是说对什么人都不能说，只是对有的人不能说才是隐私。如果是真心相爱的夫妻，还有什么不能说的呢？只要彼此坦诚，说一点儿过去的生活苦衷又有何不可呢？我觉得没有隐私是坦诚的最高境界，也是婚姻的最高境界。有点儿隐私也不至于不坦诚，只是说隐私太多了，坦诚也就没有土壤了。我的意见是追求至高境界，心中少点儿隐私。你有保留隐私的权利，但不等于夫妻之间要有各自的隐私，只要彼此相爱，没有隐私更坦诚。

男："隐私"在词典里的意思是，不愿告人的或不愿公开的个人的事。我觉得夫妻间允许保有隐私，是对对方的尊重，也是一种文明与涵养的表现。夫妻之间"亲密"也该"有间"，夫妻之间应该是"拥有"而不是"占有"。我想大家都知道"豪猪理论"吧？豪猪生长在非洲，身上的毛硬而尖，天气寒冷的时候，它们就聚在一起互相取暖。但是当它们靠近时，身上的尖毛会刺痛对方而使它们立刻分开，分开后因为寒冷它们又会聚在一起，聚在一起因为疼又再分开，这样反复数次，最后它们终于找到了彼此间的最佳距离——在最轻的疼痛下得到最大的温暖。夫妻之间也情同此理。我想我们很多人可能都经历过或听说过这样的事情：一对夫妻原本很恩爱，可某一天，丈夫知道了妻子曾经的"过失"或妻子知道了丈夫曾经的"浪漫"，于是醋意大发，勃然大怒，猜疑、争吵相继出现，婚姻也亮起了红灯。这样的例子并不少，而发生的导火索常常是一些过去的事。有些夫妻认为对婚姻的忠诚就是"彻底坦白"，这样才对得起爱情。而事实上，我们追求的爱情，应该是现在和将来的，过去的就让它过去吧，适当的距离可以给爱情一个喘息的空间。水至清则无鱼，人至察则无爱，难得糊涂乃是上策，婚姻就要睁一只眼闭一只眼，这样才能保持和谐、快乐、幸福的状态。而夫妻间彼此留下一些空间，应该是夫妻关系的润滑剂吧。常言道：恋爱是橱窗，结婚是天窗。也就是说，热恋中的男女，都把自己最美好的东西展示给对方，以博得好感，使恋爱发展成婚姻。而婚后，彼此一览无余，就像从天窗看室内，没有什么看不见的，透明度十分高。我认为夫妻之间除了襟怀坦白外，还应该有点儿朦胧的爱，彼此都有保留自己隐私和秘密的权利。

26. 女的认为什么样的才算隐私？
27. 女的认为婚姻的最高境界是什么？
28. 男的举豪猪的例子是为了说明什么？
29. 男的说"恋爱是橱窗"是说热恋的男女怎么样？
30. 男的认为怎样做才能保持婚姻和谐幸福？

第三部分

第 31 到 50 题，请选出正确答案。现在开始第 31 到 33 题：

第 31 到 33 题是根据下面一段话：

四季变化是地球的一大自然现象。春夏秋冬的形成是地球绕太阳公转的结果。地球公转的轨道是一个椭圆形，太阳位于一个焦点上；又因为地球是斜着身子绕太阳公转，太阳直射点在地表上也发生了变化，所以各地得到的太阳热量不等，便有了不同的四季。

每年 6 月 22 日前后，地球位于远日点，这时太阳直射北回归线，这一天便成了北半球的夏至日，是北半球夏季的开始，而南半球正值严寒冬季。9 月 23 日前后，太阳直射赤道，南、北半球昼夜平分，得到的太阳热量相等。但这一天却是北半球的秋分、南半球的立春。12 月 22 日前后，地球位于近日点，太阳直射南回归线，北半球进入冬季，南半球却是夏季。3 月 21 日前后，太阳再次直射赤道，南、北半球在这一天分别开始自己的秋季和春季。

尽管南、北半球四季变化相反，但终归是合乎自然规律的四季。不过，地球上有些地方的季节却反常得很、古怪得很。比如，南北两极终年都是冰雪统治的冬季。南极的严寒可谓世界之最，最冷时达到–88.3℃；最高温度平均为–32.6℃。北极海拔低，地形为盆地，所以不像南极那样寒冷，但最高温度也在 0℃以下，最低达–36℃。而位于红海边的非洲埃塞俄比亚的马萨瓦，是世界上最热的地方，全年平均温度为 30℃，几乎天天盛夏。

31. 哪一天太阳直射南回归线？
32. 下列符合这段话意思的是哪一项？
33. 下列不符合这段话意思的是哪一项？

第 34 到 36 题是根据下面一段话：

从前有一位贤明而受人爱戴的国王，把国家治理得井井有条，使人民安居乐业。不过，国王的年纪渐渐大了，却没有子女，这让国王很伤心。最后，他决定在全国范围内挑选一个孩子收为义子，把他培养成自己的接班人。

国王选子的标准很独特，他给每个孩子发了一些花的种子，宣布谁用这些种子培育出最美的花朵，谁就成为他的义子。孩子们领回种子后，开始了精心的培育，从早到晚，浇水、施肥、松土，谁都希望自己能够成为幸运者。

有个男孩也整天精心地培育花种。但是，十天过去了，半个月过去了，一个月过去了，花盆里的种子却连芽都没冒出来，更别说开花了。苦恼的男孩去请教母亲，母亲建议他把土换一换，但依然无效。

终于，国王观花的日子到了。无数个穿着漂亮衣服的孩子涌上街头，他们各自捧着盛开鲜花的花盆，用期盼的目光看着缓缓巡视的国王。国王环视着争奇斗艳的花朵与精神漂亮的孩子们，并没有像大家想象中的那样高兴。忽然，国王看见了端着空花盆的男孩。他无精打采地站在那里，眼角还有泪花。国王把他叫到跟前，问他：“你为什么端着空花盆呢？”男孩抽泣着把自己精心摆弄但种子怎么也不发芽的经过说了一遍，还说，他想这是报应，因为他曾在别人的花园中偷过一个苹果吃。没想到国王的脸上却露出了最开心的笑容，他把男孩抱起来，高声说：“孩子，我找的就是你！”国王对大家说：“我发下的种子全部都是煮过的，根本就不可能发芽开花。”那些捧着鲜花的孩子们一个个都低下了头。

34. 男孩的种子为什么没长出鲜花？
35. 国王选中这个男孩是因为什么？
36. 捧着鲜花的孩子为什么都低下了头？

第 37 到 39 题是根据下面一段话：

汗血宝马产自土库曼斯坦科佩特山脉和卡拉库姆沙漠间的阿哈尔绿洲，至今已有 3000 多年的驯养历史。据史料记载，这种马奔跑时脖颈部位流出的汗中有红色物质，鲜红似血，因此称为“汗血宝马”。传说，汗血宝马日行千里，夜走八百。虽然经现代科学家考证，这种说法言过其实，但传说却形象地把汗血宝马速度快、耐力强的特点描绘得淋漓尽致。经测算，汗血宝马在平地上跑 1000 米仅需 1 分零 7 秒，速度之快令人惊叹。最让人惊奇的是它的耐力，或许是因为其先祖为栖息于沙漠戈壁地带的野马的缘故，这种马非常耐渴，即使在 50 摄氏度的高温下，一天也只需喝一次水，因此特别适合长途跋涉。

汗血宝马最让人好奇的莫过于它奔跑时会“流血”。清朝人德效骞将“汗血”解释为“马病所致”。他认为，有一种寄生虫特别喜欢寄生于马的臀部和背部，它能钻入马皮内，因而马皮在两个小时之内就会出现往外渗血的小包。德效骞的这种观点得到部分外国专家的认同。但如果是寄生虫作祟，应该可以通过科学仪器观察到，而目前对这种寄生虫还一无所知。另有学者认为，汗血宝马在奔跑时体温上升，使得少量红色血浆从毛孔中渗出，出现“汗血”现象。反驳这一观点的人认为，如果“汗血”真系血浆流出所致，那每一次“日行千里”或“夜行八百”岂不就要让一匹宝马鲜血流尽而死？汗血宝马发源地土库曼斯坦的养马专家对“汗血”的解释颇令人信服。他们认为，汗血宝马的皮肤较薄，奔跑时，血液在血管中流动很容易被看到；另外，马的肩部和颈部汗腺发达，出汗时往往先潮后湿，出汗后局部颜色会显得更加鲜艳，给人以“流血”的错觉。

37. “汗血宝马”因为什么而得名？
38. 下列哪项不是这段话中提到的汗血宝马的特点？
39. 这段话中提到的关于“汗血”现象的解释哪种令人信服？

第 40 到 42 题是根据下面一段话：

一位音乐系的学生走进练习室，在钢琴上，摆着一份全新的乐谱。

“超高难度……”他翻着乐谱，喃喃自语，感觉自己对弹奏钢琴的信心似乎已跌到谷底，消弭殆尽。已经三个月了！自从跟了这位新的指导教授之后，不知道为什么，教授要以这种方式整人。勉强打起精神，他开始用自己的十指奋战、奋战、奋战……琴音盖住了教室外面教授走来的脚步声。

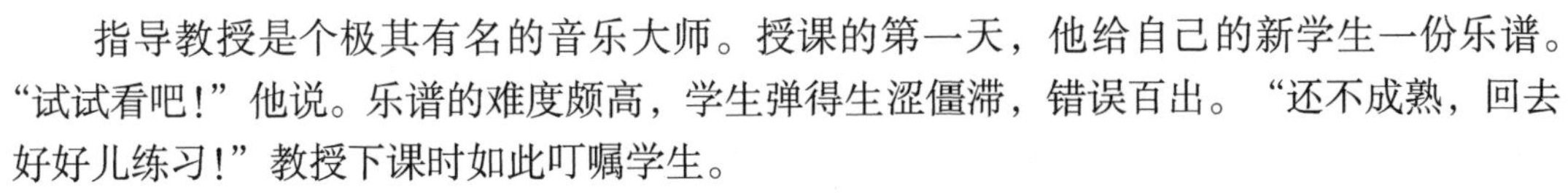

指导教授是个极其有名的音乐大师。授课的第一天，他给自己的新学生一份乐谱。“试试看吧！”他说。乐谱的难度颇高，学生弹得生涩僵滞，错误百出。“还不成熟，回去好好儿练习！”教授下课时如此叮嘱学生。

学生练习了一个星期，第二周上课时正准备让教授验收，没想到教授又给他一份难度更高的乐谱。“试试看吧！”而上星期的乐谱教授却根本没提。学生再次挣扎于更高难度的技巧挑战。

第三周，更难的乐谱又出现了。同样的情形一直持续着，学生每次在课堂上都被一份新的乐谱所困扰，然后把它带回去练习，接着再回到课堂上，重新面对两倍难度的乐谱。但学生觉得自己怎么都追不上进度，一点儿也没有因为上周的练习而有驾轻就熟的感觉，学生感到越来越不安、沮丧和气馁。这一天，教授走进练习室，学生再也忍不住了，他必须问问教授这三个月来为何不断地折磨自己。

教授没开口，他抽出最早的那份乐谱交给学生。“弹弹吧！”他以坚定的目光望着学生。

不可思议的事情发生了，连学生自己都惊讶万分，他居然可以将这首曲子弹奏得如此美妙、如此精湛！教授又让学生试了第二堂课的乐谱，学生依然呈现出超高水准的表现……演奏结束后，学生怔怔地望着老师，说不出话来。

“如果我任由你表现最擅长的部分，可能你还在练习最早的那份乐谱，那么你就不会有现在这样的程度了。”教授缓缓地说。

40. 学生是怎么看待教授的超高难度乐谱的？
41. 学生练习新乐谱一周后，教授做了什么？
42. 这个故事告诉我们什么？

第 43 到 46 题是根据下面一段话：

农历二月初二，民间称为“龙抬头”，也称“春龙节”，南方又叫“踏青节”，古称“挑菜节”。这一天象征着春回大地，万物复苏。

大约从唐朝开始，中国人就有过“二月二”的习俗。据资料记载，这句话的来历与古代天文学对星辰运行的认识和农业节气有关。为什么要“二月二”龙才抬头呢？因为农历二月已进入仲春季节，这时阳气上升，大地复苏，草木萌动，农民们就要春耕、播种了，非常需要土壤湿润，保有水分。从节气上说，二月初正处在“雨水”、“惊蛰”、“春分”之间，这是个既需要雨水，又可能有降雨的时期，人们非常希望通过对龙的祈求行为来实现降雨的目的。

为什么是“龙抬头”呢？因为二月初处于惊蛰前后，蛰伏一冬的各种动物又恢复了活力，该有所活动了。龙抬头了，意味着龙也行动起来，要履行它降雨的职责了。不过，这种说法是一般人对“二月二龙抬头”的解释，通俗易懂。对于“龙抬头”还有古代天文学方面的解释。古人以为地球是不动的，是太阳在运动。早在春秋时期甚至更早，人们就把太阳在恒星之间的周年运动轨迹视为一个圆，称为“黄道”。再利用某些恒星把这个圆分为 28 个等份，形成 28 个区间，称为“二十八宿”。“宿”表示居住。如果观察月亮的运行，它基本上是每天入住一宿，待28宿轮流住完，大约是一个月。把这28宿按照东南西北四个方位平分，每个方位便有7个宿。对这28宿，古人都给它们起了名字。在东方的7个宿分别叫做：角、亢、氐、房、心、尾、箕，它们构成一组，称为“东方苍龙”。其中角宿象征龙的头角，亢宿是龙的颈，氐宿是龙的胸，房宿是龙的腹，心宿是龙的心，尾宿、箕宿是龙的尾巴。在冬季，这苍龙七宿都隐没在地平线下，黄昏以后看不见它们。至二月初，黄昏来临时，角宿就从东方地平线上出现了。这时整个苍龙的身子还隐没在地平线以下，只是角宿初露，故称“龙抬头”。

43. 这段话中说二月二“龙抬头”与什么有关？
44. 每年农历二月是什么季节？
45. 从天文学角度来说，二月二为什么叫“龙抬头”？
46. 下列不符合这段话意思的是哪一项？

第47到50题是根据下面一段话：

虽然“早吃好，午吃饱，晚吃少”这句俗语人人知道，但为什么早上要吃好，却很少有人能说出个一二三来。营养专家细数了几个与早餐有关的健康隐患。

人体所需要的能量主要来自于糖。人早晨起床后，已大约有10个小时没有进餐，胃处于空虚状态，此时血糖水平也降到了进食水平。开始活动后，大脑与肌肉要消耗血糖，于是血糖水平会继续下降。这时如果还不进餐或进食低质早餐，体内就没有足够的血糖可供消耗，人体会感到倦怠、疲劳、暴躁、易怒、反应迟钝。营养学家的相关调查表明，许多车祸的发生都与肇事者血糖水平过低、反应迟钝有关。因此营养学家警告开车族们，血糖过低时开车与酒后驾车同样危险。

在睡眠中，胃仍在分泌少量胃酸，如果不吃早餐，胃酸没有食物去中和，就会刺激胃黏膜，导致胃部不适，久而久之还可能引起胃炎、胃溃疡。不吃早餐，人体只得动用体内贮存的糖元和蛋白质，久而久之，会导致皮肤干躁、起皱和贫血等，加速人体的衰老。同时，早餐提供的能量和营养素在全天能量和营养素的摄取中占有重要地位。国外相关的实验证明，早餐摄入的营养不足很难在其他餐次中得到补充，不吃早餐或早餐质量不好是引起全天能量和营养素摄入不足的主要原因之一。

有的人喜欢吃高热量的早餐，午餐和晚餐则为低热量或省略不吃；而有的人早餐只是简单凑合，午餐和晚餐却相当丰盛、热量很高。这两种人一天摄入的热量虽然相同，但脂肪氧化的情况却不同。早餐吃高热量食品的人，再配合低热量的午餐、晚餐，脂肪不容易囤积。而早餐不吃或吃得太简单的人，根本无法为身体提供足够的热量和营养，等到午餐、晚餐脂肪消耗能力变差时，又吃进去高热量的食物，结果是吃进去的热量比消耗的热量多，当然容易发胖。

合理的早餐食品应该是富含水分和营养的。牛奶、豆浆符合上述要求，可任选一种，然后再加上其他“干点”。但这类食品消化较快，因此还要有适量的蛋白质和脂肪，如鸡蛋、豆制品、瘦肉、花生等，这样不但可使食物在胃里停留较久，还能使人整个上午都精力充沛。另外还需吃一点儿水果和蔬菜，这不仅是为了补充水溶性维生素和纤维素，还因为水果和蔬菜含有钙、钾、镁等矿物质，属碱性食物，可以中和肉、蛋、谷类等食品在体内氧化后生成的酸根，达到酸碱平衡。

47. 营养学家调查显示，许多车祸的发生跟肇事者哪一方面有关？
48. 一日三餐热量分配不同为什么可导致体重不同？
49. 下列哪项不符合这段话的内容？
50. 合理的早餐应该是什么样的？

听力考试现在结束。

HSK（六级）模拟试卷 *1* 参考答案

一、听　力

第一部分

1. D	2. B	3. D	4. A	5. D
6. A	7. B	8. B	9. A	10. C
11. B	12. B	13. C	14. B	15. D

第二部分

16. B	17. B	18. A	19. D	20. A
21. B	22. D	23. A	24. C	25. C
26. D	27. B	28. A	29. C	30. A

第三部分

31. C	32. B	33. D	34. C	35. C
36. D	37. C	38. A	39. D	40. B
41. A	42. C	43. B	44. A	45. C
46. D	47. C	48. A	49. D	50. B

二、阅　读

第一部分

51. C。谓语缺失。“还会诸多要求”应改为“还会提出诸多要求”。

52. A。词语重复使用。动词“避免”表示设法不让不好的或不利的情况发生。如“避免冲突”、“避免损失”等。句中“避免”与“不再”使用重复，应去掉其中的一个，可以改为“为了避免类似事件的发生”或“为了使类似事件不再发生”。

53. D。连词使用不当。“宣传画片”也包括“图片”，不能用并列连词“和”连接。故可改为“所有的关于交通知识的宣传画片都被挂在宣传板上”。

54. C。动词“截止”意为“到期停止”。如“明天报名截止”。“截止日期”与“最后一天”使用重复。可改为“昨天是艺考报名的最后一天”或“昨天是艺考报名的截止日期”。

55. A。成分缺失。蜜蜂要采集的是“花”的花粉，故应将“采集500万朵的花粉”改为“采集500万朵花的花粉”。

56. C。搭配不当。“产品”与“研制”可搭配，“技术”与“研制”不能搭配。故可改为“这是一家集环保系列产品的研制、生产、销售及技术的开发于一体的集团化企业”。

57. B。词语误用。名词“先例”指先前已有的事例，如“此事并无先例”。本句强调首创性，应改为“首例”。

58. B。“越来越”多修饰心理活动动词或形容词，不修饰一般动词。“发展”为一般动词，故应改为“发展越来越快”。

59. B。语序不当。“四千年前新发现的陶器”显然不合逻辑，应改为“新发现的四千年前的青铜时代的陶器”。

60. C。语序不当。形容词“断断续续”表示时断时续，多形容声音、动作、状态等，如“断断续续的歌声”、“这本书断断续续地写了一年”等。本句“时断时续”的是“下雪”而不是时间“六天”，所以可改为“这场雪断断续续地下了六天”或者“断断续续的小雪下了六天”。

第二部分

61. B　　62. B　　63. B　　64. C　　65. A
66. C　　67. D　　68. B　　69. A　　70. D

第三部分

71. D　　72. E　　73. A　　74. C　　75. B
76. E　　77. B　　78. C　　79. D　　80. A

第四部分

81. C	82. C	83. C	84. B	85. D
86. A	87. C	88. B	89. C	90. B
91. A	92. C	93. B	94. A	95. B
96. A	97. C	98. A	99. D	100. C

三、书 写

101. 参考范文

藏羚羊的母爱

这是一个发生在西藏的真实故事。故事发生的年代距今已经很久远了，但是我每次穿越藏北草原无人区时总会想起那只将母爱浓缩于深深一跪的藏羚羊和那位神秘的老猎人。

那时的藏北草原，罪恶的枪声总会在某个角落响起，一个又一个野生动物倒在罪恶的枪口下……当时在藏北草原的人常常看到一个背着杈子枪的老猎人和他那满载着猎物的藏牦牛。除了自己充饥以外，他会将大部分的猎物送给那些路遇的朝圣者，并含泪祝福他们平安无事。他就是这样一位杀生和慈善并存的老猎人，而有一件事改变了他。

那天，老猎人从帐篷里出来，看见不远的山坡上站着一只肥肥的藏羚羊。他眼睛一亮，立即回身拿出杈子枪瞄准了那只羊。奇怪的是，那只羊并没有跑，而是前行两步跪了下来，眼中还流出了两行泪水。他的心猛地动了一下，几十年的狩猎生活从没遇到过这种事！但猎人是不该心软的，他犹豫了一下，最后还是扣动了扳机。藏羚羊肥肥的身体重重地倒下了，而那两行泪水还清晰可见……夜里，老猎人躺在地铺上难以入睡，那深深一跪的藏羚羊一直浮现在他眼前……第二天，他把羊开膛，赫然出现的是一只已经成形的小羚羊。老猎人的刀一下子掉在了地上，他终于明白了藏羚羊为什么会跪下，那是乞求他留下孩子的一条命啊！天下所有母亲的跪拜都是神圣的，包括动物。老猎人埋葬了这对母子，从此在藏北草原消失了。

HSK（六级）模拟试卷2听力材料

（音乐，30秒，渐弱）

大家好！欢迎参加HSK（六级）考试。
大家好！欢迎参加HSK（六级）考试。
大家好！欢迎参加HSK（六级）考试。

HSK（六级）听力考试分三部分，共50题。
请大家注意，听力考试现在开始。

第一部分

第1到15题，请选出与所听内容一致的一项。现在开始第1题：

1. 人在饥饿或疲劳时情绪会低落，吃饱或处于温暖环境下情绪会比较好。当工作了一天的家长回到家里，孩子要求讲故事时，家长会表现出不耐烦的情绪，而吃过饭后则可能有求必应。

2. 他在深圳奋斗了6年，终于成为深圳一家新闻单位的员工并拥有近两万的月薪，但他仍然买不起一套理想的房子。“买得起房子的人只是那些花钱不用数的人。”这个40岁的男人这样说。去年，他舍不得掏140万元买的那套房子，一年后已经涨到了240万。

3. 随着飞机票价格的下调，国内旅游线路的价格也跟着便宜了许多。人们普遍认为，从目前一直到9月20日前将是国内旅游的好季节。这段时间价格低，天气好，特别适合出游。目前国内各条旅游线路价格平均下降了5%到10%左右，十一黄金周旅游涨价将从9月20日开始。

4. 选材的木匠来到山里，看到一堆奇形怪状的树根，认为是无用之材，走了；不久，一位根雕艺术家也看到了这堆树根，他喜出望外，把它们抬回家加以雕琢，树根变成了精美的艺术品。

5. 一般说来，一顿适中的晚餐到第二天早晨7点左右已消化殆尽。此刻，胃肠按照“饥饿”的信息开始活动起来，准备接纳和消化新食物。赖床者由于不按时进餐，胃肠经常发生饥饿性蠕动，久而久之易患胃炎、胃溃疡。

6. 老年人循环系统的机能减弱，许多重要器官的血流量和血流速度都明显降低，这就要求血液中有较多的血红蛋白来补充。蛋白质和铁都是血红蛋白的重要成分，两者在猪

血中的含量很丰富，特别是猪血中还含有容易吸收的血红素铁，因此，老年人多吃猪血能满足需要。

7. 气象因素对运动员有一定的影响。相同的气象条件对不同水平的运动员的影响是不同的。优秀运动员爆发力更强、速度更快、力量更大，其运动状态也更容易受到环境中一切细微变化的影响。

8. 生命在运动，人体内细胞在代谢中产生供给人体活动所需要的能量的同时也产生了大量的体内代谢废料；同样，寄生在人体内的细菌也在不断地繁殖代谢，特别是在肠道内。细菌产生大量的毒素和代谢产物汇集在肠道内，如果不能及时清除，就会引起人体的慢性中毒并导致各种疾病的发生。

9. 臭氧对太阳紫外线辐射具有较强的吸收能力，它能阻挡太阳紫外线辐射到达地球表面，保护地表生物。并且，它还能通过吸收太阳紫外线辐射，加热平流层中的大气，将太阳释放的能量贮存在上层大气中，起到调节气候的作用。

10. 据介绍，今年全国普通高校毕业生比去年增加 60 万人，增幅达 25.7%。截至 9 月底，全国普通高校毕业生初次就业率为 72.5%，其中研究生就业率为 92.9%，本科生 82.7%，高专生 62.1%，高职生 49.4%，实现就业人数 245 万，比去年同期增加 43 万人。

11. 豆腐起源于中国，相传为汉朝淮南王刘安发明，至今已有两千多年历史。不少古代菜肴随着人们生活水平的提高而被淘汰，可豆腐仍以浓厚的民族特色成为餐桌的常客，受到人们的普遍喜爱。豆腐所含蛋白质远远超过黄花鱼，比猪肉高 5%，比牛肉高 3%，享有“植物肉”之称。

12. 在自然界中，有一些人们认为比较聪明的动物，如海豚、黑猩猩、狗、乌鸦等。而大多数人对鱼类的“聪明智慧”并不认同，认为鱼类仅仅是靠本能驱使的“低能儿”。其实，鱼类中也不乏机敏者，具有一定的思维能力。

13. 两千多年前亚欧之间的“丝绸之路”实现了人员之间的相互往来和商品的交流；15 世纪哥伦布发现新大陆，加速了欧洲和美洲之间的人员流动；现代社会，移民流动日趋广泛，涉及到各国的政治、经济、社会乃至历史的发展。

14. 美国的税率是按照家庭来计算的。如果你的收入要养老婆，就按照两个人来算；如果还要养孩子，那么就加上所有孩子的人数。结果就是，你的税率非常低，甚至不用交税，如果孩子多，国家还要给你补贴。

15. 有这样一个寓言故事：一天，北风和南风比试，看谁能把行人的大衣吹掉。北风用力猛刮，结果它越用力，行人的大衣裹得越紧，北风无奈。南风徐徐吹动，温暖和煦，结果行人解开衣扣，纷纷脱掉外衣，南风获胜。

第二部分

第 16 到 30 题，请选出正确答案。现在开始第 16 到 20 题：

第 16 到 20 题是根据下面一段采访：

女：听说通过看脸上气色的变化就能看出一个人是否有病。

男：是的。你说的这种方法叫“色诊”，是中医学的四大发明之一。在春秋战国的时候，扁鹊就使用过。因为色诊不会给人体造成损伤，不用依靠任何仪器设备，只要经过专门的学习和训练，就可以发现病人疾病最早的信号，因此被当时的人们所推崇。可惜的是，掌握这门技术的人从不轻易外传，要经过十几年的考察才选定一个接班人，而这个接班人一旦发生意外的话，这门技术就失传了。

女：现在中医还有色诊吗？

男：当然有。中国第一本字典《说文解字》说：“色，颜气也”。“色”，指脸色，就是颜面的气色。《中医大辞典》对于色诊的定义也是通过观察气色来诊断疾病。在封建时代，服装比较严谨，只有脸露在外面，有时只能通过看脸色来发现病情。这就给我们现代留下了一个很好的方法。

女：色诊具体包括哪些内容呢？

男：色诊包括三大部分内容。第一，察色，看看脸色的变化；第二，相气，就是观察它的颜色，它所显现的部位、层次，还有它是暗的还是亮的，就是它的光泽度；第三，就是“色部定位”。根据中医的理论，我们身体的任何一个脏腑、任何一个部位在脸上都有特定的反映部位，这种反映部位叫“色部”。只要你把这个定位掌握好了，你就能知道是哪个内脏发生了问题。因此，色诊概括说来包括三大部分：察色、相气、色部定位。

女：您能不能从察色开始，给大家系统地讲一下？让大家能够对自己有一个初步的掌握。

男：好的。颜色的变化实际上反映了人体内在的两个信息，第一个信息是哪个脏腑发生了病变。肺病最常显现为白色，心病最常显现为红赤色，肝病最常显现为青紫色，脾病常显现为黄色，而肾病常显现为黑色，即不同的颜色可以反映不同脏腑的病症，这是一个方面。另一方面，中医通过几千年的临床实践还发现了病色和病症的关系。如果有热症，脸色就会变红变赤；如果是寒症，脸色就变青变白；如果有疼痛，脸色就发青发黑。总之，察色可以观察出脸色和脏腑的关系以及脸色和病症的关系。在临床上，把这两种关系综合起来，我们就可以作出明确的诊断。

女：是不是病色可能只在脸上的某个部分显现，而不是满脸一个颜色？

男：对。病人有可能显现出满脸一个颜色，还有可能只显现在脸上的某个区域，比如下巴，还有可能是脸上的某一小片是一个颜色。这些颜色都不是随便显现的，它都和脏腑有着密切的关系。我们可以通过这些颜色的位置确定疾病发生在哪个脏腑或者身体的哪个部位，这样我们就可以及时了解身体的情况，及时了解疾病的信息。

16. 对话中提到的“色诊”的“色”是指什么?
17. 一般情况下，发生什么病症面色会显现为青紫色?
18. 如果病人得了寒症，面色会出现什么变化?
19. 某种颜色只出现在脸部的某个区域可以判断出什么?
20. 关于色诊，不符合对话内容的是哪一项?

第 21 到 25 题是根据下面一段采访:

男: 你好! 欢迎来到中国播音主持网。

女: 主持人好!

男: 你做过一些财经类的节目，所以首先我想问一下，像我们这些非经济学专业的人要怎么提高自己才可以做出好的财经节目呢? 要不就只能是念稿子了，而且在做访谈的时候也会感觉自己在被嘉宾牵着走。

女: 其实我也是非经济专业的，我觉得最好的办法就是多看一些财经方面的书，而且财经和人文、时代的背景都有着很密切的联系，所以一定要弄清楚它所发生的这个大环境。只要平时多积累，做节目时都会有帮助的。

男: 你离开“中国之声”后去了“都市之声”，但你的节目一般都是新闻类的，新闻类节目都很严谨，时间长了，你会不会觉得很枯燥?

女: 其实我是一个感性的人，我拒绝把新闻做得很古板，因此我也是一个受争议的主持人。我喜欢用自己的方式去播新闻，理性中又不乏感性。我是一个女主持人，本身就有一点儿个人主观色彩，我不介意把自己的脆弱展现出来。“仁者见仁，智者见智”吧。

男: 你又做广播节目又做电视节目，会不会有冲突? 台前幕后，你更喜欢做哪一个呢?

女: 呵呵，我一般不说我是一个电视人，也不说我是一个广播人，我只是一个媒体人，所以工作完全不冲突。我在电视上用广播的语言，在广播中找电视的镜头感。如果说心里话，我更喜欢幕后，因为那更需要你用实力去证明。

男: 你采访王宝强、程小东等人时，很能把握他们的心理，你是怎么做到的呢?

女: 做访谈类的节目，其实最重要的就是要了解对方。你不了解人家，人家就拒绝和你谈话。比如程小东，如果你不了解他的电影，还有电影风格，对话就很难进行下去。

男: 我还想问问你是如何把握一些大事件的报道的。比如北京奥运会，你总能抓住很好的点，很细但是又很精彩。

女: 首先，你得有一定的文化积淀。这个很杂，比如说，我看过心理学、经济学、政治学等方面的书。你的文化积淀到一定程度的话，你就能找到事物的发展规律，就能抓住事物发展的核心。还有就是要有敏锐的观察能力和发现能力。我觉得新闻不是学来的，是自己做出来的，有时候并不需要很高的学历。

男: 最后一个问题: 怎么才能保持做主持人的热情呢? 我觉得你的感染力很强。

女: 谢谢! 我也问过很多人同样的问题: 激情到底来自哪里? 我想，当有一天，你做的一些事情可以影响别人的时候，那是一种很充实、很有成就的感觉。当你能给别人带来些什么的时候，那种幸福感应该就是我的动力吧，它让我一直有激情做下去。

21. 女说话人没主持过哪类节目？
22. 女说话人认为怎样才能做好财经类节目？
23. 女说话人认为自己的主持风格是什么？
24. 女说话人认为工作的激情源于哪里？
25. 女说话人认为该如何把握重大事件的报道？

第26到30题是根据下面一段采访：

女：现在都在提倡提高孩子的抗挫折能力，那么，从幼儿的角度来讲，怎样提高他们的抗挫折能力呢？

男：提高幼儿的抗挫折能力，目标要定在增强孩子对挫折的心理承受能力上。比方说，首先肯定他，建立孩子的自信。因为孩子只有多次获得成功的心理体验，才能应对失败的考验，所以要用激励的方式。另外就是小步骤法，将困难分解开，化整为零，一步步逼近目标，最终克服困难获得成功。对待有些孩子还可以利用"故事法"，讲一些小动物、小朋友不怕困难的故事来鼓舞他们。"榜样法"则是利用孩子心中的偶像，比方警察叔叔、黑猫警长。家长要以身作则，在言谈举止上也要做出榜样来。有时候也要示范失败，也就是示范家长对失败的态度，就像父亲故意摔倒自己爬起来。还有就是"提醒法"，输了不哭，打针不哭。另外就是"辩证法"，既要有虎气，又要有猴气。虎气就是霸气，就是对待困难和挫折的态度，首先要不怕困难；再一个就是猴气，是灵活，讲结果，打得赢就打，打不赢就走，酸葡萄效应也是有用的，实在吃不着就说葡萄不好吃。另外，要培养孩子的系统思考和辩证的思维，有晴就有阴，有对就有错，有输就有赢。比方人多力量大，这是经典的，但是也有以少胜多的事例，这就是多和少的辩证关系。再比如，"狐假虎威"的故事说明了现象和本质、强和弱的关系；"掩耳盗铃"的故事揭示了存在和意识、虚和实的关系；"刻舟求剑"的故事是动和静的关系；"井底之蛙"的故事是大和小的关系。通过这些故事，可以让孩子学会辩证思考。

女：现在都注重对孩子的个性化教育，在幼儿阶段该怎么做呢？

男：个性化就是针对孩子不同的气质、性格、能力，采取不同的教育方法。比如胆汁质的孩子，你可以采取激将法。胆汁质的孩子就是脾气火暴的小朋友。我们曾在幼儿园做过这样的实验，孩子在跑道上准备跑步，老师发口令，说"各就各位，预备，向后跑"。只见有的孩子听了口令后跑了老远才转过弯来向后跑，这种就属于胆汁质的孩子——反应比较快，但是不容易拐弯，也就是神经系统的转换不容易。我们常会见到这样的孩子，老师一提问他就站起来，但是他连老师提的是什么问题都没搞清楚。对于这样的孩子，老师当然首先要肯定："你这种积极发言的态度非常好，但是下次听清楚老师提的问题后再回答就更好了。"要学会跟他说"但是"。还有的孩子听到口令后先向前跑了两步，但很快转身，得了个第一，像小猴子一样反应比较快，转换比较快，这就属于多血质的孩子。还有的孩子怎么样呢？向前跑了几步，然后不紧不慢地回过头来接着跑，这种属于黏蹶质的孩子。你别指望他第一个回答问题，因为他反应没那么快。不过，他虽然学得慢，但是记得牢。还有的孩子怎么样呢？跑了几步，

"什么？向后跑？"小嘴一撅，小屁股一扭，不跑了，生闷气去了，为什么？"天天都是往前跑的，今天怎么让我往后跑了？"他就生气了，像林黛玉似的，这就是阴郁质的孩子。一个孩子一个样，你对他的教育必须适合他的脾气或者他的特征，这才是个性化的方法。

26. 男说话人为什么提倡给孩子讲"狐假虎威"等成语故事？
27. 给孩子讲"掩耳盗铃"的故事可以说明什么？
28. 对幼儿进行挫折教育的目的是什么？
29. 下面哪种属于多血质孩子的特点？
30. 男说话人认为，对哪种气质的孩子应采取激将法？

第三部分

第 31 到 50 题，请选出正确答案。现在开始第 31 到 33 题：

第 31 到 33 题是根据下面一段话：

最近，大多数同事都很兴奋，因为单位调来了一位新主管，据说是个能人，专门被派来整顿业务。可是，日子一天天过去了，新主管却毫无作为，每天彬彬有礼地进办公室后，便躲在里面难得出门，那些紧张得要死的坏分子，现在反而更猖獗了。他哪里是个能人？根本就是个老好人！比以前的主管更容易唬。

四个月过去了，新主管发威了，坏分子一律开除，能者则获得提升。下手之快，断事之准，与四个月中表现保守的他，简直像换了一个人。年终聚餐时，新主管在酒后致辞说："相信大家对我刚上任时的表现和后来的大刀阔斧感到不解。现在听我说个故事，各位就明白了。"

"我有位朋友，买了栋带院子的房子。他一搬进去，就对院子进行全面整理，杂草杂树一律清除，改种自己新买的花卉。有一天，原先的房主回访，进门后大吃一惊，问那些名贵的牡丹哪里去了。我这位朋友才发现，他居然把牡丹当杂草给清除了。后来他又买了一栋房子，虽然院子更杂乱，但他却按兵不动。果然，冬天以为是杂树的植物，春天里开了繁花；春天以为是野草的，夏天却花团锦簇；半年都没有动静的小树，秋天居然红了叶。直到暮秋，他才认清哪些是无用的植物而大力铲除，并使所有珍贵的草木得以保存。"

31. 新主管最初为什么无所作为？
32. 新主管实际上是个什么样的人？
33. 新主管讲朋友的故事是为了说明什么？

第 34 到 36 题是根据下面一段话：

英国剑桥大学最近在一项研究中分析了 10 多个国家的人的饮食习惯与癌症之间的关系，结果发现，食用淀粉类食物越多，小肠、结肠和直肠癌的发病率就越低。比如，以肉类为主食的人，结肠癌的发病率是以淀粉类食物为主食的人的 4 倍。

所谓淀粉类食物，主要指富含碳水化合物的主食，如大米、玉米、小麦等，以及根茎类蔬菜，如土豆、山药、薯类等，此外，还包括各种豆类和香蕉等含淀粉比较多的水果。

研究人员指出，淀粉类食物主要通过两种方式抑制肠癌：一是当淀粉进入肠道后，经一系列反应后可以增加粪便，促使结肠排泄，从而加速致癌代谢物排出体外。二是淀粉在肠内经发酵酶作用，会产生大量的丁酸盐。实验已经证明，丁酸盐是有效的癌细胞生长抑制剂，它能够直接抑制大肠细菌繁殖，防止大肠内壁产生可能致癌的细胞。

在生活中应该如何选择含淀粉的食物呢？对于忙碌的上班族来说，超市中粗加工的、未经去除谷皮的全谷食物，如谷类面包应是首选。购买谷类面包时要注意识别：如果成分表的第一位就是谷类，说明它的谷类含量的确丰富；如果谷类成分排在其他成分或者糖的后面，说明这种食物里谷类成分不多。还有一个方法是：用手拿着面包，如果感觉面包密实紧凑，有明显的麦粒，就是谷类含量丰富的面包。

除了谷类面包以外，用荞麦做成的面条、凉粉、烙饼、蒸饺和米饭等主食也是不错的选择。富含 B 族维生素、维生素 E 的五谷杂粮粥，如腊八粥、八宝莲子粥、荷叶粥等则更适合中老年人食用。

34. 下列哪项是这段话中提到的根茎类蔬菜？

35. 下列哪项不是这段话中提到的淀粉类食物的抑癌功效？

36. 这段话最合适的题目是什么？

第 37 到 39 题是根据下面一段话：

“驴友”一词源自网络，最初由新浪旅游论坛传出。“驴”是“旅游”的“旅”的谐音，“驴友”泛指自助游的朋友，因为这类朋友互称“驴友”。但现在，“驴友”更多地是指“背包客”，就是那种背着背包，带着帐篷、睡袋穿越、宿营的户外爱好者。简单地说，“驴友”就是户外运动爱好者。在中国开展的户外运动主要包括远足、穿越、登山、攀岩、漂流、越野山地车等。这些属于“驴友”的运动多数带有探险性，属于极限和亚极限运动，有很大的挑战性和刺激性。因为这类运动可以拥抱自然，挑战自我，锻炼意志，培养团队合作精神，提高野外生存能力，所以深受青年人的喜爱。随着人们生活水平的提高，户外运动越来越受欢迎，“驴友”也日益成为关注的焦点。

一般旅游与“驴友”的户外运动的区别在于：一般旅游是指以出门旅游的方式享乐的活动，交了钱别人可以为你安排一切，不用担心吃喝拉撒睡，放心享受旅游的乐趣就可以了；而“驴友”通常自己安排衣食住行，以体验大自然为目的，自备各种必需的旅游用品，是一种更为自由、独立的旅行方式。

然而，一般旅游与“驴友”的户外运动的最大区别可以说是精神层面上的。正如一位网友提到的，在旅途中，你会看到衣着朴实，背着大背包、摄影包，入乡随俗，低调地与当地人打交道的旅行者，他们能获得更多的感受，旅行结束后，他们又会以自己独特的视角把沿途的所见所闻用相机、文字等方式展现在大家面前。通过这些载体，你能感受到他们不同的心灵和人生感悟。所以说，“驴友”是一种更需要精神支持的生活方式。

37. “驴友”最初泛指什么?
38. 录音中说，一般旅游与“驴友”户外运动的最大区别体现在什么地方?
39. 下列哪项不符合这段话中关于“驴友”的介绍?

第 40 到 42 题是根据下面一段话：

展露微笑会让人留下美好印象。但是你知道吗？惊恐的表情才最引人注目。美国科学家近日通过比较大脑处理各种面部表情的速度得出结论：惊恐的表情能够最快地被人类意识到。

科学家们利用一个能让双眼同时观看不同图像的阅读器，向参与实验者的一只眼睛展示静态的面部表情图像，向另一只眼睛展示一串快速翻动的随机图像，并让参与者报告他们第一眼意识到静态面部表情的时间。结果发现，相比中性或快乐的表情，参与者意识到惊恐表情的速度要快得多。而且这种现象在实验中具有很大的普遍性。研究人员认为，惊恐对于人类是很重要的信息，它会提醒人们注意潜在的危险。所以惊恐图像在视觉处理过程中走了“捷径”，能更快地被人类意识到。

同时，此次研究也显示了大脑对微笑的“漠不关心”。研究人员说：“快乐的表情被察觉的速度甚至比中性表情还要慢。”这表明，对于没有什么危险的信号，大脑相应的关注也较少。

面部表情对于人们传递社会交往信息至关重要。有些人，比如孤独症儿童，无法正确地判断别人的情感表情，结果就会导致严重的社交困难。

40. 根据这段话，人们察觉哪种表情的速度最快?
41. 录音中提到导致孤独症儿童社交障碍的原因是什么?
42. 下列哪项符合这段话的内容?

第 43 到 46 题是根据下面一段话：

有一家效益相当好的大公司，为了扩大经营规模，决定高薪招聘营销主管。广告一打出来，报名者络绎不绝。

面对众多应聘者，招聘工作的负责人说：“相马不如赛马，为了能选拔出高素质的人才，我们出一道实践性的试题，那就是想办法把木梳尽量多地卖给和尚。”绝大多数应聘者感到困惑不解，甚至愤怒：出家人要木梳何用？这不明摆着拿人开涮吗？怎么可能完成？于是纷纷拂袖而去，最后只剩下三名应聘者：甲、乙和丙。负责人交代：“以十天为限，届时向我汇报销售成果。”

十天到了。负责人问甲：“你卖出多少把?”答：“一把。”“怎么卖的?”甲讲述了自己如何历尽辛苦，游说和尚买梳子，不但没有效果，还惨遭和尚的责骂，好在下山途中遇到一个小和尚一边晒太阳，一边使劲挠着头皮。甲灵机一动，递上木梳，小和尚用后满心欢喜，于是买下一把。

负责人问乙：“你卖出多少把?”答：“十把。”“怎么卖的?”乙说他去了一座名山古寺，由于山高风大，进香者的头发都被吹乱了。他找到寺院的住持说：“蓬头垢面是对佛的

不敬，应在每座庙的香案前放一把木梳，供善男信女梳理头发。”住持采纳了他的建议。那座山有十座庙，于是他卖出了十把木梳。

负责人问丙：“你卖出多少把？”答：“一千把。”负责人惊问：“怎么卖的？”丙说他去了一个颇具盛名、香火极旺的深山宝刹，朝圣者络绎不绝。丙对住持说：“凡来进香参观者，多有一颗虔诚之心，宝刹应有所回赠，既可以做纪念，又能够保佑其平安吉祥，鼓励其多做善事。我有一批木梳，您书法超群，可在上面刻‘积善梳’三个字，作为赠品。”住持大喜，立即买下一千把木梳。得到“积善梳”的香客也很是高兴，一传十、十传百，朝圣者更多，这座寺庙的香火也更旺了。

43. 听到公司的实践性试题后，大多数应聘者为什么选择离开？
44. 那座寺庙买了一千把梳子做什么用？
45. 公司出这样的题目是为了考查应聘者的什么方面？
46. 这个故事告诉我们什么？

第 47 到 50 题是根据下面一段话：

金属历来都是通过采矿、冶金制取的，可是科学家发现，在聚乙炔中加入强氧化剂或还原剂后，它的导电性能会大大提高。因为这种塑料具有金属的一般特性，所以人们称它为“人造金属”。近年来，它的发展极为神速，人们又先后研制成功了聚苯乙炔、聚苯硫醚和聚双炔类等。这些人造金属不仅具有金属光泽，还能导电传热，其用途十分引人瞩目。

人造金属最奇特的功能就是它的导电性。与普通塑料不同的是，人造金属塑料具有一种独特的线型结构，许多同样的分子能奇妙地结合起来，并带有较多的自由电子，这就使原来的塑料改变了物理性能而能够导电。它的导电率比铜、银还要高。普通金属的导电性会随着温度的降低而增大，在接近绝对零度时成为超导，但这种低温很难得到。而人造金属却相反，随着温度的升高，外围自由电子释放得越来越多，从而导电性增强，在常温下也能呈现出超导电性能。把实现超导的条件由低温变成常温，这是人造金属创造的一大奇迹，是科学家梦寐以求的目标。比如，用超导体制造的发电机，效率可以从 30%提高到 98%；超导电线将使远距离无损耗输电的设想成为可能，它将使火车悬浮在轨道上高速运行，也将使有控热核聚变反应成为现实，最终解决能源问题。

人造金属的另一突出贡献是，用它制成的新型电池可以代替笨重的、硕大的铅蓄电池，这将使人们用蓄电池代替汽车动力有了实现的可能。人造金属电池可提供相当于常规电池 10 倍的电力，不需要维修，充电次数可达 1000 次以上，使用寿命比铅蓄电池长 4 到 5 倍，而且不会污染环境。

人造金属在外压和光的作用下，能产生电磁效应，把它装在扩音器上，能将声音放大；把它放在红外摄像机上，在红外热能作用下，也能产生工作电流进行录像。此外，人造金属弹性大、易加工、重量轻、耐腐蚀性能好、强度高、成本低。

47. 下面哪项是制作人造金属的重要材料？
48. 关于人造金属，符合这段话内容的是哪一项？

49. 录音中说到的“人造金属创造的一大奇迹”指什么?
50. 关于人造金属的贡献，不符合这段话内容的是哪一项?

听力考试现在结束。

HSK（六级）模拟试卷 2 参考答案

一、听 力

第一部分

1. D	2. D	3. A	4. D	5. B
6. C	7. D	8. C	9. B	10. C
11. A	12. B	13. C	14. D	15. C

第二部分

16. D	17. B	18. C	19. C	20. B
21. B	22. B	23. A	24. C	25. B
26. B	27. C	28. A	29. C	30. D

第三部分

31. C	32. B	33. A	34. A	35. C
36. A	37. D	38. B	39. B	40. C
41. C	42. B	43. D	44. C	45. A
46. A	47. D	48. B	49. C	50. B

二、阅 读

第一部分

51. B。“为（wéi）”表示被动意义时，可构成“为……所……”结构，如“为金钱所迷惑”。本句“为（wèi）”用来引进行为的对象，故应将“所”去掉。

52. B。词语误用。副词“甚至”强调突出的事例，后面常与“都”或“也”配合使用。如“车祸后他失去了记忆，甚至忘记了自己的名字”。副词“尤其”表示同类事物或全体中特别突出的。如“他擅长体育，尤其是竞技运动”。本句表示同类事物“农业生产”中特别突出的“粮食生产”，所以，应将“甚至”改为“尤其”。
53. A。语序不当。“和……一样”构成固定短语，故本句应改为“宽度和长度一样的细竹”。
54. A。谓语缺失。名词“作业”不能做谓语。故可改为“爸爸每天都帮助我写作业”或者“做作业”。
55. C。虚词误用。语气助词“了”表示变化，即出现了新的情况。副词“将”表示对未来的判断，含有“肯定”、“一定”的意思，如“战争将给人民生活造成巨大损失”。“将”不能与表示情况变化的语气助词“了”同时使用。故应将“了”去掉。
56. B。词语重复使用。短语“自……以来”表示从过去到现在的一段时间，与句中“到现在”重复。所以两者可去掉其一，即改为“自16世纪到现在”或“自16世纪以来”。
57. A。虚词误用。介词“把”表示处置意义，即“把”后的名词是谓语动词的受事者，是动词支配的对象、动作的处所、范围或使受事怎样，如“他把手机摔坏了”、“把水果吃光了”等。动词“用”表示使用，引出动作行为所凭借的工具、方式及依据等，如“用笔写字”、“用汉语讲课”、“用法律办事”等。本句表示方式，并无处置意义，故不应使用介词“把”，应将“把”改为“用”，即改为“用水果代替蔬菜”。
58. D。定语语序不当。多项定语与中心语的正确语序一般是：① 表示领属性的词语或时间、地点词；② 指示代词或数量短语；③ 动词或动词短语、主谓短语；④ 形容词或形容词短语；⑤ 名词或名词短语。故本句“好的学习语言的一种方法”应改为“一种学习语言的好方法”。
59. B。动词“预防”表示预先防备，如“预防疾病”、“预防火灾”等。动词“防止”指事先想办法制止，如“防止疾病蔓延”、“防止次生灾害的发生”等。本句意为事先想办法制止“交叉传染”的发生，故应将“预防交叉感染”改为“防止交叉感染”。
60. A。并列成分语序不当。“解决问题”以后再“分析问题”不合逻辑，故应改为“发现问题、分析问题、解决问题的能力”。

第二部分

61. B	62. A	63. B	64. C	65. C
66. D	67. A	68. D	69. A	70. B

第三部分

71. D	72. B	73. E	74. A	75. C
76. C	77. A	78. E	79. D	80. B

第四部分

81. B	82. B	83. D	84. C	85. D
86. B	87. A	88. D	89. A	90. B
91. B	92. B	93. C	94. C	95. A
96. B	97. C	98. A	99. C	100. D

三、书　写

101. 参考范文

种妈妈

盼盼是个只有爸爸没有妈妈的小女孩。爸爸说，妈妈在盼盼不到两岁时就去了很远很远的地方，要很久很久才能回来。可是盼盼知道妈妈是嫌山里穷才离开的。不过盼盼有一张珍贵的照片，上边的妈妈亲切温柔。盼盼想妈妈时就把照片拿出来看，还常对着照片叫妈妈，希望妈妈能听见。

一转眼，盼盼上小学了。一天，老师讲了一篇名叫《种子》的课文，并说小草籽种下去会长出小草，小树苗种下去会长出大树。盼盼兴奋地问老师："照片种下去，会长出妈妈来吗？"别人都笑她，但她回到家还是在院子里挖了个小坑，珍重地把妈妈的照片种下去，培好土，浇好水，然后祈祷妈妈快长出来。

从此，盼盼天天为照片浇水，盼着妈妈能早一天长出来。可是一天又一天过去了，春天过去了，秋天也过去了，地里长出了新庄稼，妈妈还没长出来，盼盼又着急又害怕。

这天，盼盼又坐在种妈妈的地方，流着泪呼唤着妈妈。突然，她感觉什么东西落到了脸上，热热的。抬头一看，是一个女人，那热热的是女人的眼泪。盼盼惊呆了！妈妈真的站在自己面前，张开了怀抱。远方的妈妈听到了盼盼的呼唤，终于回来了！而盼盼却固执地相信是她"种"出了妈妈！

HSK（六级）模拟试卷 3 听力材料

（音乐，30 秒，渐弱）

大家好！欢迎参加 HSK（六级）考试。
大家好！欢迎参加 HSK（六级）考试。
大家好！欢迎参加 HSK（六级）考试。

HSK（六级）听力考试分三部分，共 50 题。
请大家注意，听力考试现在开始。

第一部分

第 1 到 15 题，请选出与所听内容一致的一项。现在开始第 1 题：

1. 成功与失败只有一步之隔。有位作家曾经说过："人生道路最关键的就在于这一步。" 许多人明明跑了 99 步，结果因为面临苦难而却步。事后才发现，原来距离成功只差一步。

2. 乌贼又叫墨斗鱼，它们是靠墨汁来生存的，当遇到强敌时，它们就会从体内喷出一股股的墨汁来。墨汁在水中散成烟雾状，仿佛释放的烟雾弹。乌贼喷墨的技巧很高，大部分的时候，墨团的形状与它自己的形状相似；而当碰到大鱼时，它们会一下子爆炸似的喷出很浓的墨汁来。

3. 矿泉水是一种从地下涌出的、常年不断、水中含有较多矿物质的泉水。矿泉水能治病，这跟泉水的温度有很大关系。热泉水能使毛细血管扩张，促进血液循环和新陈代谢。高热泉水能引起神经兴奋，而低热泉水则可以抑制神经。医生利用这些原理对病人进行治疗，调节其神经等生理机能。

4. 长期有规律的健身锻炼会使人心率提高，血流加快，及时给身体组织提供充足的营养物质。由于运动时血液循环的速度比平时安静状态下快得多，而且大量毛细血管扩张，所以可以使许多滞留在身体组织内的废物和毒素被"冲刷清理"出来，就像给人体作了一次大扫除。

5. 在未来，生产力水平的提高将节约大量的劳动力。虽然人类通过发展五花八门的服务产业在尽量提高社会就业水平，但从一个长期的趋势来看，劳动力会出现绝对的富余，因此，社会需要通过缩短劳动时间来保证更多的人就业。

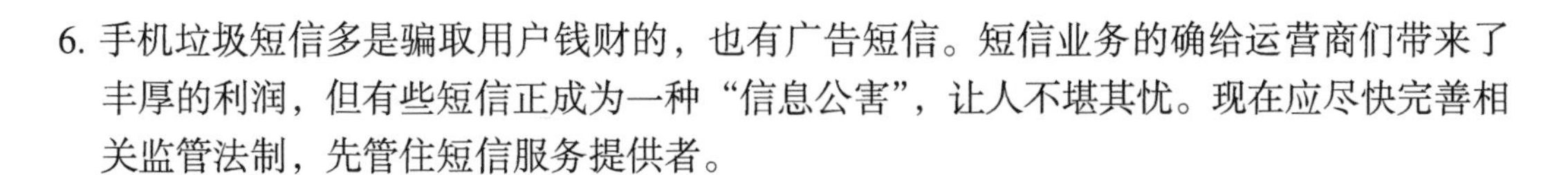

6. 手机垃圾短信多是骗取用户钱财的，也有广告短信。短信业务的确给运营商们带来了丰厚的利润，但有些短信正成为一种“信息公害”，让人不堪其忧。现在应尽快完善相关监管法制，先管住短信服务提供者。

7. 现在，人们的生活水平提高了，大家都陆续搬进了楼房，家里都装修得很漂亮，但邻里之间的交往却少了。有的门对门住了好几年，也叫不上对方姓甚名谁，更谈不上了解了。

8. “黑客”一词是从英文 hacker 翻译过来的，最初用来指代“技术十分高超的计算机程序员”，也就是电脑高手。而随着互联网的日益普及，网站被攻击的现象频繁发生，造成的危害越来越严重，因此，现在“黑客”通常是指那些利用计算机程序编制技术给电脑网站制造麻烦且危害网络安全的人，成了贬义词。

9. 很多人以为番茄、辣椒等是维生素 C 最丰富的蔬菜。其实，西蓝花的维生素 C 含量比它们都要高，也明显高于其他普通蔬菜。而且，西蓝花中的维生素种类非常齐全，尤其是叶酸，含量丰富，这也是它营养价值高于一般蔬菜的一个重要原因。

10. 老年人最懂得时间的无情，他们有许多回忆和感慨急于向他人倾诉。同时，由于老年人很少外出，社交能力下降，说话难免重复乏味。在这种情况下，他们更渴望与社会、与子女交流。与大包小包买这买那相比，老年人更需要的是多陪他们说说话、聊聊天，在浓浓的亲情中安度晚年。

11. 一只火鸡和一头牛闲聊。火鸡说：“我希望能飞到树顶，可我没有力气。”牛说：“为什么不吃一点儿我的粪便呢？它们很有营养。”火鸡吃了一些牛粪，结果真的飞到了第一根树枝。第二天，火鸡吃了更多的牛粪，飞到了第二根树枝。两个星期后，火鸡骄傲地飞到了树顶，但不久，农夫看到了它，迅速把它射了下来。

12. 森林是许多动植物的最后栖息地，它们的存在对人类来说极其重要。但是，在一些过度开发的地区，大量原始森林消失了。尤其是那些严重降雨区，一旦山坡的植被遭到破坏，就会引起诸如洪水和泥土坍塌等问题。多数植物种类分布广泛，能够承受局部砍伐并幸存下来，但有些植物分布范围很狭窄，过量砍伐会使之永远消失。

13. 中国古代的科学著作大多数是经验性的总结，而不是理论性的探讨，书中所记载的各项发明都是为了解决生活中的实际问题，而不是试图在某一研究领域取得重大突破。从研究方法上来说，中国科技重视从总体上把握事物，而不是把研究对象从复杂的联系中分离出来，这使得中国古代的科学技术没有向更高层次发展。

14. 传统的动物资源保护措施主要是划分保护区。这些措施能很好地保护物种多样性，但也存在一些缺点：保护区面积大，偷猎现象屡禁不止。而克隆、冷冻保存等生物技术新成果的问世，为动物遗传资源的保护和利用开辟了新途径。

15. 云南地处世界两大生物多样性地区的交界处，高海拔的青藏高原在云南迅速过渡到低海拔的马来半岛。云南的大部分河流都是南北走向，热带的动植物随着北上的热空气一直延伸到云南的大部分地区，因此云南在4%的土地面积上拥有全国50%以上的植物种类、70%以上的动物种类和80%以上的植被类型。

第二部分

第16到30题，请选出正确答案。现在开始第16到20题：

第16到20题是根据下面一段采访：

女：我们的生活已经发生了翻天覆地的变化，城市的建设日新月异，高楼大厦拔地而起，和谐人居的理念也越来越被人们所接受。摄影作为记录生活的便捷方式，只要愿意，你就可以成为记录历史生活的人。今天我们从“我的城市我的家”摄影大赛活动讲起。请问，这次活动是怎样安排的呢？

男：是这样的，我们在网上设立了一个“我的城市我的家”的网站，只要你拿起相机记录身边城市的变迁，就可以参加。这个要求不高，而且对于上传的作品要求也不高。入选之后我们会调用他的原文件，我们发现有一些作品在网上看着很漂亮，但是这个是经过后期处理的，不能参赛。因为我们的摄影大赛不是广告片，不能修改得太过分。

女：对，否则就脱离真实了。那是不是只能用原始照片参赛呢？

男：那也不是。如果照片没有处理就发上去，这也是对你自己不负责。所以有一个度，不能造假，也不能把原来的照片直接拿上来。

女：到目前为止，已经有将近3万张照片了，大家拍的最多的是“我的家”、“我的城”，还是“城市天际线”？

男：拍得最多的还是“我的家”。

女：那么，拍什么算是“城市天际线”呢？

男：天际线不一定是一个单独的建筑物，而是要能代表城市的轮廓、文化底蕴、环境品质等，包括独特的视角。每个城市都应该有自己的个性和特色，比如说广州，我觉得广州的特色就是高架桥，高架桥四周的建筑和高架桥融合在一起的景象就像是这个城市的名片。再说西安，西安的古城墙在其他城市是没有的。北京则又不一样，北京是古都，有很多古老的建筑，是跟我们现代的建筑融合在一起的。到上海外滩，可以看到东方明珠电视塔、各种风格的建筑，还有黄浦江，这些都可以把上海城市的特色勾勒出来。

女：怎么样才能准确描绘“城市天际线”呢？你能不能用自己的思维启发一下更多的参与者？我们就以北京为例吧。

男：就说一些地标性建筑吧，鸟巢、中央电视台新址，等等，可以从不同的角度去拍。比如去西山，找一个制高点，肯定整个城市都能尽收眼底。如果我拉一个局部，也可以单拍中央电视台新址。

女：也可以拍国家大剧院什么的。

男：对。但是就我个人来说，我不会拍建筑，反而可能拍我身边的朋友、社区的生活状况，比如老人锻炼的场景，或者朋友在一起吃饭的场景。我觉得我们不一定要拍很多的高楼大厦，你可以闭上眼睛想一想，什么最能体现这个城市的特色。比如北京，是一个六朝古都，是皇城，我会去拍紫禁城城墙下人的状态和现代建筑的结合，这就是我理解的"天际线"。

女：这些秘诀太重要了。另外，参赛照片有数额的限定吗？

男：没有，每个人都可以投稿多组。但是要有不同的视角，你要拍出不同的特色，要能够打动人。别人没有的你有，别人有的你要比别人更好，也就是需要创新。希望这三个类别中都可以出现更多的创新的作品。

女：我们经常说的特色就是"人无我有，人有我优"。

男：对，就是这样。

16. 摄影大赛对参赛作品有什么要求？
17. 男说话人认为什么算是"城市天际线"？
18. 男说话人认为广州的特色是什么？
19. 男说话人认为拍什么最能体现北京的特色？
20. 下面哪项符合对话中所说的"特色"？

第 21 到 25 题是根据下面一段采访：

男：一位诺贝尔经济学奖获得者曾经说过，政府不仅要关注国家的经济指数，还要关注国民的幸福指数。那么，作为育儿专家，您想对家长提些什么忠告呢？

女：家长不仅要关注孩子的成长指数，像孩子的身高体重是否符合目前的年龄标准等，而且还要关注孩子的幸福指数，也就是他是否拥有一个幸福的童年。我认为儿童成长有三大营养素：第一就是食物，这是物质的，可以促进孩子身体的生长发育；第二就是丰富而适宜的教育环境，可以促进孩子的智慧发展；再一个就是爱，爱是无与伦比的精神营养素，可以促进孩子人格的健康成长。

男：那么怎么培养孩子的幸福指数呢？

女：我认为要着力培养孩子的情商，特别是面对挫折的心理承受能力，让孩子具备主宰未来的力量。未来社会对孩子的素质、能力到底有什么样的要求呢？我认为培养儿童主宰未来的力量至少要具备四种重要的心理能力：第一就是创造力；第二是健康的人格；第三是行动果敢；第四是善于表达自己的思想。有的人创造了很多的财富，但是却没有幸福感，为什么呢？就是因为他没有一个健康的人格。那么行动果敢意味着什么？想清楚了就要立刻去做，因为社会变化太快，所以我们必须让孩子学会行动果敢，想清楚了立即就去做。另外还要善于表达自己的思想，也就是说，你仅仅有思想还不行，还要善于表达。

男：在这四种能力中，您更看重哪种能力呢？

女：我认为培养孩子的创造能力非常重要，因为人类的历史就是一部创造史。在生活中，人们发现那些智商比较高的人，走到社会上却不一定能获得成功，这是为什么呢？原来衡量孩子智商的主要指标是学业成绩，而学业成绩好并不等于未来就能成功。有些

人虽然成绩不好，比如说我们熟知的李小龙，学习成绩并不好，但这并不影响他成为一代宗师、截拳道的创始人。就是说，人有不同的智力类型。

男：是啊。比如一些影视明星不一定要高等数学学得很好。

女：对。每个人都有自己不同的智力类型，最典型的关于智力类型的代表就是美国哈佛大学教授加德纳提出的人的智力可能是多元的，也就是说，不同的人可以有不同优势的智能。有的人可能是学术型的，有的人可能是社交型的，有的人可能是艺术型的。但是我认为，加德纳并没有告诉我们人的智慧和动物的智慧有什么区别。加德纳提出的八大智能中有运动智能。人有豹子那么快的奔跑速度吗？没有。人有鹰那么敏锐的眼睛吗？没有。人有狗那么灵敏的嗅觉吗？也没有。那么，人为什么能成为万物之灵呢？因为人具有创造文明的能力，所以创造性应当是人类智慧和动物智慧的根本区别。人类的文明史就是一部创造史，创造性是人类智慧的本质和核心。加德纳提出"类型论"，我提出"目的论"，也就是培养孩子的所有智能，而其根本目的就在于培养孩子的创造性。

21. 女说话人认为应怎样提高孩子的幸福指数？
22. 女说话人认为培养孩子哪方面的能力更重要？
23. 女说话人举李小龙的例子是为了说明什么？
24. 下列哪项符合加德纳教授的观点？
25. 下列哪项符合女说话人关于人类智慧与动物智慧的观点？

第 26 到 30 题是根据下面一段采访：

耶鲁大学创办于 1701 年，是美国最早成立的三所大学之一，也是美国最有名的大学之一。300 多年来，这所高校走出了大批影响美国乃至世界历史进程的风云人物。怀着对世界名校的敬仰之情，人民网驻美国记者对耶鲁的最高掌门人进行了独家采访。

女：《美国新闻与世界报道》杂志的大学排行榜很有影响，几乎每次都是哈佛、耶鲁和普林斯顿分享前三把交椅，而最好的公立大学几乎都排在 20 名之后。作为这一排行榜的受益者，您怎么看？

男：没错，这个排行榜的确对公立大学不公平，因为它按照捐赠基金的多少给大学打分，公立大学的捐赠基金都比私立大学要少，得分自然会低。但是它们没有考虑到，公立大学能够享受州政府强大的财政支持，私立大学则不能。不过，耶鲁大学在排名上也有吃亏的时候。比如，英国《金融时报》和中国上海交通大学都推出过世界大学排行榜，耶鲁的排名均比较靠后。这两个排行榜过分强调大学在学术期刊上发表论文的数量，而不重视人文学科和职业学院。所以世界上没有十全十美的排名。

女：耶鲁大学与中国的渊源在美国所有大学中最为久远。早在 1854 年，清朝人容闳就从耶鲁大学毕业，成为获得美国大学学位的第一位中国人。1881 年，"中国铁路之父"詹天佑也成为耶鲁大学的毕业生。1901 年，耶鲁大学还组建了"雅礼协会"，专门从事有关中国的教育事业。另外我知道，耶鲁曾两次为中国 14 所顶尖大学的校长提供培训。中美国情很不相同，您认为这些培训有用吗？

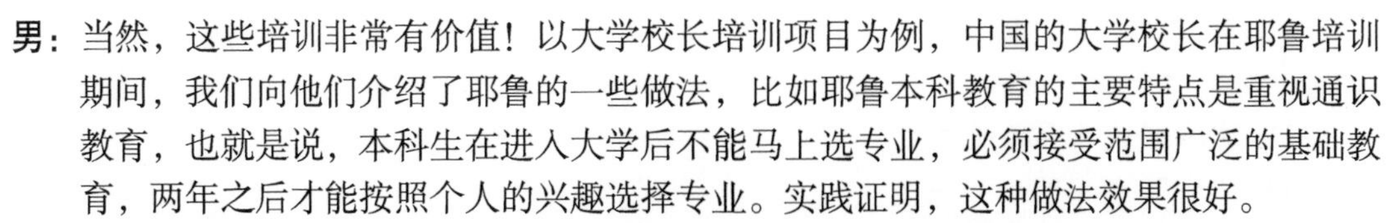

男： 当然，这些培训非常有价值！以大学校长培训项目为例，中国的大学校长在耶鲁培训期间，我们向他们介绍了耶鲁的一些做法，比如耶鲁本科教育的主要特点是重视通识教育，也就是说，本科生在进入大学后不能马上选专业，必须接受范围广泛的基础教育，两年之后才能按照个人的兴趣选择专业。实践证明，这种做法效果很好。

女： 您曾提到“没有中国学生，耶鲁将黯然失色”，不过耶鲁每年近 4 万美元的学费对于绝大多数中国家庭来说都是一个不小的数目。那么，中国学生就读耶鲁会有什么优惠措施吗？

男： 实际上，耶鲁没有你想象的那么昂贵。从 2000 年起，耶鲁开始对希望攻读本科学位的外国留学生推出一揽子经济资助方案。根据该资助方案，那些家庭年收入低于 4.5 万美元的外国学生，不用付一分钱学费就能到耶鲁来念本科。即使家庭年收入超过 4.5 万美元的标准，绝大多数外国籍的本科学生也只需要支付学费的 10%到 20%，部分外国学生甚至付得更少。跟本科生相比，那些希望到耶鲁来攻读硕士和博士学位的外国学生就更没有任何经济上的后顾之忧了。因为耶鲁会免掉他们的所有学费，还会给他们办理免费的健康保险，同时每年还给他们提供超过 1.8 万美元的生活补助。

女： 这对中国学生来说的确是一个天大的好消息，不用花钱就能接受精英教育。得到这些经济资助有什么条件吗？

男： 唯一的条件是必须被耶鲁录取。到耶鲁念书，难就难在录取这一关。一旦被录取，钱根本不是问题。耶鲁本科的本科录取率只有 19% ，研究生的录取比例只有 12%到 15%。有些学院录取率更低，如法学院的本科录取率只有 5%。

26. 对话中说，《美国新闻与世界报道》杂志是依据什么对世界大学进行排名的？
27. “中国铁路之父”詹天佑是耶鲁大学哪年的毕业生？
28. 耶鲁大学的本科教育有什么特点？
29. 进入耶鲁大学的唯一条件是什么？
30. 关于耶鲁大学，不符合对话内容的是哪一项？

第三部分

第 31 到 50 题，请选出正确答案。现在开始第 31 到 32 题：

第 31 到 32 题是根据下面一段话：

一只蚂蚁爬上了办公桌，急冲冲地向前奔走。它黑黑的，小小的，奔走在偌大的办公桌上，愈发显得单薄和纤小。我不知道它从什么地方来，要往什么地方去。我所清楚的是，这只蚂蚁一定在匆忙之中走错了方向，毕竟我这里除了一桌子的寂寞，什么也没有。我把手放在它奔走的前方，待它爬进我的掌心后，轻轻地把它送回到地板上。我不想让它在迷途中走得太远。

然而，没多久，它又从桌子的另一角出现了，依旧是一样的匆忙。我笑了，重新把它送回到地板上，心想，如果再找不对路，它一天的时光可能就要荒废了。不料，我刚刚把它放在地板上，它顺势一扭身，竟然不屈不挠地从远处的另一条桌腿爬了上来。

那一刻，我突然发现我错了。人总是习惯用自己的思维去揣度其他的生命，凭个人的

喜好设定目标，不愿多走弯路。其实呢？也许，蚂蚁所享受的，只是奔走的快乐。

31. 这段话说人常会怎样？
32. “我”突然明白了什么？

第33到34题是根据下面一段话：

一支探险队进入撒哈拉沙漠的某个地区，在茫茫的沙海里跋涉。阳光下，漫天飞舞的风沙像炒红的铁砂一般，拍打着探险队员的脸颊。大家口干舌燥，心急如焚。可是，水已经没了。这时，探险队队长拿出一只水壶，说：“这里还有一壶水，但穿越沙漠前，谁也不能喝。”

一壶水，成了穿越沙漠的信念之源，成了求生的寄托目标。水壶在队员手中传递，那沉甸甸的感觉使队员们濒临绝望的脸上又露出了坚定的神色。终于，探险队顽强地走出了沙漠，挣脱了死神之手。大家喜极而泣，用颤抖的手拧开那壶支撑他们的精神之水，然而，缓缓流出来的，却是满满的一壶沙子！炎炎烈日下，茫茫沙漠里，真正救了他们的，又哪里是那一壶沙子呢？他们执著的信念，已经如同一粒种子，在他们心底生根发芽，最终领着他们走出了绝境。

事实上，人生从来没有真正的绝境。无论遭受多少艰辛，无论经历多少苦难，只要一个人的心中还怀着一粒信念的种子，那么总有一天，他就能走出困境，让生命重新开花结果。人生就是这样，只要种子还在，希望就在。

33. 是什么使探险队队员摆脱了死神？
34. 这个故事告诉我们什么？

第35到37题是根据下面一段话：

在日常生活中，常遇到相似的食品不知选哪一种才合适的情况。比如，豆奶、奶粉和牛奶，应该选哪一种更好呢？对于这个问题应该作些分析。

奶粉是牛奶经过加工后制成的干燥食品，易于保存。但在干燥过程中，牛奶的一些营养素被破坏了。因此，奶粉的营养不如牛奶。

豆奶与牛奶相比，蛋白质含量与牛奶相近，但维生素B2只有牛奶的1/3，尼克酸、维生素A、维生素C的含量则为零；铁的含量虽然较高，但不易被人体所吸收；钙的含量也只有牛奶的一半。从营养含量来看，1千卡热量的牛奶中，有188毫克的胆固醇，豆奶则不含胆固醇，饱和脂肪酸也较低，这也就是喝豆奶要比喝牛奶和奶粉更容易防止心血管疾病的道理。

那么老年人是否应该只喝豆奶而不喝牛奶呢？也不行。如果完全用豆奶代替牛奶，老年人所需要的钙、维生素A、D、B2、C以及尼克酸等营养素就会减少。目前，许多中老年人患有骨质疏松症，这是由于骨质缺少钙造成的，而牛奶是补充钙质的良好来源。牛奶中含有高质量的蛋白质和多种维生素、矿物质，都是保持健康所需要的。因此，老年人还是应该常喝牛奶。 但是，牛奶也有一个缺点，就是含有大量的乳糖。患有慢性消化道溃

疡、慢性肠炎或胃肠功能紊乱的中老年人，对乳糖的耐受性较差，常喝牛奶容易引起腹泻。所以他们就不宜多喝牛奶，而应常喝豆奶。

35. 豆奶不含哪种成分？
36. 录音中提到，骨质疏松症是由什么引起的？
37. 什么样的人适宜喝牛奶？

第 38 到 40 题是根据下面一段话：

在非洲中部地区干旱的大草原上，有一种体形肥胖臃肿的巨蜂。它的翅膀非常小，脖子也很粗短。但是，这种蜂在非洲大草原上能够连续飞行 250 公里，飞行高度也是一般的蜂比不上的。它们非常聪明，平时藏在岩石缝隙或者草丛里，一旦有了食物立即振翅飞起。当它们发现某个地区气候开始恶化，就要面临极度干旱的时候，就会成群结队地迅速逃离，向着水草丰美的地方飞行。而其他的蜂类就不同了，一旦遇到恶劣的气候，成千上万的蜂往往就束手无策。这种强健的蜂被科学家称为“非洲蜂”。

但是科学家对这种蜂却充满了疑问。因为根据生物学的理论，这种蜂体形肥胖臃肿而翅膀却非常短小，在能够飞行的物种当中，它的飞行条件是不够好的，甚至还不如鸡、鸭、鹅优越。尤其在蜂的大家族里，它更是身体条件最差的。而根据物理学的理论，它的飞行就更是不可思议的事情了。因为根据流体力学，它的身体和翅膀的比例是根本不能够起飞的。按照科学家的理论，这种蜂不要说自己起飞，就是人用力把它扔到天空去，它的翅膀也不可能产生承载肥胖身体的浮力，会立刻掉下来摔死。

可是事实却恰恰相反，非洲蜂不仅不用借助外力，完全依靠自己的力量飞行，而且是飞行的队伍里最为强健、最有耐力、飞行距离最长的物种之一。科学家们束手无策，因为在这个小小的物种面前，有些科学的经典理论不能成立了。

哲学家们知道了这个故事之后，告诉严谨的生物学家和物理学家说，其实并没有什么奇异的秘密，这种蜂天资低劣，但是必须生存，所以只有学会长途飞行的本领，才能够在气候恶劣的非洲大草原生存。而其他物种就不同了，它们天生条件较好，也就不再刻苦练习生存的本领了。

38. 非洲蜂一般在哪里栖身？
39. 根据这段话，蜂类飞行主要取决于什么？
40. 非洲蜂飞翔的秘诀是什么？

第 41 到 43 题是根据下面一段话：

在商务交往中一定要有名片，一个没有名片的人将被视为没有社会地位的人，拿不出名片可能会让对方怀疑你的来历与动机。不随身携带名片是不尊重别人的表现，所以名片要随身带。在国外的很多公司，员工的名片放在什么地方都有讲究。名片一般放在专用名片包里，而名片包放在西装上衣口袋里，不能随便乱放。

名片是不能随意涂改的，不要电话号码有变动就直接在名片上涂改，把原来的号码画掉，写上新的号码。在国际交往中，名片如同脸面，涂改名片会贻笑大方。名片上也不要提供家庭电话，涉外礼仪讲究保护个人隐私，公私有别，因公打交道的话，只要提供办公室电话和手机号码。名片上一般也不出现两个以上的头衔。“闻道有先后，术业有专攻”，名片上的头衔太多，就有用心不专、蒙人之嫌。很多有地位、有身份的人会准备好几种名片，对不同的交往对象、强调自己不同身份的时候，使用不同的名片。

名片交换也是有讲究的。地位低的人应首先把名片递给地位高的人，主动索取名片会出现地位落差的问题。如果索要名片，也不能采取直白的表达方式。比较恰当的交换名片的方法是交易法，“将欲取之，必先予之”，想要王先生的名片，我就把自己的名片先递给他，并说：“王先生，这是我的名片。”他无论如何也要回赠一张吧？

在接受名片后一定要回敬对方，“来而不往非礼也”，拿到人家名片一定要回。而且接过名片一定要看清楚，通读一遍，这一点很重要。看名片表示重视对方，同时可以了解对方的确切身份。不仔细看名片内容是怠慢对方的表现，这在社交中是大忌。

41. 因公交往的话，名片上一般不该出现下列哪项？
42. 下列哪项不符合这段话的内容？
43. 这段话主要讲了什么？

第 44 到 46 题是根据下面一段话：

许多人有酗酒的不良习惯，喝大量的酒不但会对身体产生不良影响，而且容易导致家庭矛盾，是社会的不稳定因素之一。但是为什么会有人酗酒呢？医学专家经过长期研究发现，人体内的一种基因变异会导致过量饮酒和酗酒。

这种基因变异可造成人体中枢神经内神经肽蛋白质缺损，从而使人出现压抑的反应，而这种忧郁不快的心情往往会使人不得不借助于酒精加以发泄。

医学专家的研究结果显示，神经肽数量异常的男子多半贪杯，饮酒量明显高于正常人。此外，神经肽蛋白的缺损还会对他们的饮食习惯产生更为广泛的影响。

普通人在喝下一定量的酒后便会出现肢体麻木、嗜睡等醉态，但酗酒者则通常酒量很大，不容易出现这些醉态。据报道，科学家在对老鼠进行酗酒实验时发现，当老鼠的单氨基氧化酶基因受损，无法发挥其功能时，老鼠便会狂饮无度。

进一步的研究显示，单氨基氧化酶基因可制造出一种蛋白，控制老鼠的血清素、多巴胺、肾上腺素等神经介体的浓度，因而普通老鼠在摄入一定量的酒精后，其神经系统便会先兴奋、后抑制，进而出现醉态。而在单氨基氧化酶基因受损的老鼠体内，神经介体的浓度要比普通老鼠高得多。因此，在摄入大量酒精后，基因受损的老鼠仍然能够长时间地处于兴奋状态，久喝不醉。此外，这种老鼠还具有极富攻击性的特点。

44. 录音中说，人体中枢神经内神经肽蛋白质缺损时情绪会出现怎样的变化？
45. 基因受损的老鼠摄入大量酒精后会出现怎样的情况？
46. 这段话主要的内容是什么？

第 47 到 50 题是根据下面一段话：

能叫“历史文化遗产”的就是古代的东西，是祖先们留给我们的，是经历了几百上千年而至今仍在的东西，是没有备份、独一无二的。正是这种独特性和唯一性决定了历史文化遗产应该以保护为主。

秦兵马俑现在建了博物馆来进行保护，同时开发成旅游景点，可谓保护和开发把握得最好的范例。可秦兵马俑原本身上是有颜色的，一出土就急速氧化，变成现在的一片土灰色，因此秦兵马俑的四号坑目前还没有开掘，一号坑也有一些仍埋在土里，这些都是以文物保护为主的做法。如果是以开发为主的做法呢？兵马俑大可全部挖掘出土，甚至还有可能挖出些什么宝贝呢！

但现在我们的文物保护技术仍未成熟，比如兵马俑身上的颜色就没能保住；古代的绢或锦一出土就褪色、变脆，也没能保住；明定陵在国家主持下开发，但神宗的遗骨、寿衣等，也没能保住；莫高窟的壁画，风化和褪色严重，还是没能保住，还有其他很多很多。这些事例都说明了对于历史文化遗产应该以保护为主，因为这些东西万一保护不好而变质的话，就永远修复不了了，也没法找第二份来代替。这就是历史文化遗产的独特性和唯一性。

正是由于秦兵马俑和明定陵的教训，国家才下令严禁开挖所有皇陵，否则唐乾陵早就挖了。

历史文化遗产应该以保护为主，并不意味着完全不开发，而是以开发为辅。比如，对实物性的历史文化遗产实施限人限时开放参观，西藏布达拉宫就是这样；甚至可以不对外开放，只对学者和有心人开放，不对普通游客开放，天一阁就是这样；如果开放给普通游客，就要学习兵马俑博物馆的模式，边开放边修复，边保护边开发。各地的历史文化遗产可以结合自身的情况来选择适合自己的保护方式。同时，国家要承担对历史文化遗产保护的主要资金投入，不能让历史文化遗产成为营利的工具，不能让历史文化遗产功利化和铜臭化，要还原历史文化遗产本身的价值。

47. 录音中举秦兵马俑的例子是为了说明什么？
48. 下列哪个是未开发的遗迹？
49. 对于历史文化古迹，我们应该怎么办？
50. 西藏布达拉宫采取什么样的开放模式？

听力考试现在结束。

HSK（六级）模拟试卷 3 参考答案

一、听　力

第一部分

1. A	2. D	3. B	4. B	5. B
6. B	7. C	8. B	9. A	10. A
11. C	12. B	13. C	14. B	15. A

第二部分

16. D	17. A	18. B	19. B	20. A
21. B	22. B	23. A	24. D	25. B
26. B	27. C	28. C	29. C	30. A

第三部分

31. B	32. D	33. C	34. B	35. A
36. D	37. B	38. A	39. C	40. B
41. C	42. A	43. A	44. D	45. A
46. C	47. D	48. A	49. B	50. A

二、阅　读

第一部分

51. C。短语误用。“以……为……”是固定搭配，表示“把……作为……”，故应改为“以狩猎为生的鄂伦春族”。
52. B。宾语缺失。“关心”什么？“关心”谁？句中并无交代。故应改为“又会关心人”。
53. A。定语语序不当。多项定语与中心语的正确语序一般是：① 表示领属性的词语或时间、地点词；② 指示代词或数量短语；③ 动词或动词短语、主谓短语；④ 形容词或形容词短语；⑤ 名词或名词短语。故应改为“一个脾气很坏的人”。
54. C。词语误用。动词“仿造”指照着现成的样子制造，如“仿造名牌产品”、“仿造古代家具”等。句中“仿造伪劣药品”显然不合逻辑，故可改为“制造、销售伪劣药品”。
55. B。多重否定错误。句中三重否定与原句要表达的意思相反，故应将“不是”去掉，即改为“没有不可能发生的事”。

56. D。搭配不当。“性格成为孩子”主宾搭配不当，故应将“的性格”去掉。
57. B。谓语缺失。可改为“虽然我们是来自同一个国家的人”或“虽然我们来自同一个国家”。
58. D。“在+名词”构成介词短语，表示动作进行的处所时，可以用在谓语动词前做状语，如“老师在黑板上写字”，也可以用在动词后做补语，如“老师把字写在黑板上”。但是表示事物通过动作到达某个处所，不表示动作进行的处所时，只能用在动词后做补语，不能做状语，比如，可以说“他把书放在桌子上”，不能说“他把书在桌子上放”。本句表示“银腰链”通过“挂”的动作到达处所“腰上”，故应改为“把象征着缆绳的银腰链挂在腰上”。
59. A。强调已经发生或完成的动作的时间、地点、方式、目的、对象等，应用“是……的”句式表达，句末不能用表示情况变化的“了”。故应改为“我的幼年和青年时期都是伴着广阔的海洋长大的”。
60. D。“原因是……而来的”搭配不当。可用“A 是因为 B 造成的”或者“B 导致了 A”引出事件发生的原因。故可改为“我认为代沟问题的出现是因为长辈和晚辈之间缺乏互相理解、互相信任造成的”或者“我认为长辈和晚辈之间缺乏互相理解、互相信任导致了代沟问题的出现”。

第二部分

61. B	62. A	63. B	64. A	65. A
66. A	67. A	68. B	69. D	70. B

第三部分

71. E	72. D	73. B	74. C	75. A
76. B	77. D	78. E	79. C	80. A

第四部分

81. C	82. B	83. B	84. C	85. C
86. A	87. A	88. D	89. B	90. B
91. B	92. C	93. C	94. C	95. A
96. C	97. B	98. D	99. B	100. C

三、书 写

101. 参考范文

帝王蛾

在蛾子的世界中，有一种蛾名叫“帝王蛾”。你可能觉得用“帝王”来命名一只小小的蛾子未免有些夸张，但当你知道了它是怎样冲破命运的苛刻设定，艰难地穿越死亡的关口，从而获得飞翔的快乐时，你就会觉得“帝王”的桂冠非它莫属。

帝王蛾的幼虫时期是在一个洞口极为狭小的茧里度过的，它想获得飞翔的能力就必须拼死穿过狭小洞口这个“鬼门关”。多少幼虫力竭而死，最后能飞翔的只是少之又少的极少数。

一天，一个人目睹了一只蛾子“穿越”的全过程。它挣扎了数小时，好像就是为了通过那小小的洞。然而，一切都是徒劳的，它还是没有成功，而它好像已经用尽了所有的力气，无法再努力了。这个人看了很可怜它，决定帮助这只可怜的蛾子通过那鬼门关。他拿来剪刀，剪开了那个小小的洞，蛾子终于钻出了洞口。然而，这个代价是惨痛的，干瘪无力的翅膀使它只能终身爬行，它将永远失去飞翔的能力。

原来，帝王蛾只有通过那狭小洞口的强烈挤压，才能拥有一对振翅飞翔的翅膀。

没有人能施舍给帝王蛾一双奋飞的翅膀！

有时挣扎正是我们生活中所必需的一部分，如果生活太轻松，我们就永远不能表现出应有的坚强。我们应该将自己铸成一支无畏的箭，穿透命运设置的重重险阻，射向辽阔的天空！

HSK（六级）模拟试卷 4 听力材料

（音乐，30 秒，渐弱）

大家好！欢迎参加 HSK（六级）考试。
大家好！欢迎参加 HSK（六级）考试。
大家好！欢迎参加 HSK（六级）考试。

HSK（六级）听力考试分三部分，共 50 题。
请大家注意，听力考试现在开始。

第一部分

第 1 到 15 题，请选出与所听内容一致的一项。现在开始第 1 题：

1. 有关专家说，人的记忆能力和学习能力在四五十岁之后便会明显衰退。但事实也证明，那些一直从事和参加创造性活动的老年人的头脑并不亚于年轻人。

2. “病从口入”是老百姓常说的一句话。它提醒人们吃东西时要注意卫生，千万别把细菌什么的吃到肚子里。特别是夏季，大家要注意预防肠胃疾病，食品要充分加工，不要吃半生不熟的食物。

3. 不论是红糖、黄糖、白糖还是冰糖，起初的提炼方法都是一样的，之所以成为不同颜色、形态的糖，原因在于最后精制和脱色的程度不同。精制的程度越高，颜色越白、纯度越高，但是甜度却不会因为纯度提高而增加。

4. 青少年是否应该睡午觉？从理论上讲，为了保证青少年的健康成长，每天应该睡足 9 到 10个小时，这是一个基本原则。只要满足了这个原则，每天是睡一次还是睡两次，没有太大的关系。

5. 自行车不消耗能源，不污染环境，有很多优点。在欧美国家，人们骑自行车是为了锻炼身体或者出于个人爱好。在中国，自行车主要是交通工具，甚至是运输工具。当然，在中国的城市里，也有人为了锻炼身体而选择骑车，放弃坐公共汽车。

6. 研究证明，大多数哺乳动物都是色盲。如牛、羊、马等，几乎不会分辨颜色。在西班牙斗牛场上，斗牛士总是用红色的斗篷向公牛挑战。人们原以为是红色激怒了公牛，其实公牛的愤怒是因为斗篷在眼前不断晃动，使它感到烦躁。换上别的颜色的斗篷，公牛也会作出同样的反应。

7. 每个人睡觉时都要做梦，人在做梦时的睡眠叫有梦睡眠。有梦睡眠时，控制四肢和躯体的神经传导被阻断，除了脚和手指有知觉外，身体其他部分均处于麻木状态。心跳和呼吸的次数与清醒时差不多，但变得不那么均匀，体温调节机制受阻，打寒站和出汗都很难。

8. 夫妻关系是人们生活经历中最为特殊的一种关系，夫妻感情的交流和生活中的相互体贴构成了它的独特基础。夫妻关系和谐时，充分而良好的沟通会增进爱情的充实度和新奇度；夫妻关系失调时，必要的沟通则有助于消除误解与隔阂，并达成谅解。

9. 很多人夏天不愿意吃辣，怕上火。其实，夏天人的心火较旺，胃属苦，此时不宜吃太多苦味的东西，但可以适当吃一些辛辣味比较重的食物来开胃。比如做菜时放一些生姜、蒜和辣椒来调味，但不是指多吃川菜、火锅。

10. 乌鸦站在树上，整天无所事事。兔子看见乌鸦就问："我能像你一样站着，每天什么都不干吗?"乌鸦说："当然，有什么不可以?"于是，兔子在树下开始休息。突然，一只狐狸出现了，它跳过来，一下子就抓住了兔子。

11. 快餐、快递、快车，时间就是金钱，时间就是生命。如今，整个社会就是一个快节奏高速发展的社会。超市里的速食品特别好卖，许多劳碌了一天的人不愿再为做饭耗费太多精力，一日三餐都选择以快餐形式解决。

12. "独生子女就业综合征"主要有以下特征：第一，以自我为中心，缺乏团队意识和协作精神；第二，个性张扬，"不为五斗米折腰"；第三，过于自信，眼高手低；第四，自尊心过强，很难接受别人的批评和意见。

13. 人在伤心或生气时涌出的眼泪叫情绪性眼泪。医学研究证明，它和别的眼泪不同，其中有一种有毒的生物化学物质，这种物质会引起血压升高、心跳加快和消化不良。通过流泪，可以把这些物质排出体外，对身体有利。据观察，长期压抑、不流眼泪的人患病的概率要比常流泪的人多一倍。

14. "淘衣"可是有很多学问的。发现好衣服的喜悦要藏在心里、不露声色。你可以漫不经心地先摸摸衣服的料子，或者对老板提出试穿的要求；穿上后，再问老板这个款式还有没有别的颜色，或者说"要是袖子再长点儿就好了"之类鸡蛋里挑骨头的话。这时老板多半会打圆场，说这件衣服的好话，这时你就可以问价了。

15. 农业时代人们意识不到空气的存在，因为新鲜的空气足够享用。也正因为如此，人类在进入工业时代后，对空气和环境没有给予足够的重视。当这种污染发展到一定的程度时，新鲜空气的再生速度赶不上被污染的速度，人们就开始为获得新鲜的空气资源而支付费用，从某个角度来说，空气已不再是免费的了。

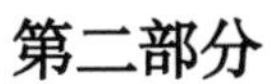

第二部分

第 16 到 30 题，请选出正确答案。现在开始第 16 到 20 题：

第 16 到 20 题是根据下面一段采访：

女： 您觉得现在中国的时尚消费有哪些趋势？

男： 中国人以前都要在社会上拼杀很多年才能赢得自己的富裕生活，但随着中国经济的快速发展，人们得到财富的年龄越来越年轻。很多人在三十岁甚至二十几岁的时候就拥有了他们前一代人四五十岁才拥有的财富和生活质量，而这一部分人必然比前一辈人更加迅猛地投入到整个社会的消费潮流当中。

女： 这些崛起的年轻阶层的时尚消费有什么特点呢？

男： 他们的消费热情更高，而且更大胆，也更自我，更愿意为自己的生活投入财富和热情，而且他们对于科技特别敏感。

女： 以前人们想起男性时尚可能想到的是一个袖扣、一条领带、一个皮夹，现在年轻人提到时尚更多谈到的是通信产品。越来越多的年轻人开始消费奢侈品，年轻人里面也形成了一个族群叫“月光族”，他们每个月会把自己的工资全部拿去买奢侈品。您怎么看待现在年轻人对奢侈品的趋之若鹜？

男： 完全可以理解，只要不是非法所得，我完全支持这种做法。你可以毫无障碍地去享受，但也应该认识到这不是生活的全部，不是最重要、最根本的东西。可以花光自己所有的钱买一件奢侈品，但是不要忘记也该留那么一点儿钱买一两本书来读一下。如果能够兼顾这两者的话，就是一个健康的人。

女： 我们最近作了一些关于奢侈品消费的网友调查，有网友说，消费奢侈品是满足虚荣心，您怎么看？

男： 虚荣心本身并没有什么问题。按托尔斯泰的说法，虚荣心是人类的一种原罪，是每个人都摆脱不了的。虚荣心实际上是生活热情的一种表现，我个人觉得虚荣心是值得肯定和赞赏的，但是不能让虚荣蒙蔽了一切，不知道自己在干什么。还是要有一个清晰的认识，掌握好分寸和尺度。

女： 中国作为一个崇尚儒家文化传统的社会，一直以来都是提倡勤俭的。您觉得奢侈消费跟中国的勤俭传统是否相悖？

男： 其实也不违背，很多事情的真理不在于它的两端，而在于它的中间。单纯看奢侈或者单纯谈勤俭都是没有意义的，不能一概而论，每个人的趣味、经济状况决定了他在这两端之间离哪端更近一些。只要符合个人本性的都是无可非议的。有些人对勤俭的享受就像有些人对奢侈的享受一样，勤俭也可以让人产生虚荣感，每天吃两根黄瓜会像每天吃海鲜宴席的人一样获得享受，只要符合你自己的本性就可以了。

女： 不同国家的奢侈品消费习惯会有所不同。比如有些国家对奢侈品消费极度狂热，而有些国家则相对比较务实。您能否预测一下中国奢侈品市场的发展走向？

男： 谈“走向”很冒险，我也不具备这个能力，但是我希望是一种结合，也就是充分享用人类的奢侈文化，同时又能坚守住自己的民族性和民族传统。对于一个真正和谐的社

会、真正懂得生活艺术的人来说，是能够兼顾这两者的。

16. 男的觉得中国的时尚消费有哪些趋势？
17. 现代年轻人谈得最多的男性时尚消费品是什么？
18. 关于虚荣心，下列哪项符合男说话人的看法？
19. 对于奢侈与勤俭的传统，男的怎么看？
20. 男的认为，中国奢侈品将来的走向是什么？

第21到25题是根据下面一段采访：

男：有人说简体字是工具，繁体字是文化。可以这么理解吗？

女：不能这么理解。现在有很多人，包括一些学者，都认为传承了繁体字就是传承了中国的文化，这恰恰是把关系弄反了。我们说，文化活着，文字也就活着，反过来也一样。我们传承文化，不光是要传承汉字的字形，文化还包括文字以外的语言，还有艺术、建筑、绘画等很多方面。是很多因素构成了整个文明和文化，所以我们只要传承好中国的文化，文字自然会保留下来，也会延续下去。

男：根据您的观点，传承文化不必完全放在简体字或者是繁体字这样的文化符号上面，文化是一个虚的概念，最重要是落到实处。

女：繁体字有两大特点，一是表意的特性。中国纳西族的象形文字以其独特的形状和特殊的社会人文含义著称于世，世界上类似的书写体系只有中国的甲骨文、埃及的古象形文字、古巴比伦的楔形文字，但这些古象形文字早已消亡。而纳西族象形文字是目前世界上唯一仍在使用的象形文字，是中华文明的瑰宝。另外，汉字具有无可比拟的艺术性，这是其他文字无法取代的。当然，完全恢复繁体字我也是不赞同的，但是让人们了解、认识、书写繁体字还是很有必要的。

男：不管怎么样，用简体字还是繁体字争论了这么长时间，教育部现在有了一个统一的态度，为了维护社会用字的稳定，原则上不恢复繁体字。那么繁体字究竟应该用在什么地方呢？

女：我们一直在谈“识繁用简”，我的观点也是这样的。另外，我主张在中小学教育中用一个开放的心态来对待繁简的问题。有人说，我们能不能在高考中加一道繁简互换的题？这个建议具有可行性，但是对高中教育影响很大，社会成本太大了，而且牵扯的方方面面的东西很多。我一直讲，文字要以实用为第一要务，其次是审美。我们如果在中小学阶段加大繁体字的教育力度，但到社会上却发现根本没有地方真正去使用它，那么学了又有什么用呢？比如，签合同的时候必须得签简体字，写繁体字的话不仅不规范，而且不受法律保护。

男：有人说文字是文化的载体，文字毁了，这种文化即使不致灭绝，那也一定变样了。看看西方大学，很重视拉丁文字、希腊文字、古印度文字等的学习，并以此作为研究相关古文化的阶梯。我们也希望将来中国的繁体字不要成为只有极少数研究者才学习的文字。

女：对一个民族来说，发展是第一位的。我们知道，中国人用于识字的时间比其他国家的

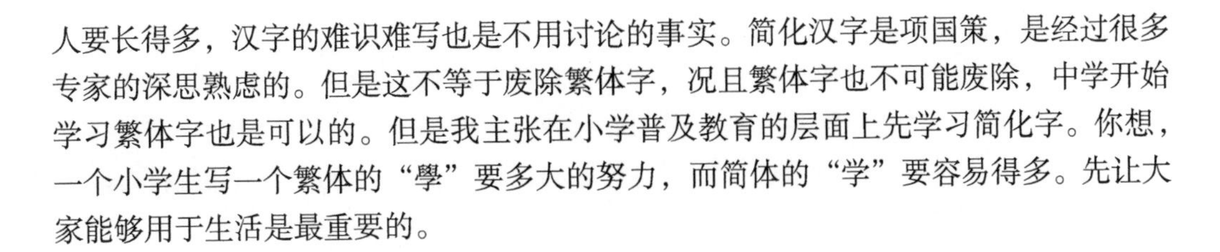
人要长得多，汉字的难识难写也是不用讨论的事实。简化汉字是项国策，是经过很多专家的深思熟虑的。但是这不等于废除繁体字，况且繁体字也不可能废除，中学开始学习繁体字也是可以的。但是我主张在小学普及教育的层面上先学习简化字。你想，一个小学生写一个繁体的“學”要多大的努力，而简体的“学”要容易得多。先让大家能够用于生活是最重要的。

21. 对话中提到，世界上唯一仍在使用的象形文字是哪一种？
22. 在什么情况下繁体字被认为是不规范用字？
23. 女的认为文字的第一要务是什么？
24. 对于繁体字，女的认为目前应该怎么做？
25. 下列符合录音内容的是哪一项？

第 26 到 30 题是根据下面一段采访：

男： 说到疲劳，可能大家都有同感，每天好像都在抱怨“累”。有的人疲劳是因为真的有病了，有的人却未必是真的有病。从医学的专业角度来讲，疲劳有分类吗？怎样才能分清疲劳的真伪呢？

女： 从医学上讲，疲劳可能是因为不同的机理引起的，虽然常见，但却是一个多维的概念。它可以表现为不同的形式，正常人劳累之后可能会出现，在一些疾病的表现中也会存在。所以说，疲劳是一个很复杂的概念。

男： 如果我现在比较疲劳，但没有认真去检查，感觉没有大问题，就会把这种疲劳归为亚健康，这会不会造成病情的延误呢？

女： 亚健康是一种很常见的表现。当一些人疲劳的时候，首先会考虑“我是不是亚健康”。但是疲劳也可见于正常人，比如过度的劳累或运动之后会感觉累，用脑过度也会累。正常人的疲劳会在很短的时间内消失，休息一会儿就缓解了。还有就是一些疾病，比如慢性肝炎、糖尿病，在其他症状没有出现之前，首先表现出来的是明显的疲劳感。所以，从医学角度来说，判断是不是亚健康的疲劳，应该在排除了各种疾病之后才能下结论。

男： 那就是说，得把需要检查的东西，比如可能发生的乙肝、糖尿病等都检查完之后，确定没有这些病还感觉疲劳，那才是亚健康。

女： 对。因为长时间处于疲劳状态不能缓解的话，你就要考虑到可能是最近劳累造成了亚健康状态，但是也有可能是一些疾病的表现，这种情况下最好找大夫帮你全面分析一下，必要的时候进行身体检查。

男： 刚才你也说到，所有真正的器质性的疾病排除之后，如果疲劳还不改善就可能是亚健康。这也引出了一个话题——“疲劳综合征”。这是一个什么情况？什么时候才能诊断为“疲劳综合征”？

女： 医学上有一个词叫“慢性疲劳综合征”，指的是病人出现了持续的或者反复发生的、半年以上的疲劳，且疲劳不是因为过度劳累和营养不良造成的，就是感到很累，甚至影响到了正常生活。除此之外，病人还可能出现其他一些症状，比如爱忘事、咽喉疼痛、腋下淋巴结肿大，还有可能出现睡眠上的障碍，或者头疼、肌肉酸痛、运动之后疲劳不容易缓解，等等。在这两个条件都具备的时候——也就是：一、有慢性虚弱性持续的疲劳；二、伴随着我刚才说的症状——在医学上才认为是慢性疲劳综合征。慢性疲劳综合征的判断也需要排除其他的原因，实在找不出原因了，并且符合刚才我说的这两条，才能把它诊断为慢性疲劳综合征。因为“慢性疲劳综合征”和我们口头经常说的“综合征”不一样。

男：这个“慢性疲劳综合征”已经不属于亚健康了吧？应该属于“不健康”吧？

女：对。关于慢性疲劳综合征和亚健康，学术圈还有一些误会。早期发表的很多文章上说，亚健康是介于疾病和健康之间的一种状态，但是一说到具体的亚健康的表现和标准时，都属于慢性疲劳综合征了，其实这种说法是不科学的。因为亚健康是一个非常宽泛的概念，虽然疲劳是其中很重要的表现，慢性疲劳综合征也是其中很重要的表现，但是从医学上、从学术角度上来说，如果能够被判断为慢性疲劳综合征的话，我们认为它就不是亚健康了。

26. 判定亚健康状态的前提是什么？
27. 判定亚健康疲劳的标准是什么？
28. 亚健康与慢性疲劳综合征都具有的重要表现是什么？
29. 下列哪种情况可以认定为患有慢性疲劳综合征？
30. 关于“慢性疲劳综合征”，不符合对话内容的是哪一项？

第三部分

第 31 到 50 题，请选出正确答案。现在开始第 31 到 32 题：

第 31 到 32 题是根据下面一段话：

对于生活中种种变化无常的事，我们要学会用平静的心态去面对。要和自己定下契约：“无论发生什么事，我都能应付。”你要用平静的心态来解释生活中发生的不幸：万一房子被火烧了，要想“幸亏我还活着”；万一老板要解雇你了，要想“正好我想换个工作”；万一被汽车撞了，要想“那我就脱离苦海了”。其实道理就这么简单。

有这样一个故事。三伏天，草地枯黄了一大片。“快撒点儿草籽吧！好难看哪！”儿子说。“等天凉吧。”父亲挥挥手说，“随时！”中秋节，父亲买了一包草籽，叫儿子去播种。秋风起，草籽边撒边飘。“不好了！好多种子都被吹飞了！”儿子喊道。“没关系，吹走的多半是空的，撒下去也发不了芽。”父亲说，“随性！”刚撒完种子，就飞来几只小鸟啄食。“糟糕！种子都被鸟吃了！”儿子急得直跳脚。“没关系！种子多，吃不完。”父亲说，“随遇！”半夜下了一阵骤雨，一大早，儿子就冲进父亲房间说：“这下真完了！好多草籽被雨冲走了！”“冲到哪儿，就在哪儿发芽。”父亲说，“随缘！”一个星期过去了，原本光秃秃的地面居然长出了许多青翠的草苗，一些原来没播种的角落也泛出了绿意。儿子高兴得直拍手。父亲点头说：“随喜！”

“随”不是跟随，是顺其自然，不抱怨、不过度、不强求；“随”不是随便，是把握机缘，不悲观、不慌乱、不忘形。

不要幻想生活总是那么圆满，也不要幻想在生活的四季中享受所有的春天，每个人的一生都注定要饱受沟沟坎坎，经历挫折和失败。

31. 这段话中多次提到的“随”是什么意思？
32. 这个故事告诉我们什么？

第 33 到 35 题是根据下面一段话：

“十羊九牧”出自《隋书·杨尚希传》，意思是十只羊有九个人放牧，比喻官多民少。毫无疑问，庞大的机构无形中增加了国家的财政开支。曾有一则统计资料说，一个汉代官员管理 7945 人，唐代官员管理 3927 人，元代官员管理 2613 人，清代官员管理 911 人，而我们今天一个干部管理 30 人。这些统计数字的可靠性也许值得研究，但管理机构的臃肿确实已成为现代社会的一个突出问题。

管理大师杜拉克举过一个例子。他说，在小学低年级的算术入门书中有这样一道题目：“两个人挖一条水沟要用两天时间；如果四个人合作，要用多少天完成？”小学生的回答是“一天”。而杜拉克说，在实际的管理过程中，可能要“一天完成”，可能要“四天完成”，也可能“永远完不成”。

这正好验证了管理学上著名的苛希纳定律：如果实际的管理人员比需要的人员数目多两倍，那么工作时间就要多两倍，工作成本就要多 4 倍；如果实际的管理人员比最佳人数多 3 倍，那么工作时间就要多 3 倍，工作成本就要多 6 倍。

苛希纳定律阐明了一个道理：人多必闲，闲必生事；民少官多，最易腐败。这个定律也告诉我们，想要铲除“十羊九牧”的现象，必须精兵简政，寻找最佳的人员规模与组织规模。这样才能构建高效精干、成本合理的经营管理团队。

33. “十羊九牧”揭示了一个怎样的问题？
34. 根据苛希纳定律，实际管理人员多，结果会怎样？
35. 应该怎样解决“十羊九牧”的问题？

第 36 到 38 题是根据下面一段话：

朋友从外地回来，我们为他接风洗尘。吃饭时，朋友说：“我给你们讲个故事吧。上个月我去胶东，经过一个村子，突然一条大狗从远处向我冲过来。你们说，在那种情境下我该怎么办？”“跑肯定是不行的，最好的办法是用石头打它。”一人说。

“对，乡下有句俗话叫‘狗怕蹲下’，意思是当你蹲下时，狗以为你要捡地上的石头打它，就会落荒而逃。我当时就是这么做的。那条狗向我冲过来时，我一蹲下，它转身就跑了。我正要继续赶路时，旁边突然跑过来一位大爷，从地上捡起一块石头扔过去，正好打在狗腿上，狗叫了一声，跑得更远了。”朋友说。

“我向大爷道谢，可大爷却不领情，还有点儿生气地说：‘你蹲下就要打它一下，老不

打，狗就不信你了，会乱套的。’”

朋友顿了顿，接着说：“我觉得大爷说得很有道理。狗之所以怕人蹲下，就是因为人蹲下后会捡石头打它，这是长期以来形成的一个条件反射，也算是人与狗之间的一个‘协议’。你要是打破了这个协议，蹲下了却没打它，一次两次没事，次数多了它就不再相信你了。不管你蹲下是不是真打它，它都会扑过来咬你，最终吃亏的还是你。”

一人说：“看来，那位大爷表面上是在帮你打狗，其实在更深的层次上也是为了全村人长久的安全，是在维护一种秩序。”

“对。”朋友说，“很多时候，不守规矩比暴力更可怕。暴力只是破坏表面的东西，而不守规矩却是破坏了一种秩序，把根基都动摇了。”

36. 见到狗，朋友是怎么做的？
37. 大爷为什么帮朋友打狗？
38. 这个故事告诉我们什么？

第39到41题是根据下面一段话：

一天，我坐出租车去机场。车子开得好好儿的，突然，一辆黑色的小汽车从我们前方的一个停车位上冲了出来。只见出租车司机猛地踩下刹车，车子侧滑，和另一辆车擦身而过。可那辆黑色小汽车的司机居然回过头来，冲我们大喊大叫。而出租车司机只是笑了笑，向那个家伙挥了挥手。

我有些不解地问他：“你刚才为什么要那样做呢？那个家伙差点儿撞坏你的车，把我们送进医院！”但出租车司机的话让我懂得了一个道理，我现在称为“垃圾车法则”。

他解释说，许多人就像垃圾车一样，身上装载着“垃圾”——挫折感、愤怒与失望——四处奔跑。当身上的“垃圾”堆积到一定程度后，他们需要一个地方倾泻。有时候，他们会把垃圾倾泻到你身上。这时，不要把它们接过来，而是笑一笑，挥挥手，祝他们好运，然后自己继续前行。别接受他们的垃圾，然后散布给你的同事、家人或是路人。

简单地说，成功的人不会让“垃圾车”主导他们的生活。生命太短暂，不容你早上带着遗憾醒来，所以“爱善待你的人，为没有善待你的人祈祷”。

39. 对别人的无理，出租车司机是怎么做的？
40. 这段话中的“垃圾车”指什么？
41. 这个故事告诉我们什么？

第42到45题是根据下面一段话：

《庄子》里有这样一个故事：养猴人要给猴子吃果子，先说“早上吃三个，晚上吃四个”，猴子听了，怒形于色；于是他改口说“早上吃四个，晚上吃三个”，猴子听了，转怒为喜。

这也是成语“朝三暮四”的来源。猴子一天吃的果子总数都是七个，只是在顺序上有所不同，结果就让它们产生了截然不同的情绪反应。也许你会觉得这些猴子未免太容易被

“耍”了，但庄子借这个寓言要说的其实是“人性”，而非“猴性”。多数人对很多问题的看法跟这些猴子其实差不了多少。

心理学家让一群受测者观看 A、B、C 三位学生解答 30 道难题的录像带。A 的回答起先都迅速而正确，但后来却越错越多；B 开始时一再碰壁出错，但后来则越答越顺越对；C 则一开始就有对有错，没有一个轨迹可循。最后，A、B、C 三人答对的总题数都是 15 题。看完录像带，心理学家请受测者评估三名学生的能力，结果大部分的人都认为先盛后衰的 A 比先衰后盛的 B 更有能力，而且错误地认为 A 答对的总题数要比 B 的多。

实验室里的受测者跟庄子寓言里的猴子一样：同样的内涵若以不同的顺序呈现，就会让人产生不同的观感。“先好后坏”不仅比“先坏后好”给人较佳的整体印象，而且还会让人觉得“先好”就是“真的好”。这是一种“先入为主效应”——最先呈现的事物或特质会让人留下最深刻的印象，这种印象会盖过后来出现的相反信息。

另一个实验更有趣。以两种方式介绍同一个人，甲方式说他是个“聪明、勤勉、冲动、挑剔、顽固、忌妒”的人，乙方式说他是个“忌妒、顽固、挑剔、冲动、勤勉、聪明”的人。结果，甲方式的介绍带给听者的整体印象要比乙方式好很多。其实，六种特质完全一样，只是顺序不同而已。

“名实未亏，喜怒为用”，庄子想借猴子的寓言告诉我们顺序的虚幻性，可惜的是，多数人还是跟猴子一样被顺序所迷惑。庄子的猴子和心理学家提醒我们，在与他人交往时，如果不想让别人对你的能力和为人作出错误的判断，那你就不必太谦虚，也不必担心无以为继，而应该在一开始就表现出自己最好的一面。

42. 心理学家的实验告诉我们什么？
43. 受测的三位学生实际上哪个能力最强？
44. 同样的内涵为什么会给人不同的感觉？
45. 心理学家提醒人们，在与他人交往时应该怎么做？

第 46 到 50 题是根据下面一段话：

每一位经营者都对经济学中的“木桶原理”津津乐道。这个原理的核心是说，桶能装多少水是由最短的木板决定的，以此引导企业关注自己明显的缺陷。

但对木桶原理的理解也使企业走入了另一个误区，那就是容易头痛医头，脚痛医脚，对营销体系缺乏系统观和整体观，在某方面投入大量资源恶补“短板”却仍然不见效果。因为有时看似短板得到了加强，但箍桶的铁箍却松了，水一边注入一边从桶缝中跑冒滴漏，木桶内的水平线高低就要看水注入的流量与泄出的流量哪一个大了。当营销进入微利竞争时代，如果不加强细节控制，创造的利润不如泄漏的流量大，企业就会趋向崩溃。

营销系统工程不仅要做到没有明显的短板，还要保证每块木板都结实，整个系统都坚固，各环节接合部紧密无缝隙，也就是要将木桶打造成“铁桶”，以保证营销的实效与成功。

某乳品企业营销副总谈起他们在某市的推广活动时说：“我们的推广非常注重实效，不说别的，每天在全市穿行的 100 辆崭新的送奶车，醒目的品牌标志和统一的车型颜色，本身就是流动的广告。而且我要求，即使没有送奶任务也要在街上开着转。多好的宣传方式！别的厂家根本没重视这一点。”

然而，原来很多喝这个牌子牛奶的人后来坚决不喝了，这恰恰是送奶车惹的祸。原来，这些送奶车用了一段时间后，由于忽略了维护清洗，车身粘满了污泥，有些车厢甚至已经明显破损，但照样每天在大街上招摇。人们每天受到这样的视觉刺激，还能喝这种奶吗？创造这种推广方式的厂家没想到，“成也送奶车，败也送奶车”，就是这样一个细节问题导致了推广失败。

某酒水营销企业最头痛的问题是：市场启动速度太慢。于是公司在经销商利润空间、终端策略、广告支持上花了很大的本钱，目的在于补齐短板，以吸引经销商，并拉动终端销售，但效果不佳。后来经过营销诊断发现：企业在营销管理方面存在许多细节问题，如对业务员开发经销商的激励机制不科学、业务员的巡店制度没有严格监督、终端建设表面漂亮而实效不足、与经销商的沟通没有制度化规范化、经销政策没有完全落实。细节的“漏水”导致了全局的失败。

营销的过程是注重突破的过程，比起其他更理性的企业行为，营销“感性、创造力”的色彩更浓厚一些。但营销毕竟是企业行为的一部分，应该毫无疑问地在制度化管理平台上运行，决定营销生命力的仍是其自身体制和技术上的周密安排。是否关注细节，即桶缝的跑冒滴漏，其意义更大于对短板的关注，因为短板的不足较为明显，而桶缝的危害更隐蔽，对企业的影响也更大。

46. 乳品企业营销副总对什么很得意？
47. 录音中提到的“桶缝”指什么？
48. 录音中提到的“短板”指什么？
49. 录音中的两个例子说明了什么？
50. 木桶原理使企业走入了什么误区？

听力考试现在结束。

HSK（六级）模拟试卷 4 参考答案

一、听　力

第一部分

1. C	2. B	3. B	4. C	5. A
6. C	7. D	8. D	9. A	10. D
11. A	12. B	13. C	14. B	15. C

第二部分

16. C	17. B	18. B	19. C	20. A
21. C	22. B	23. C	24. B	25. A
26. A	27. A	28. A	29. B	30. C

第三部分

31. C	32. B	33. A	34. C	35. D
36. C	37. A	38. D	39. B	40. A
41. C	42. B	43. B	44. A	45. A
46. D	47. B	48. A	49. A	50. C

二、阅　读

第一部分

51. C。谓语及宾语缺失。本句意为“接受教育的程度”，故应改为“受教育程度”。“教会了很多”缺少宾语，表意不清，应改为“教会了我很多道理”。
52. C。词语误用。连词“则”表示转折关系，应用于主语后，常与连词“而”配合使用。故应改为“而秋冬则较难”。
53. A。“我们妹妹”表意不清。根据句意，妹妹不止一个，故应改为“我们这些妹妹”才更为准确。
54. B。“人次”为复合量词，前面必须是确数，故应将“次”或“多”去掉，改为“38万多人”或“38万人次”。
55. A。宾语缺失。“从来没有偏爱过”的宾语不能省略，故应改为“从来没有偏爱过谁”或者“从来没有偏爱过某位同学”。
56. C。程度副词“真”加上形容词不能用于“是……的”句，故可改为“是很危险的”。
57. D。“像……一样”结构中的动词或形容词不能加程度副词，即不能说“像他一样很努力”，也不能说“像他一样很喜欢运动”。故本句应将“很”去掉。
58. B。动词“变得”可带补语，如“变得很宽容”，但不能带宾语。故可改为“我渐渐变得比较温和、宽容”或者“我渐渐变成了比较温和、宽容的人”。
59. A。动态助词“过”表示过去曾经发生或经历过某事，只能用于过去，经常性或将来的情况不能使用动态助词“过”。故本句应去掉“过”。
60. B。缺少补语。结果补语表示动作或状态的结果，所以，在叙述一个动作或状态引起某种结果时，应该使用结果补语。本句表示通过“网络搜索”达到“找到一些数据和资料”的结果。故本句应加补语“到”，改为“找到一些数据和资料”。

第二部分

61. B	62. C	63. A	64. D	65. D
66. A	67. A	68. B	69. C	70. A

第三部分

71. B	72. D	73. E	74. A	75. C
76. C	77. D	78. A	79. E	80. B

第四部分

81. A	82. C	83. D	84. B	85. C
86. B	87. D	88. B	89. A	90. D
91. B	92. A	93. B	94. C	95. B
96. A	97. C	98. A	99. C	100. D

三、书　写

101. 参考范文

诚实的拒绝

前些天，我的一个朋友跟我谈起他刚失之交臂的生意时，频频叹息，非常遗憾。原来，一家法国公司需要搭建一个举办展会的舞台，找到了他们公司和另一家德国公司。他们做好了策划方案，同时也派人去打听了竞争对手的情况，结果发现，对方的工期跟自己的完全一样，都是20天。为了比对手更具优势，他们硬是将工期压缩为16天，并且认为在这个效率第一的商业竞争中，自己已经稳操胜券了。

结果大大出乎他们的意料，对方选择了那家德国公司，并给了对方25天的时间。因为搭建这样一个舞台至少需要20天，他们公司的“不诚实”使客户失去了足够的安全感。

由此我想起了另一个故事。2000年，一家刚刚创办的小网络公司迎来了一位大客户，经理亲自接待。客户拿出策划书问：“这个项目多长时间能完成？”“6个月。”经理如实回答。“4个月行吗？我给你增加报酬。”“对不起，我们做不到。”经理诚实地拒绝了这笔唾手可得的大生意。没想到，那位客户哈哈大笑并马上在合同上签了字。客户非常欣赏经理的诚实，认为在他的领导下，一定能保证产品的质量。

几年后的今天，这家小网络公司已家喻户晓，它就是“百度”。

HSK（六级）模拟试卷 5 听力材料

（音乐，30 秒，渐弱）

大家好！欢迎参加 HSK（六级）考试。
大家好！欢迎参加 HSK（六级）考试。
大家好！欢迎参加 HSK（六级）考试。

HSK（六级）听力考试分三部分，共 50 题。
请大家注意，听力考试现在开始。

第一部分

第 1 到 15 题，请选出与所听内容一致的一项。现在开始第 1 题：

1. 民间有“贵人语迟”的说法，认为说话晚的孩子更聪明。但专家表示，这种说法毫无根据，孩子语言发育延迟可能由各种疾病引起，如听力障碍、智力低下、自闭症等，应该及时到医院治疗。

2. 很多书上都说，成年人一般每天睡 7 到 8 个小时就差不多了。可是心理专家指出，一个人晚上睡眠 6 到 7 个小时是不够的，只有 8 个小时睡眠才能够使人体功能达到高峰。所以什么是“适量”，主要是以“精神和体力的恢复”为标准。

3. 多年以来，医生和家属对待癌症患者大多采用这样的态度，即向患者隐瞒已得癌症的实情，这种做法医学上叫做“保护性医疗”，其目的在于减少患者的心理负担。但是现在很多肿瘤科医生主张实行“公开性治疗”。

4. 有研究表明，人的创造能力的发展始于幼儿时代。每个幼儿都具有潜在的或正在萌发的创造能力，而这种创造能力对促进幼儿的全面发展起着重要作用。对孩子来说，游戏不仅是娱乐，而且还是学习。孩子往往通过游戏来对现实生活进行创造性的反映，游戏可以丰富孩子的知识，促进孩子创造能力的发展。

5. 阅读是使书本身具有意义的一道程序。如果书没有人看，那么，我们基本可以认为，书的存在只是多余而毫无意义的，这种“多余”一直到有读者阅读它时才会结束。

6. 虽然许多没有大学经历的人也能成为世界著名的企业家，比如微软公司的创始人比尔·盖茨就没有正式得到大学毕业文凭，但大多数优秀的人才还是接受过正规的高等教育的。虽然拥有高学历并不意味着成功，但不能否认高等教育是培养人才的摇篮。

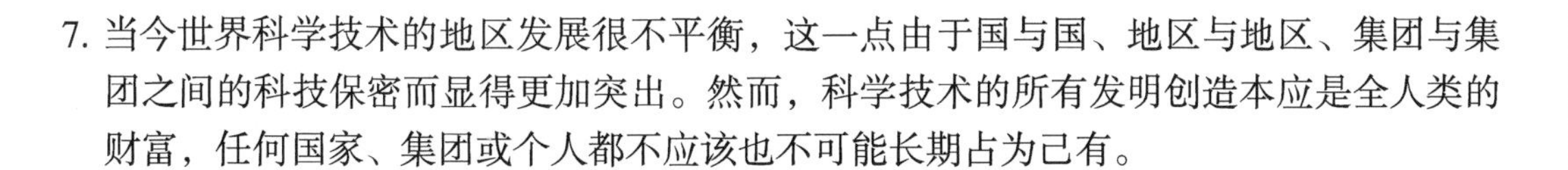

7. 当今世界科学技术的地区发展很不平衡，这一点由于国与国、地区与地区、集团与集团之间的科技保密而显得更加突出。然而，科学技术的所有发明创造本应是全人类的财富，任何国家、集团或个人都不应该也不可能长期占为己有。

8. 只有实际的生活才是我们所需要的，尽管现实会存在某些不尽如人意的地方，但它能改变过去。因此，要提高勇气去面对现实，大胆地接受现实的挑战，而不是逃避现实。

9. 许多时候，目标与现实之间往往有一定的距离，我们必须学会随时去调整。无论如何，人不应该为不切实际的愿望而活着。

10. 从娱乐到工作到生活，互联网为我们的日常生活提供着实实在在的服务：中学生的"网络课堂"、大学生求职中的"网络申请"、农民土特产的"网络推销"、都市白领热衷的网上购物……互联网的价值应用正在走近每一个人，因此有专家认为，"数字化生存"已使人们进入了网络应用的新时代。

11. 藏羚羊属于国家一级保护野生动物，也是被列入《濒危野生动植物种国际贸易公约》的物种，主要分布在新疆、青海、西藏的高原地区，另有零星个体分布在克什米尔地区。历史上藏羚羊的数量曾经达到百万只之多，20 世纪最后 20 年，以藏羚羊绒为原料的世界上最昂贵的披肩的流行，使越来越多的藏羚羊成为盗猎者枪口下的牺牲品，数量急剧下降。

12. 室内装修设计以简约、环保和节能为基调，不但可以防止室内环境污染，而且可以减少资源和材料的浪费。装饰装修材料的选择，不但要符合国家室内装饰装修材料有害物质限量标准，还要尽量使用节能材料、保温隔热效果好的材料和新型节能洁具与电器。工程结束时要进行装饰工程质量检测和室内环境检测，检测合格才算完工。

13. 对抗菌药物的不合理使用，会增加药品的不良反应和药源性疾病的发生，同时也可能造成细菌耐药性的增长，严重威胁人们的身体健康和生命安全。有关专家说："抗生素类药物是最常见的抗菌药物，在世界各国都属于处方药。乱吃抗生素所带来的最大不良反应是加速体内耐药菌的增长，结果将导致细菌抗药性的出现。"

14. "人造美女"是一个非常抢眼的词。爱美之心人皆有之，丑小鸭变成白天鹅的梦想，通过整形美容手术就可以在短时间内成为现实，对每一位爱美女性来说，都是一种诱惑。目前，整形美容已成为诸多爱美女性增加个人靓丽指数的时尚选择。与此同时，也有许多女性为此付出了惨痛的代价。

15. 热污染首当其冲的受害者是水生生物。由于水温升高，水中溶解氧减少，水体会处于缺氧状态；同时，水温升高又使水生生物因代谢率增高而需要更多的氧，造成一些水生生物在热效力作用下发育受阻或死亡，从而影响环境和生态平衡。此外，河水水温上升给一些致病微生物制造了温床，使它们得以滋生、泛滥，引起疾病流行，危害人类健康。

第二部分

第 16 到 30 题，请选出正确答案。现在开始第 16 到 20 题：

第 16 到 20 题是根据下面一段采访：

女： 现在大部分人做生意是这样：先认识，接着谈友谊、谈合作，然后是利益，再往后就是不满，甚至闹上法庭，从朋友变成敌人。为什么会这样呢？

男： 很多人和别人合作时，为了尽快谈成，会把自己的所有想法、方案和对未来美好前景的设想都说出来，而且人为地进行夸大，诱使对方作出决定。等到对方抱着不切实际的美好幻想作出决定并投入合作时，会发现越来越多的问题，感到合作并不像当初许诺的那么美好。于是矛盾、冲突越积越深，到最后终于爆发，合作终止，从朋友变成敌人。

女： 那么你为什么能和别人合作、获益，再合作，再获益，如此重复下去呢？你和合作伙伴之间就没有矛盾、冲突吗？你是如何分散、化解的呢？

男： 我想，这是因为我能很好地控制每次交谈的密度。我和合作伙伴第一次见面时，谈话的内容只占我整个方案的 3%，其他都是闲谈，与主题无关。而且，下一次谈话一定选在三天之后，以便给对方一定的消化时间。第二次再谈，交谈的内容增加一倍，是 6%。下次再谈，再增加一倍，12%。三次之后，一般人就会动心了，他会用心思考，反复推敲，但这个时候，还不能作决定。紧接着，是第四次交谈，这一次是 24%，很多人这个时候就已经作决定了。如果这时候还不能决定，再谈一次，这一次，密度是 48%。很多人这个时候就争着签字了，但我不是，还要再谈。再谈，正好相反，不是往上增，而是往下减。我会提出一些负面的问题，但这并不会影响他作决定，因为他正在兴奋点上，会按惯性往前走。但是我说和不说对我不一样。等到他最终作出决定并开始和我实际合作时，肯定会发现问题，但这些问题我都事先和他讲过，所以他有准备，会接受。即使这次合作最后没有赚到钱，他也不会怨我。要怨，只能怨他自己，谁让他当初没有认真对待我提出的问题呢？如果认真对待，也许就不会有今天的结果了，所以他还要感谢我呢！下一次，如果有机会，他还会和我合作。

女： 就是说，每一个合作不仅有有利的、积极的一面，也会有不利的、消极的一面。大部分人为了合作成功，都只说正面，对负面的东西瞒着不说，等到出现问题，双方就互相埋怨，结果可想而知。成功的合作，是在合作之前，把你想到的有关负面的东西告诉对方，但是要记住：别把时间顺序搞错。否则，没人会跟你合作。

男： 对，就是这样。

16. 男的第一次与合作方见面时，大部分时间是做什么？
17. 男的在第二次到第五次交谈中怎样控制谈话内容？
18. 当男的最后提出负面问题时，对方一般会怎么做？
19. 男的认为导致合作失败的重要原因是什么？
20. 男的认为合作成功的秘诀是什么？

第 21 到 25 题是根据下面一段采访：

女：今天我们的话题是关于瑜伽的。作为资深的瑜伽教练，先给大家介绍一下瑜伽吧。

男：据考证，自从有印度文明就开始有了瑜伽的练习。在印度几千年的发展历史中，瑜伽一直扮演着重要的角色，对印度的文化理念有着深远的影响。数千年来，印度瑜伽师徒通过口传心授，世代相承，积累了许多经验，创立了各种不同的流派。到目前为止，印度流行的瑜伽功法大致可分为瑜伽静坐、瑜伽硬功和瑜伽体操三类。静坐法是最古老的瑜伽修行法，是修炼内功的功法。经过现代化医疗仪器测试，静坐练功时，人体基础代谢率降低，血液循环加快，氧耗量减少，肺内氧浓度增高。练功后，人的神经和机体可以得到充分的休息。印度瑜伽大师有种说法："人的寿命与呼吸的节奏有紧密联系。"比如，狗每分钟呼吸 50 次，可活 14 年；大象每分钟呼吸 20 次，可活百年；蛇每分钟呼吸 2 到 3 次，可活 500 年；如果人每分钟呼吸 14 到 16 次，可活百年以上。因此，瑜伽静坐法特别注重意念调息的练习。瑜伽硬功是另一种修行功法，它主要由练功的瑜伽师控制呼吸，使体内产生一种抵御外界冲击的能力。瑜伽体操是 19 世纪末在印度兴起的一种新的瑜伽术。它以近代体操为基础，适当增加模仿鱼、蛇、虎、鹿等的仿生动作，同时辅以调息、静坐等内功功法。这是一种把静功和动功巧妙结合的瑜伽功法。

女：可不可以这样说，体质不一样造成了印度瑜伽和中国瑜伽的区别？

男：可以这样说。其实瑜伽的文化意义大于健身意义，在印度，它是为哲学体系或神学体系服务的，在中国，更提倡它的修复心态功能。在中国瑜伽从业者看来，瑜伽可以打开心灵，如果你发现你的心灵真正处于平和状态，你就可以把自己的心态调整得非常好，这就是中国瑜伽和印度瑜伽的区别。印度的瑜伽有一些神学的色彩，追求高难度的体势，要把自己的身体琢磨到极限，因为身体可以忍受各种折磨；而中国现在提倡的瑜伽融合了欧美的理念，人们希望借助瑜伽调节身体的慢性疾病或者把瑜伽作为一种辅助治疗手段，归根到底，讲求的是心态的平衡。

女：现在我们具体到瑜伽练习本身。什么是从身体的调节到心灵的平衡呢？可以具体地讲解一下吗？

男：瑜伽是需要用心去感受的，是不讲究功利的。如果某个瑜伽教练承诺你练瑜伽可以治疗什么疾病，可以让你减多少斤，等等，他肯定不是一个非常专业的教练，至少不是真正的瑜伽从业者和爱好者。因为我们会告诉练习者应该慢慢地学习，慢慢地去感受瑜伽带给你的改变。不要着急，不要有功利性，应该把瑜伽作为你日常调节身体和心灵的杠杆。这样练习者才有一个很好的心态，因为慢慢感受才是瑜伽真正的魅力所在。

21. 跟其他瑜伽练习法相比，下列哪种功法是新兴的瑜伽术？
22. 关于瑜伽体操，符合对话内容的是哪一项？
23. 什么造成了中国瑜伽与印度瑜伽的不同？
24. 中国瑜伽追求的是什么？
25. 关于瑜伽，不符合对话内容的是哪一项？

第 26 到 30 题是根据下面一段采访：

女：今天我们谈论的主要话题是市场的群体分析。现在请您跟大家谈一谈：高校群体和一般的市场消费群体有什么区别？企业在高校里面做公关、品牌推广活动的时候应该注意一些什么？

男：大学生的需求特点可能跟其他群体不太一样。通过调查我们发现，大学生对于产品有一个明显的需求特点，就是要求有时尚化、个性化的特征，尤其是对 IT、数码产品。这是一个鲜明的特征。第二，企业面对大学生营销一定要通过正确的渠道，我们的调查还发现，相比已经工作的成年人，大学生对各种媒介的接触更加广泛。调查结果显示，除了电视媒介，大学生的接触率可能低于成年人之外，在其他媒介上，比如报纸，大学生与成年人是持平的，在杂志、互联网这两种媒介上，大学生接触的比例和频率远远高于已经工作的成年人。这是企业选择营销渠道商时应该注意的一个点。

女：也就是说，企业可以多选择杂志、互联网这些大学生接触较多的媒介。

男：对。除此之外，我们还发现大学生其实分很多类型。第一类是随遇而安型，这类人比较喜欢稳定的生活，不喜欢太多变化，并且受广告影响较大。这类人在整个大学生群体中占 25%左右。第二类是奋发进取型，这类人相对于第一类人更喜欢有挑战的生活，对工作成就期望很大，把工作上的成就视为实现个人价值最重要的渠道，是非常有干劲的一类群体。这类群体大概占 32%。第三类是时尚前卫型，顾名思义，他们的消费理念非常前卫，与时俱进，很喜欢一些时尚的东西，对一些高科技产品都非常向往，受广告的影响也比较大。这类人大概占 22%左右。还有一类人，他们的家庭环境可能不是很好，因此在消费上养成了一种勤俭节约的习惯，这类人大概占 21%左右。也就是说，大学生中有 21%的人受广告影响很小。所以说，企业对大学生进行营销时不能采取“一刀切”的方法，而应根据不同类型，采取针对性的措施。

女：不过这也增加了校园营销的难度。你们在帮企业进行校园推广的时候，会比较关注什么问题？

男：其实每个人都有自己的特质，企业也是一样。我们的工作就是为企业表达它的特质，这样就很容易从本质上影响它的消费群体。因为如果个人的特质和企业的特质相同的话，他们会互相吸引。所以我们要先研究这个企业，然后对它进行包装，再为它作品牌推广。或者可以这样说，实际上我们是在帮助企业展开他们的羽毛。当然，企业的服务和产品是不容忽视的，没有这些东西，企业就运转不起来。

26. 对话中提到，大学生对哪种媒介的接触率比成年人低？
27. 哪种类型的人在大学生中所占比例最高？
28. 根据调查，大学生群体中不易受广告影响的比例是多少？
29. 男的认为，针对大学生消费群体，企业应该怎么做？
30. 男说话人最后说“帮助企业展开他们的羽毛”，其中的“羽毛”是指什么？

第三部分

第31到50题，请选出正确答案。现在开始第31到32题：

第31到32题是根据下面一段话：

一位满怀烦恼的青年去找一位智者。他大学毕业后，曾豪情万丈地为自己树立了许多目标，可是几年下来，依然一事无成。

他找到智者，智者微笑着听完青年的倾诉，对他说："来，你先帮我烧壶开水！"

青年看见墙角放着一个极大的水壶，旁边是一个小火灶，可是没发现柴火，于是便出去找。

他在外面拾了一些枯枝回来，装满一壶水，便烧了起来。可是由于壶太大，那捆柴烧尽了，水也没开。于是他跑出去继续找柴，回来的时候那壶水已经凉得差不多了。这回他学聪明了，没有急于点火，而是再次出去找了些柴。由于柴火准备充足，水不一会儿就烧开了。

智者忽然问他："如果没有足够的柴，你该怎样把水烧开？"

青年想了一会儿，摇了摇头。

智者说："如果那样，就把水壶里的水倒掉些！"

青年若有所思地点了点头。

智者接着说："你一开始踌躇满志，树立了太多的目标，就像这个大水壶装了太多水一样，而你又没有足够的柴，所以不能把水烧开。要想把水烧开，你或者倒出一些水，或者先去准备柴。"

青年恍然大悟。回去后，他把计划中所列的目标去掉了许多，只留下最切实际的几个，同时利用业余时间学习各种专业知识。几年后，他的目标基本上都实现了。

只有删繁就简，从最近的目标开始，才会一步步走向成功。万事挂怀，只会半途而废。另外，我们只有不断地捡"柴"拾"柴"，才能使人生不断加温，最终让生命沸腾起来。

31. 这个青年一开始为什么会一事无成？
32. 智者告诉青年应该怎么做？

第33到34题是根据下面一段话：

我认识一位朋友，几年前备考注册会计师，早早买下一堆资料，每次遇到她，都少不了说几句备战之词，很有谱的样子。可是临到考试，她突然发烧，进了医院，结果错过了考试。这是第一年。第二年，她继续苦读，要命的是，就在考试当天，她骑自行车被汽车撞了一下，考试又泡汤了。第三年，你都可以预期是不是又有事了，果然，母亲报病危，她当即飞回老家。老妈都这样了，哪儿还有心思考试？

是偶然吗？貌似。是必然吗？还真是。心理学上有一种"故意的自作自受"，说的就是这类行为。其大意是，当人们预期到自己可能失败时，往往会做出一系列导向失败的行为。比如，你觉得这次考试会失败，于是故意着凉生病；当一项糟糕的结果即将到来时，

你故意让一些偶然事件发生。用意很简单，主要是为了在失败的时候昭示大家，不是我能力缺乏，都是外界惹的祸。

很多人爱给自己设障碍：你该写稿子，其实你不想写，于是，你烫伤了自己的手；你该出去见一个人，其实你不想见，于是，你家孩子生病了……

很有意思的是，当你这样想的时候，事情很可能就会朝着你希望的方向发展。弄到最后，你也会真的相信，是这些绊脚石阻碍了你的脚步。事实上呢？你可能没发现，扔绊脚石的正是你自己。这完全是一种“自我障碍策略”——你害怕结果，所以寻找理由；你期待理由实现，结果真的实现；你躲过了自认为最坏的那个结果，更相信那个理由。

逻辑很有道理，不是吗？每次都巧得无懈可击。不过，这种巧合的背后究竟藏了多少东西是你不愿面对的？你的逃避究竟有没有价值？这件事真的就这样完了吗？你是不是没有损失？如果答案都是肯定的，那么，这种逃避不失为一种智慧的逃生；如果答案是否定的，那么，不妨给逃避的结果一个最坏的预期——我还要重新面对，以更大的代价。

33. 这段话中举朋友的例子是为了说明什么？
34. 下列哪项不属于录音中所说的“故意的自作自受”？

第 35 到 37 题是根据下面一段话：

大家都知道，英语中的“CHINA”既表示“中国”，又表示“瓷器”。可见，在很多外国人眼中，中国就是瓷器的代名词。闻名天下的瓷器为中国争了光，瓷器的产地也因此声名鹊起。

中国历史上有许多著名的瓷都，但江西景德镇的名号是其中最为响亮的，被誉为“千年瓷都”。这座瓷器名城经历了千百年的风雨，始终屹立不倒，自然有它特殊的原因。它的独特在于，它是一座没有城墙的城市。在古代，没有城墙就意味着这是一座不设防的城市。景德镇位于江西省东北部，原属古徽州一个山水环绕的盆地。景德镇没有建城墙，是因为智慧的景德镇人民知道，任何高大的城墙都会有垮的时候，而当地天下绝伦的制瓷资源，以及以山为墙、以水为池的天然屏障就是最坚固的城墙。

景德镇制造瓷器的历史可上溯到汉代，当时景德镇称为新平，“新平冶陶，始于汉世”。虽然这时陶器还属于原始瓷器或早期瓷器，烧出的器物色泽、胎体都不成熟，但中国瓷器正是从这色釉不匀、厚薄不等的器物中起步的。经历了几百年后，唐宋时期，景德镇迎来了一个灿烂的高峰。在唐代，一种被称为“假玉器”的瓷器品种问世了，它在质量、色泽上可与珍贵的玉器媲美。到了宋代，帝王们依然倾心于景德镇的瓷器，以至于宋真宗干脆将自己的年号“景德”两字印在了当地产的瓷器底部，给瓷器加上了景德镇的商标，此镇也正式得名“景德镇”。当时景德镇烧造的风行天下的名瓷主要是青白瓷，它的特点是青中泛白，白中显青，这种青白瓷较之唐代被人们所赞誉的“假玉器”又前进了一步。元代的景德镇瓷器在宋代的基础上又有了新的提高和发展。这时，除继续大量烧造传统的青白瓷外，在工艺和装饰上又有了新的开拓和创新，创造了至今仍然享有崇高声誉的青花瓷。青花瓷是运用钴料在瓷胎上绘画，再浇上一层透明釉，在高温下一次烧成的，瓷器呈现出蓝色花纹的釉下彩。青花瓷的成功烧制，开创了白瓷彩绘的新时代，是中国制瓷

史上划时代的事件，开辟了制瓷工艺的新阶段。

35. 景德镇与其他城市的不同是什么？
36. 根据录音，“景德镇”一词诞生于什么时候？
37. 下列哪种属于彩绘瓷器？

第 38 到 40 题是根据下面一段话：

有位教授做了这样一个实验：把几只蜜蜂放进一个平放的瓶子里，瓶底向着有光的一方，瓶口敞开。蜜蜂们都是向着光亮处不断飞动，却又不断撞在瓶壁上。最后，它们似乎都明白自己永远也飞不出这个瓶子了，谁也不再尝试，个个奄奄一息地落在瓶底。这时，教授把这些蜜蜂倒出来，把瓶子按原样放好，再放入几只苍蝇。苍蝇和蜜蜂不一样，它们除了向光亮处飞动外，还向其他方向飞行，或向上，或向下，或向逆光的方向。总之，它们不停地碰壁，但最终都飞出了狭小的瓶颈，它们用自己不懈的努力改变了像蜜蜂那样的命运。

这是毕业那年老师在最后一节课上给我们讲的故事。那时，大家正面临就业的压力，人心惶惶，很多人对于自己的前途和命运更是一片迷茫。那天，老师讲完这个故事后，认真地对我们说：“三十岁以前，不要指望做出什么大成就。什么事情都可以尝试，横冲直撞、四处出击总比保守悲观、坐以待毙要高明得多。”

转眼数年已过，我有个同学做营销，已经是大区经理了，要知道，当时他大学毕业去搞推销家长还是竭力反对的；还有一个同学，多次求职未果后，竟然转行去做自己喜欢的电脑，现在已经拥有几家公司了。

也许，人总要有一段时间就像被关在瓶子里的蜜蜂那样茫然失措，不知道哪条路是通向成功的捷径。也许我们并不需要急着找到摆脱困境的突破口，横冲直撞可能是最好的选择。

其实，成功并没有什么秘诀，我们周围的那些成功者都是在横冲直撞的尝试中寻找到机会的。虽然经常被撞得头破血流，一次次失败，但最后都找到了适合自己的方向和空间。

38. 在同样的实验中，苍蝇是怎么做的？
39. 录音中举“我”的同学的例子是为了说明什么？
40. 录音中说摆脱困境的最好选择是什么？

第 41 到 43 题是根据下面一段话：

古代有位皇帝，在他登基的头三年内毫无建树。他不理朝政，昼夜游戏，猜谜作乐，不听臣子的意见，并扬言：有敢进谏的，处以死刑。宫廷上下都十分着急，国家有这么个愚顽的国君怎么得了！

看到这种状况，有位大臣决定冒死进宫规劝皇帝。皇帝对他说：“你知道，我是不准谁提意见的，你现在为什么不怕死来提意见呢？”大臣说：“我来不是给您提意见的，我只是想给大王解解闷，让您猜个谜语。”皇帝说：“既然这样，那你说吧。”大臣说：“传说有一只大鸟，停留在南方的一座山上，整整三年了，它不动、不飞，也不叫。大王您说，这是

只什么鸟呢?”皇帝稍作思考，便胸有成竹地说：“这只大鸟停在南方的大山上，整整三年没有动，目的是坚定自己的思想和意志；它三年不飞，是在积蓄力量使自己羽翼丰满；它三年不叫，是在静观事态，酝酿声威。这只鸟尽管三年来一直没飞，可是一旦展翅腾飞必将冲天直上；尽管它三年来一直不叫，可是一旦鸣叫起来，必定会声振四方，惊世骇俗。你放心吧，你的用意，我已经猜到了。”大臣惊喜地点点头，欣然离去。

第二天，皇帝上朝处理国事。他根据三年来的明察暗访、调查研究和对大臣们政绩的考察情况，提拔了五位忠诚能干的大臣，罢免了十个奸诈无能的大臣。皇帝的决定和处事的魄力使文武百官大为佩服，大家都十分高兴。老百姓也都奔走相告，庆幸有了一位贤君。

有大智慧的人并不急于表现自己，他们往往先蓄足底蕴，成竹在胸，一旦时机成熟，便会一鸣惊人。

41. 皇帝三年不理朝政，实际上是在干什么?

42. 这位皇帝实际上是一位怎样的君主?

43. 这个故事告诉我们什么?

第 44 到 46 题是根据下面一段话：

北非丛林中生活着一个土著部落，他们常常食用一种毛毛虫，因此几乎家家户户都喂养这种虫子。

一天，一支科学考察队来到了这个部落，当队员们看到这些养在瓦盆中的虫子时，不禁大声惊叫起来。原来，在他们刚刚踏上这片神秘的土地时，就有一个队员命丧这种虫子之口。

事情是这样的：那天，他们正在露营休息，有个队员在树林中发现了一只五彩斑斓的毛毛虫。因为惊异于它的美丽，这个队员忍不住拿起一截树枝去拨弄它。不论这虫子怎么躲避，他的树枝总能触及它的身体。于是，虫子顺着树枝爬上了他的手腕，他非常欣喜。然而，不幸的事情发生了，这只虫子伸出刺猛地刺了他一下，很快，这个队员由全身肿胀到面部发黑，不一会儿，就跌倒在地上痛苦地抽搐。其他队员拿出解毒的药品，但最终也没能挽回他的生命。

当队长讲完这件事后，这些土著人无异于听到了天方夜谭。科考队员觉得自己应该对这些土著人的生命负责，于是牵来一只羊，然后队长戴上厚厚的皮手套，从瓦盆中拿起一条虫子，使劲在羊身上摩擦。不堪撩拨的虫子终于伸出了头侧的刺，狠狠地插入了羊的身体。不一会儿，羊哀鸣倒地，一条鲜活的生命就这样逝去了。

世世代代将毛毛虫当做美味的土著人目睹了这惊心动魄的一幕，这才知道毛毛虫恐怖的一面。为了不让部落的人被毛毛虫伤害，部落长老下令，每家每户都要立即将喂养的毛毛虫消灭掉。

然而，从这以后，一个更可怕的现象出现了。这个部落的许多人四肢开始僵化，不久就瘫痪，直至死亡。最初，部落的人并不知道这是怎么一回事，慢慢地，他们终于悟到：原因一定在于不再进食毛毛虫。

好在这种虫子树林中到处都是，他们立即找回足够的毛毛虫，按照传统的方法，把它

们捣碎后服用，那些瘫痪的人果然重新站了起来。

这一奇妙的现象很快被一些科学家发现了。经过一番艰苦细致的研究，科学家们发现：这种毛毛虫的确有剧毒，而且毒性在世界上位于前五名之列，与深海海蛇的毒性相仿。同时，这种虫子的身体内含有一种天然的抗凝血元素，对于大量摄取动物脂肪的那些土著人来说，食用它们能起到有效抑制血栓的作用。

可是为什么它们刺起人和动物来是有毒的，整体捣碎食用反而无事呢？后来进一步的研究发现，它们刺人时都是因为受到对方的攻击，在长时间的攻击下，它们会愤怒，剧烈的毒性也由此爆发出来；而部落人则是在毛毛虫处于平静状态时迅速将其捣碎并食用的。

44. 对于那名科考队员的“招惹”，毛毛虫最初是怎么做的？
45. 关于毛毛虫的叙述，不符合这段话的是哪一项？
46. 在什么情况下食用这种毛毛虫是安全的？

第 47 到 50 题是根据下面一段话：

地震发生时，最基本的现象是地面的连续震动，主要是明显的晃动。震区的人在感到大的晃动之前，有时首先感到上下跳动，这是因为地震波从地球内部向地面传来，纵波首先到达的缘故。接着，横波产生大振幅的水平方向的晃动，这是造成地震灾害的主要原因。1960 年智利大地震时，最大的晃动持续了 3 分钟。地震造成的灾害首先是破坏房屋和建筑物，如 1976 年中国河北唐山地震中，70%到 80%的建筑物倒塌。地震对自然界景观也有很大影响，最主要的后果是地面出现断层和地裂缝。大地震的地表断层常绵延几十至几百千米，往往具有较明显的垂直错距和水平错距，能反映出震源处的构造变动特征。但并不是所有的地表断裂都直接与震源的运动有关，它们也可能是地震波造成的次生影响。特别是地表沉积层较厚的地区，坡地边缘、河岸和道路两旁常出现地裂缝，这往往是地形因素造成的，即在一侧没有依托的条件下的晃动使表土松垮和崩裂。地震的晃动使表土下沉，浅层的地下水受挤压会沿地裂缝上升至地表，形成喷沙冒水现象。大地震能使局部地形改观，或隆起，或沉降，使城乡道路毁坏、铁轨扭曲、桥梁折断。在现代化城市中，地下管道破裂和电缆被切断会造成停水、停电和通信受阻，煤气、有毒气体和放射性物质泄漏可导致火灾和毒物、放射性污染等次生灾害。在山区，地震还会引起山崩和滑坡，常造成村镇被埋的惨剧。崩塌的山石还会堵塞江河，在上游形成地震湖。

47. 下面哪项属于地震的次生灾害？
48. 下面哪项与震源的运动有关？
49. 下列哪项不符合这段话的内容？
50. 这段话主要介绍了哪方面的内容？

听力考试现在结束。

HSK（六级）模拟试卷 5 参考答案

一、听 力

第一部分

1. A	2. A	3. B	4. A	5. C
6. B	7. C	8. D	9. C	10. A
11. B	12. C	13. B	14. C	15. D

第二部分

16. C	17. B	18. D	19. A	20. B
21. B	22. B	23. C	24. C	25. B
26. D	27. B	28. C	29. A	30. B

第三部分

31. C	32. B	33. B	34. A	35. A
36. D	37. C	38. C	39. C	40. A
41. D	42. B	43. C	44. C	45. A
46. B	47. B	48. C	49. A	50. D

二、阅 读

第一部分

51. C。主语缺失。“贫困”表示生活困苦，应该与“生活”搭配。故应改为“所以人们的生活很贫困”。

52. D。本句不强调动作本身，而是说明一种状态，动词后应用动态助词“着”。故应改为“听说对面住着一对新婚夫妇”。

53. C。词语误用。“沉重”是形容词，此处误用为名词，故可将“沉重”改为“沉重感”。

54. A。“始于”即“从……开始”，表示“起点”，修饰时点词，不能修饰时段词。故本句应将“左右”去掉，即改为“中国对海啸灾害的文献记载始于公元前”。

55. C。搭配不当。“是最好的效果”可改为“能达到最好的效果”。

56. A。缺少结果补语。结果补语与动态助词“了”功能不同。动态助词“了”只表示动作的发生或状态的出现，而结果补语表示动作产生的某种具体结果，所以动态助词“了”不能代替结果补语。故本句应加上“到”，改为“终于找到了一间靠近湖边、景

色优美的大房子”。

57. B。如果介词“给”后面的名词或代词表示动作行为的接受者，“给+宾语”可以做状语或补语。如“他给妈妈寄了一封信”、“他寄给妈妈一封信”。如果“给”后面的宾语表示动作行为的受益者，“给+宾语”多做状语。比如，可以说“老师给孩子们讲故事”，不能说“老师讲给孩子们故事”。而谓语是表示“给予”的动词时，“给+宾语”一般做补语，比如，可以说“他借给我一本书”，不能说“他给我借一本书”。故本句应改为“教给孩子们一些简单的英语”。
58. C。滥用助词，应删掉“的”，改为“就经常听长辈们说”。
59. C。“有”表示泛指，相当于“某”或“某些”，不能带动态助词。故应将“了”去掉，改为“前年有一段时间”。
60. C。“很快”为情态补语，应用“动词+得+情态补语”的形式表达。故应改为“时间过得很快”。

第二部分

61. B	62. C	63. B	64. A	65. B
66. D	67. A	68. C	69. C	70. B

第三部分

71. E	72. C	73. A	74. D	75. B
76. B	77. A	78. E	79. D	80. C

第四部分

81. A	82. C	83. C	84. D	85. D
86. B	87. C	88. B	89. D	90. C
91. B	92. A	93. C	94. B	95. D
96. D	97. B	98. C	99. D	100. B

三、书　写

101. 参考范文

老去的父亲

　　父亲一个人住在老家，经常会给我打电话，问些莫名其妙的问题，像恋爱的人为什么闻不到河水的臭味啦、是不是对寒冷没有感觉啦，等等。每当这时我都会无一例外地冲父亲发脾气，然后又后悔自己对父亲的态度，劝父亲来跟我同住。这次也跟以前一样，没想到父亲竟然答应了。

其实，我是没有多少时间陪父亲的，幸亏有了小喜——我养的小狗。父亲也很喜欢小喜，带着小喜去买菜、逛街，甚至还笨手笨脚地给小喜做衣服。父亲还得意地告诉我，小喜可以跟他说悄悄话了。看着老去的父亲竟像个孩子似的，我心里纳闷，和狗狗能有什么不可泄露的秘密？

几个月后，父亲又回到了老城，两天后便打来电话。跟我说了一堆废话后，突然不好意思地要求跟小喜说话。小喜听到父亲的声音后，兴奋地围着电话"汪汪"地叫起来。突然，父亲的声音大了起来，我想是小喜碰到了免提键。在电话里，父亲跟小喜说着他不肯让我听到的"悄悄话"：小喜，想爸爸了吧？想就叫一声，不想就叫两声。小喜果然温柔地叫了一声。然后，父亲又说：小喜，以后爸爸老得走不动了，你会不会烦我呀？你以后嫁人了，会不会忘了爸爸呀？要是有什么苦处，一定要跟爸爸说。记得一定要找个好人嫁，不要像爸爸这样的坏脾气，记住了吗？

在小喜一连串的"汪汪"声中，我突然流出泪来。父亲对小喜说的每一句话，不正是对他深爱的女儿说的吗？

HSK（六级）模拟试卷 *6* 听力材料

（音乐，30 秒，渐弱）

大家好！欢迎参加 HSK（六级）考试。
大家好！欢迎参加 HSK（六级）考试。
大家好！欢迎参加 HSK（六级）考试。

HSK（六级）听力考试分三部分，共 50 题。
请大家注意，听力考试现在开始。

第一部分

第 1 到 15 题，请选出与所听内容一致的一项。现在开始第 1 题：

1. 茶沏好后，放置时间过长不能喝。因为放置时间过长，茶中所含的芳香油会氧化，茶会变苦，香味会消失。此外，真菌等致病微生物和重金属也会进入茶水，造成污染。

2. 虽然人畜患有同样的病自古就有，但是今天人与动物的相互传染却产生了新的特点，尤其是寄生在动物身上，再经过基因突变传染给人的致病源。一旦致人发病，结果会非常严重。因为人类在进化过程中的抵抗力根本无法跟动物相比。

3. 我们应该破除瑜伽是一项女性运动的错误看法。瑜伽看上去动作比较舒缓，节奏较慢，对柔韧性要求相对较高，但事实上瑜伽更强调的是呼吸的方法和让身体进入平静状态的诀窍。男性的柔韧度没有女性好，所以在开始入门时不是很快，可是随着身体韧性的增加，男性从瑜伽中获得的好处更多，他们的体力会变得更好，心态也更平和。

4. 研究发现，与童年从未目睹过家庭暴力的同龄人相比，经常目睹家庭暴力的孩子长大后，其右脑视觉皮层的一个部位将平均萎缩 20. 5%，这会使视觉记忆力，即再认能力下降。研究者提醒家长，对儿童来说，母亲或父亲遭受暴力，就如同自己遭受暴力，必须消除受害者“忍忍就行了”的想法。

5. 事实上，目前所有整形手术的最大危险不在于移植，而在于麻醉。专家强调，很多整形外科因为贪图方便，将麻醉这一重要环节简化，没有请专业的麻醉师处理，这对病患者来说是相当危险的事情。

6. 诺贝尔发明烈性炸药的出发点是造福人类，但在实际运用中，它也会成为杀人武器；电脑已成为人们生活中不可或缺的工具，但电脑病毒就如幽灵一般时刻困扰着人类；医用克隆技术可以保障人的健康，但生殖克隆技术却给人类带来了伦理上的挑战。

7. 汽车是对环境影响较大的商品，汽车厂商支持环保事业、进行环保宣传，似乎是理所应当的。环保应当是汽车企业在发展中认真考虑的因素，但要求汽车企业放弃利润甚至亏损来做环保，显然是不现实的，而且也不会持久。所以，鼓励汽车企业在发展的同时采取新的技术措施，尽量减少对环境的污染，符合社会发展的大趋势，也是长久之策。

8. 中国的沙漠的确为世界上的科学家提供了与火星环境最为相似的实验室。科学家们已经去过了地球上最为寒冷的南极，也去过了地球上最为干燥的智利阿塔卡马沙漠，但他们真正需要的是将这两者结合起来的极端环境。

9. 由于药物一般对肝脏有一定的负面影响，因此肥胖症患者最重要的是控制饮食和适当锻炼。要预防肥胖，低脂饮食很重要，要少吃高热量的食物，如糖、巧克力等。应多吃蔬菜，水果也要适当，同时还应加强锻炼。

10. 在餐桌上与人谈话时，谈话对象最好就是坐在你右侧或者左侧的客人，隔着餐桌与坐得较远的客人交谈是不礼貌的。另外，谈话时语速不要太快，要集中精神，并正视对方的眼睛，还要注意语言表达的清晰。

11. 用者进化，不用者退化，这是一切生物生存和延续的自然规律。长期处于土壤、鱼腹、深海等黑暗环境里的蚯蚓、盲鳗等动物，虽然没有视觉器官，但却有着高度发达的触觉器官和嗅觉器官。

12. 运动医学专家认为，中年人锻炼的强度底线应该是不产生疼痛，不让自己的身体发生损伤。千万不要认为有了疼痛和损伤可以用药物等手段来解决，这样的锻炼得不偿失。

13. 大脑是人体最精密的器官，它拥有超过 150 亿个神经细胞，要消耗的营养占人体总需求的 20%，尤其是在思考时，大脑负担更重。大脑需要的营养都是依靠遍布大脑的血管来输送的，如果血管狭窄、弹性减弱，会使大脑血流不畅，令人产生疲劳感。

14. 医生建议，经常使用电脑的人，最好把电脑屏幕向上略倾斜 10 度，这样可以保护视力。除了让眼睛多休息，还要经常眨眼，这样可以湿润眼睛。因为一般电脑工作者在专注屏幕时，眨眼次数由每分钟 22 次降至 7 次，不知不觉使得眼球表面水分蒸发过多，因此干眼症会更加严重。另外，还可以在电脑旁放一杯热水，增加周围湿度，以减轻眼睛的不适。

15. 一只小鸟飞到南方去过冬。天气冷，小鸟被冻僵了，落到了一块空地上。这时，一头牛经过，拉了一堆牛粪在小鸟身上。冻僵的小鸟渐渐苏醒过来，它温暖而快活地躺着，不久开始唱起歌来。一只路过的猫听到歌声，很快发现了粪堆里的小鸟，把它拽出来吃掉了。

第二部分

第 16 到 30 题，请选出正确答案。现在开始第 16 到 20 题：

第 16 到 20 题是根据下面一段采访：

女： 吴先生，你好！你是怎么想到要做《怀尧访谈录》这样一档文化名家访谈的？

男： 就我的观察而言，当下文化界既能坚持独立性又不被边缘化的文化人极为罕见。更多的人要么欺世盗名，在一帮跳梁小丑的簇拥下成为伪大师；要么躲在笼子里面做学问，地动山摇也闷不吭声；少数在阳光下有尊严地表达自己观点的人，又面临被误读或忽略的可能。如何才能使得文化界智者尽其谋、仁者播其惠，并且让这些声音在大众中起到振聋发聩的作用？于是我想到了用访谈录的方式推举文化界的杰出贡献者。

女：《怀尧访谈录》与《中国作家富豪榜》推出后，都给人平地惊雷之感，我想知道，它们之间是否有某种内在联系？

男： 文学与公众始终有距离，《作家富豪榜》是把整个作家群体推到公众面前，首先让大家知道，哦，原来并不是所有的作家都穷困潦倒，写作致富也很了不起。这会起到一个纠正误解的作用，同时提高大众对作家的关注度。而《怀尧访谈录》则是大海捞针，是沙中淘金，采访对象是以文化上的贡献、思想上的价值、艺术上的成就为准则的。呵呵，不能总是关注作家的口袋呀，还得关注他们的脑袋。

女： 你喜欢采访什么样的人？选择一个人说说你对他最深刻的印象。

男： 前一阵子，在北大的百周年纪念讲堂，陈丹青和贾樟柯展开对话，我和几个朋友也去了。当时台下座无虚席，掌声和笑声此起彼伏。一身黑衣的陈丹青精神矍铄，基本上是有问必答。当主持人请求嘉宾对观众讲最后一句话的时候，陈丹青努努嘴："没什么好说的了，我想去撒尿了……" 全场哗然，掌声沸腾。我比较喜欢这样能坦诚展露人性的、本真的、朴素的状态的人，比较反感随时随地带有工具人格特征的人。

女： 自从有了《作家富豪榜》之后，作家这个职业在人们心目中的地位也有所变化，现在人们写作，已经开始更多地考虑钱的问题了。你觉得作家为了钱而写作是好事还是坏事？好在哪里，坏在哪里？

男： 据说，法国作家维克多·雨果有一次参观巴黎圣母院时，无意中在一座尖顶钟楼的阴暗角落处发现墙上有手刻的字：命运。这几个大写的希腊字母给了雨果无限的遐想。后来他决意就此写一部小说。由于和出版商签有合同，雨果只用了 6 个月的时间就交稿了。这部作品就是《巴黎圣母院》，它奠定了雨果的地位和名声，也给他带来了经济收益。这种事情古今中外都不少见，它告诉我们一个真理，作家是不是为金钱写作，不是最重要的，最重要的是，他是否能写出一部好作品，留下一些不朽的音容。

女： 你认为在中国，作家单纯依靠写作，可以成为史蒂芬·金那样的亿万富翁吗？如果不能的话，是哪些条件限制了他们？

男： 司马相如的一篇《长门赋》"得黄金百斤"，章太炎的一联《寿序》得三万银洋。这说明富豪作家我们从前就有。从理论上讲，我们现在是世界第一人口大国，应该出现很多的史蒂芬·金。但是就当下而言，我觉得比较困难，主要原因是读者数量本身有限，而太多选题重复的图书又分流了有限的读者。如果能实现全民读书，那么作家就会成为最富有的人。

16. 男的做文化名家访谈的初衷是什么？
17. 根据对话推测，《怀尧访谈录》是哪方面的节目？
18. 男的的采访对象一般是什么人？
19. 下列哪项不是男的选择采访对象的标准？
20. 男的认为，作家依靠写作难以致富的主要原因是什么？

第21到25题是根据下面一段采访：

女：自一本名叫《蚁族》的书出版以来，社会各界给予了广泛关注，“蚁族”这一新生名词也迅速成为社会上的流行词。那么，“蚁族”到底是指什么呢？

男：“蚁族”并不是一种昆虫族群，而是指大学毕业的低收入聚居群体。他们多来自经济欠发达地区，大部分人是从外地高校毕业后到大城市来找工作的。虽然他们目前工作不稳定，生活拮据，是典型的“无钱、无房、无爱”的“三无”人员，但恰恰是这种饱受磨难的经历造就了蚁族不屈不挠的特质。他们虽然没有“富二代”的天然优势，但历数现代白手起家的成功人士，几乎都曾经历过类似蚁族的艰辛——住地下室，吃清水挂面，以烦琐且看似令人绝望的工作为生。艰辛的味道自不必说，但成功后回望过去，却也是一笔难得的财富。

女：您觉得造成蚁族大量出现的社会原因是什么呢？

男：蚁族的产生有诸多原因，像高校专业配置与市场、社会需要的结构性失衡，大学生就业观念的影响，某些因素对人才的限制，等等。但我认为最根本的原因在于高等教育的商业化发展，很多高校盲目扩招，使毕业生人数几何式增长，从几十万扩张到现在的六七百万。教育部的统计数据显示，去年全国普通高校毕业生611万人，今年这个数字将增长到630万。我国经济结构水平低，民营企业的快速发展带来了新增岗位初级化的特点，也就是对劳动者的知识技术水平要求不高，对普通劳动者的需求量大，包括农民工和低学历者。而一些较为稳定的国企、外企以及行政事业单位容量又不够，根本吸收不了如此多的大学毕业生。

女：那么，您觉得应该怎么解决蚁族的问题呢？

男：在经济快速发展下产生的蚁族现象，关涉地区差异、高等教育、大学生就业、房地产价格等诸多社会问题。我觉得城市的管理者们首先应设法让这个群体获得相对低廉、卫生的居住环境，更为重要的是，政府有责任为这个群体创造一个机会均等的就业环境，这是蚁族一切努力与奋斗的力量来源。生活条件差一点儿、工资低一些，都不足以让蚁族退缩，但是，倘若一个城市存在严重的就业歧视，动辄对外来人员抬高就业门槛，就会轻易击败他们的信心底线，使他们不得不黯然面对灰色的人生。相关调查显示，70.27%的受访者把平等的工作机会列为希望政府提供帮助的首选，这反映了蚁族的集体焦虑。在现实世界中，固然不可能存在完全平等的就业环境，但是，取消户籍、学历、性别等多方面的人为限制，却是具有现代眼光的城市管理者所必须做的功

课，因为高学历人才源源不断的输入正是一个城市发展的动力。

女：我相信，随着国家政策的日益完善，大学生就业观念的进一步转变，蚁族的生存状况将会逐步得到改善。

21. 下列哪项不是对话中提到的蚁族的特点？
22. 对下列哪类人，民营企业需求量较大？
23. 男的认为造成蚁族大量涌现的根本原因是什么？
24. 男的认为，为解决蚁族问题，政府最应该怎么做？
25. 大多数的蚁族更需要什么？

第26到30题是根据下面一段采访：

男：现在名人访谈节目很多，您能给我们介绍一下这类节目有哪些特点吗？

女：现在的名人访谈节目大致存在着两种类型：一种以央视的《艺术人生》、凤凰卫视的《鲁豫有约》等为代表，参与者由主持人、嘉宾和现场观众三部分组成；另一种以央视的《面对面》、《高端访问》等为代表，通过主持人与嘉宾一对一的双向交流完成。

男：您能具体说说吗？

女：在电视节目日趋同质化的今天，节目的内容定位越来越受到重视。内容的定位就是塑造节目品牌，打造出本节目有别于其他同类栏目的独特形象，增强栏目的核心竞争力。比如像《面对面》这类节目，主持人通常以记者的形象出现，以采访的形式完成节目。观众在主持人与嘉宾的话语交锋中领略到被访者的人格魅力，也获得了超越新闻事件本身的深层意义。比如，在对著名学者易中天的采访中，主持人便充分发挥了记者这一角色功能，通过层层逼问、步步质疑来探寻事实真相。我们不妨把此类节目归纳为注重“访”的“采访型名人访谈节目”。

男：那另一类访谈节目的特点呢？

女：相比而言，《鲁豫有约》则是一个开放式的访谈节目，它以“说出你的故事”为节目宗旨，通过一个个真实感人的故事，展现访谈对象曲折的人生经历，一起见证历史、思索人生，直指人们的生命体验和心灵秘密。迄今为止，《鲁豫有约》已经访问过很多很有名气而又有特殊经历的人物，他们那光芒背后所经历的磨难、荣耀背后所饱尝的艰辛，常常让观众感动。《鲁豫有约》已形成了自己的特色，成为荧屏上一档较为经典的谈话节目。同样是对易中天的访问，它的话题便主要集中在易中天的日常生活、人生经历、情感体验等方面。我们不妨把这类节目归纳为注重“谈”的“谈话型名人访谈节目”。

男：这是内容定位上的不同，那么两者风格上有什么不同呢？

女：在谈话节目中，访谈风格是节目的显著标签。它能够使节目独具个性，在与同类节目的竞争中异军突起，获得广大观众的青睐。由于在一档访谈节目中，主持人常常是整个节目的核心，因此主持人的风格往往就决定了节目的风格。比如，以“尖锐记者”形象出现的《面对面》节目的主持人和以“邻家女孩”形象出现的《鲁豫有约》的主持人在一定程度上就成了两个节目的象征符号。

男：您能再具体地分析一下这两档节目吗？

女：对于《面对面》栏目来说，新闻和“人”是节目构成的关键要素。用“人”来解读新闻，通过新闻来展示“人”，两者相得益彰，这也是栏目的最大看点。而在与充满争议的新闻人物交流时，主持人和嘉宾通过一问一答展现出来的思想交锋，无疑最能吸引观众的眼球，观众往往能在二者的攻守之间享受到快乐。质疑精神贯穿节目的始终，并成为《面对面》栏目的独特风格，同时也引发了采访者与被访者之间的一次次精彩的较量。

男：那《鲁豫有约》呢？

女：《鲁豫有约》之所以吸引人，很大程度上是因为主持人鲁豫具有很高的“倾听”艺术。在节目中，她大量的时间是在倾听，说话时间最多占总谈话时间的20%。鲁豫常常在提问之后，就静静地、聚精会神地听受访者诉说，不打断，也不急躁。她的倾听使嘉宾感到被尊重、被理解，从而使嘉宾畅所欲言，也使得观众为其肺腑之言所打动。但是，鲁豫的倾听不是一言不发地呆坐着，而是在每一次倾听之后，她都获得不少信息和灵感，既而进行追问，最终使嘉宾说出生命体验和心灵秘密。

26. 女说话人认为现在的电视节目有什么特点？
27.《面对面》栏目的最大看点是什么？
28. 下列哪项不是《鲁豫有约》所关注的内容？
29.《面对面》栏目的独特风格是什么？
30.《鲁豫有约》的节目主持人大部分时间是在做什么？

第三部分

第31到50题，请选出正确答案。现在开始第31到32题：

第31到32题是根据下面一段话：

那是一场马戏表演。在众人的注视之下，驯兽师领着几只老虎进入铁笼，然后将门锁上，开始表演。

就在演出越来越精彩、观众的情绪越来越高涨时，现场突然停电了！黑暗中，双眼放光的孟加拉虎就近在咫尺，老虎能清楚地看见驯兽师，而驯兽师却看不到它，只有一根鞭子和一把小椅子可以用来防身。在近一分钟的时间里，观众的心都忐忑不安，他们都为笼子里的驯兽师捏了一把汗。不久，灯终于亮了，大家惊喜地发现，驯兽师安然无恙，之后他平静地完成了整个演出。

在后来的采访中，有记者问驯兽师，老虎在黑暗中能看见他，而他却看不到老虎，他当时是否害怕老虎会朝他扑过来。驯兽师说，一开始自己确实感到毛骨悚然，但他马上就镇静下来，因为他意识到了一个非常重要的事实：他确实看不见老虎，但老虎并不知道这一点。“所以，我只需像往常一样，不时地挥动鞭子、吆喝，就当什么事都没发生一样。”“就当什么事都没发生一样”，简简单单的一句话，做起来却并不容易！

在复杂多变的生活中，我们也时常会与“黑暗中的老虎”不期而遇。只不过那不是凶猛的野兽，而是人生道路上的困难和挫折。那么，我们能做到“当什么事都没发生”，去坦然面对吗？

31. 突然停电时，驯兽师是怎么做的？
32. 这个故事告诉我们什么？

第 33 到 34 题是根据下面一段话：

水乡妇女的服饰地方特色非常浓郁，传承性稳定，但随着季节的变化、年龄的差异和礼仪的需要，也会表现出明显的差别。一般来说，春秋两季服饰的特点尤为突出。

春秋服饰的上装以拼接为主，面料多为花布、土布、深浅士林布，色彩对比鲜明，鲜而不艳，艳而不俗。常用几种色彩的面料拼接而成，剪裁得体，缝工精细。装饰性很强，有拼接、滚边、纽襻、带饰、绣花等。而裤子多用蓝地白印花布或白地蓝印花布，裤裆用蓝或黑色士林布拼接。裙子也很有特色，长度齐膝，裙带上均有不同工艺的花饰，裙子外面系上一条小穿腰，穿腰上缝一个大口袋，穿腰四周及带上绣着各种图案的花纹，是服饰中的重要装饰物。裙子的设计是很实用的，腰背不易受风寒，站立时又能增加腰部的力量。下摆较大，不影响行动，有利于水田操作，既实用又美观。

水乡妇女的服饰随着年纪的不同而不同，青年妇女以花哨为主，巧妙利用服饰上有限的空间，运用色彩对比、衬托、交错的手法，以达到显眼、花哨的艺术效果，给人以轻盈洒脱之感。而中老年妇女则以深色调为主，服饰庄重沉稳，穿着舒展宽大，给人以古朴持重之感。

33. 水乡妇女春秋季的上装有什么特点？
34. 青年妇女的服饰以什么方式达到花哨的效果？

第 35 到 38 题是根据下面一段话：

人力资源协会最近对近 500 名人力资源经理作了一项调查，发现应聘者在面试过程中有很多地方容易搞砸，其中一些可能会让你大吃一惊。

下面这些基本的错误不要犯：参加面试不要迟到，不要贬低以前的雇主。不过有些招聘经理表示，有时候甚至连久经沙场的应聘者也会在阴沟里翻船。应聘者往往会以一种过于亲昵的语气与招聘经理交谈。根据 20%的受访者的反馈，这是一个普遍问题。有位人力资源主管说，有一次她面试的应聘者自我感觉过于良好，居然评论起她所穿的衣服。67%的受访者认为，着装不当是大忌，它比求职简历中出现错字都要严重。一位人力资源经理说，如果应聘者技能出众，他可以原谅简历中出现一个错字，但衣着暴露或穿着懒散等，他会立刻拒绝。

这次调查还发现：30%的招聘经理将在 15 分钟内决定是否雇用应聘者；40%的招聘经理表示，如果在面试中应聘者的手机突然响起，那就“没得可谈”；70%的招聘经理更喜欢应聘者在其公司涉及的领域有过不领工资的实习经验，而不是在非涉及的领域有过全职

的工作经验；39%的招聘经理说，能否与应聘者产生“化学反应”在其招聘决策中占有一半的作用。

该调查还显示，在面试过程中，一些应聘者过早地向人力资源经理提出诸如福利奖金、休假时间和工作灵活性等问题。约39%的受访招聘经理表示，应聘者根本不应该询问待遇水平，除非是面试官主动提起。

一家猎头公司人事经理说，应聘者参加面试时手上一定要拿点儿东西，随便什么都行，这样能让你保持专注。两手空空走进面试地点会让人有些手足无措。

那么，应聘者要不要在面试后发一封正式的感谢信呢？60%以上接受调查的人力资源经理认为，省略这一步也无伤大雅，发一封简短的电子邮件就行，但送贺卡和彩色气球就不必了。

35. 下列哪种情况是面试者普遍存在的问题？
36. 大部分的招聘经理更看重面试者什么？
37. 录音中说，什么情况面试者会立刻被拒绝？
38. 下列哪种做法比较得体？

第39到42题是根据下面一段话：

我们身体所需要的许多营养来自蔬菜。日常生活中一个成年人每天应摄入200到500克蔬菜才能满足人体的需要。在生活中，人们往往以蔬菜价格作为选用标准，其实这根本不科学。判断蔬菜的营养价值主要是看该蔬菜内含有多少人体必需的维生素及铁、盐和纤维素等。

科学家通过对多种蔬菜营养成分的分析，发现了一种非常有趣的现象：蔬菜的营养价值与其颜色密切相关。颜色深的营养价值高，颜色浅的营养价值低。

科学家还发现，即使是同类蔬菜，由于颜色不同，营养价值也不同。紫茄子含有丰富的维生素P，它能增加微血管壁的抗压能力，改善血管功能，对高血压、皮肤紫癜、易发生出血倾向的疾病患者非常有好处。黄色胡萝卜比红色胡萝卜营养价值高，除了含有大量胡萝卜素外，黄色胡萝卜还含有具有强烈抑癌作用的黄碱素，有预防癌症的功用。

研究还发现，同一株菜的不同部位，由于颜色不同，其营养价值也不同。大葱的葱绿部分营养价值比葱白部分要高得多。每100克葱绿含维生素A1750国际单位，而葱白几乎不含维生素A，维生素B1和维生素C的含量也不及葱绿的一半。颜色较绿的芹菜叶比颜色较浅的芹菜叶和茎含的胡萝卜素多6倍，维生素D多4倍。

由于每种蔬菜所含的营养种类和数量各异，而人体的营养需要又是多方面的，所以，在选用蔬菜时，除了要注意蔬菜的颜色深浅外，还应考虑多种蔬菜搭配及蔬菜和肉食混吃。

39. 一般人凭什么来判断蔬菜的营养价值？
40. 根据这段话，哪种蔬菜最有营养？
41. 这段话中提到哪种蔬菜有防癌功效？
42. 下列不符合这段话意思的是哪一项？

第 43 到 46 题是根据下面一段话：

在撒哈拉沙漠里，因为一连几个月不下雨，干燥的沙漠在阳光的炙烤下温度越来越高，就是极能耐高温的蛇也得小心翼翼，不然就有被烤熟的危险。白天，蛇只能躲在沙子里，因为沙子的覆盖能使它避免阳光的直接照射，它还可以伺机捕捉猎物。它的猎物都是些耐旱的小动物，有蜥蜴、甲虫，还有一些小型飞鸟。如果必须走动，蛇就将身体弯成“之”字形迅速前进，这样可以避免皮肤长时间地与炙热的沙子接触。蛇就是以这种方式顽强地在沙漠里生存下来的。

因为鸟儿要到沙地上找食物，所以也不可避免地成了蛇的猎物。鸟儿不但要面对恶劣的自然环境，还要对付躲在沙子底下的蛇的袭击，如果它要生存下去，就必须战胜这一切。

生物学家拍到了这样一组精彩镜头。当鸟儿扑扇着翅膀刚刚停在沙地上准备寻找食物之时，潜伏在沙子里的蛇猛地张开大口蹿了出来。眼看鸟儿就要成为蛇的果腹之物，可是，最后鸟儿居然从劣势转为优势。生物学家惊奇地发现，鸟儿用自己的爪子一下又一下地拍击着蛇的头部。尽管鸟儿力量有限，它的拍击对蛇似乎构不成什么威胁，并且蛇依然对鸟儿穷追不舍，但鸟儿并没有停止拍击。鸟儿一边躲闪着蛇的血盆大口，一边继续用爪子拍击着蛇的头部，其准确程度分毫不差。

就在鸟儿拍击了一千多下后，蛇终于无力地瘫软在沙地上，再也动不了了。蛇口脱险的鸟儿停在沙地上从容地吃了一些甲虫类的食物后，才扑扇着翅膀慢慢地飞走。

鸟儿和蛇的力量对比是悬殊的，生物学家唯一能想到的答案就是，鸟儿在经过长期的经验积累后，终于掌握了一套对付蛇的办法，那就是瞄准一个点——蛇的头部，并持之以恒地用爪子拍击。鸟儿以自己坚韧不拔的抵抗方式，在这次力量悬殊的较量中赢得了胜利。在现实生活中，很多人之所以失败，就是因为没有瞄准一个点，持之以恒地走下去。而成功者则往往是由于瞄准了这个点，并坚持走到了最后。

43. 在温度极高的沙漠里，蛇是怎么走动的？
44. 遇到蛇的突然袭击时，鸟儿是怎么做的？
45. 面对鸟儿的回击，蛇是怎么做的？
46. 鸟儿最后赢得胜利的原因是什么？

第 47 到 50 题是根据下面一段话：

隐鱼是活动于海洋深处的小鱼，头部和尾部很尖。正是因为这种奇特的身形，成就了它“隐身”的特殊本领。那么，它到底是怎么隐身的呢？原来，它隐身的办法就是钻进海参的肠道。平时隐鱼四处游动寻找海参，当发现目标时，便靠近海参并找准海参的肛门，然后转个身将尾部先插进去。不一会儿，它那细长的身子就整个钻进了海参体内。因为海参体内只有一条直肠子，所以钻进海参体内的隐鱼吃着海参体内流进流出的海水带来的食物，过起了安逸的生活。有人不禁要问，为什么隐鱼“隐身”时尾部先钻进去呢？这是因为隐鱼的肛门在喉部，它必须在一定的时间内将头伸出腔道，将排泄物排出。

那么，有了这种特殊本领的隐鱼是否就高枕无忧了呢？并非如此。当没有隐身的隐鱼受到攻击时，它便会迅速寻找海参隐身。平常它都是尾部先进入海参肠道，可当它受到攻击时由于着急，往往是头部先钻进去。这样，它就犯了一个致命的错误：当它排泄的时候，因为排泄物无法排向海参体外，只能堆积，慢慢堵住海参的腔肠，海参不久便会死亡，而隐鱼也会因为食物不足而饿死在海参腹内。隐鱼在紧急时刻忘记肛门在喉部，先把头钻进腔肠，这是一个致命的错误。人也是如此，我们往往会在危急之时忘记自己的致命弱点。由此看来，锤炼一颗处变不惊的心对于生存是多么的重要。

47. 隐鱼“隐身”的本领得益于它的什么特点？
48. 隐鱼是怎么进入海参体内的？
49. 隐鱼的肛门在哪里？
50. 当排泄物无法排出海参体外时，隐鱼会怎么样？

听力考试现在结束。

HSK（六级）模拟试卷 *6* 参考答案

一、听　力

第一部分

1. C	2. D	3. C	4. C	5. A
6. B	7. B	8. D	9. C	10. D
11. B	12. B	13. A	14. A	15. B

第二部分

16. C	17. C	18. A	19. C	20. A
21. B	22. A	23. A	24. C	25. B
26. D	27. C	28. C	29. A	30. D

第三部分

31. A	32. A	33. D	34. A	35. C
36. C	37. D	38. A	39. D	40. D
41. A	42. C	43. C	44. B	45. D
46. A	47. D	48. C	49. B	50. B

二、阅 读

第一部分

51. B。句式杂糅。主语是"人们"，后半句又说"使人产生、造成"，即"人们会使人产生疲劳感"、"人们造成眼痛或头痛"，不通。故可将"使人"去掉，把"造成"改为"出现"，即改为"人们如果连续看上四五个小时的电视，就会产生疲劳感，甚至出现眼痛或头痛"。
52. D。动词"平均"表示按等份均匀计算，不能与表示总括的副词"都"同时使用。故本句可改为"各门功课平均 90 分的优异成绩"或"各门功课都在 90 分以上的优异成绩"。
53. A。谓语动词后带有小句宾语时，谓语动词一般不用动态助词"了"。故应将动态助词"了"去掉，改为"就决定为了毕业以后找到一份好工作而努力学习营销和外语"。
54. A。主语缺失。介词短语不能充当句子主语。故可改为"这件事使我真正领悟到了诚信的重要性"或"通过这件事，我真正领悟到了诚信的重要性"。
55. C。主语缺失。动词"是"的主语显然应该是"地球"，而非"人类"。故应改为"人类生活的地球是个天然磁体"。
56. D。表示事物通过动作所在的处所，应该用"动词+在+处所宾语"的形式表示。故应改为"放在一个很薄的文件袋里"。
57. D。主宾搭配不当。"人口是国家"显然不合逻辑，故应改为"中国是世界上人口最多的国家"。
58. B。词语搭配不当。副词"突然"表示急促而且出人意料，副词"渐渐"表示程度或数量随时间的推移而逐渐变化，是个缓慢的过程。"突然"与"渐渐"不能同时使用，结合上下句，可将"突然"去掉。
59. B。词语搭配不当。副词"整整"表示达到某个整数，如"整整住了一年"，不能与表示概数的"左右"一起使用。故可改为"生活了整整 60 年"或"生活了 60 年左右"。
60. D。动宾搭配不当。"带来欢乐"可以搭配使用，但不能说"带来笑脸"。故应将"笑脸"去掉，即改为"带来无穷的欢乐"。

第二部分

61. A	62. C	63. B	64. B	65. A
66. C	67. A	68. D	69. B	70. D

第三部分

71. D	72. C	73. E	74. A	75. B
76. C	77. D	78. E	79. A	80. B

第四部分

81. D	82. C	83. D	84. C	85. C
86. D	87. B	88. D	89. B	90. D
91. D	92. A	93. B	94. C	95. C
96. A	97. C	98. B	99. C	100. A

三、书 写

101. 参考范文

爱的方式

从母亲住进我们医院的那一天起，我就开始后悔自己所选择的职业了，因为我对母亲的病无能为力。

母亲住院时，癌细胞已经扩散到了整个胸部。整夜整夜的疼痛让她无法入睡，可她从来不说。每次我去看她，她都赶我走，说自己感觉好多了，让我去忙工作。

有一次，母亲跟我说起她的身后事，让我给她准备一条裙子。一生爱美的母亲希望完美地离去。

那天，医院里有个年轻女孩急需眼角膜，而医院恰巧来了个意外死亡的男孩。我试图说服男孩的父母捐献眼角膜，但男孩的母亲发疯般地冲向我，说不准别人动他儿子一根毫毛，还质问我怎么不让自己的家人来捐献。我呆在那里，不知道怎么回答。

就在这时，一个熟悉的声音说:“孩子，你看妈妈的眼角膜能给那个孩子用吗?”我回过头，发现母亲站在门口。母亲挣扎着来到我面前，静静地盯着我足足有一分钟，说:“孩子，我想看着你!”我不禁泪如泉涌……

最后，男孩的母亲同意捐献眼角膜，因为她也想让儿子的眼睛一直看着自己。母亲使她明白，原来，爱可以用这样的方式延续。

HSK（六级）模拟试卷 7 听力材料

（音乐，30 秒，渐弱）

大家好！欢迎参加 HSK（六级）考试。
大家好！欢迎参加 HSK（六级）考试。
大家好！欢迎参加 HSK（六级）考试。

HSK（六级）听力考试分三部分，共 50 题。
请大家注意，听力考试现在开始。

第一部分

第 1 到 15 题，请选出与所听内容一致的一项。现在开始第 1 题：

1. 成功者往往把注意力放在如何提高自己的水平上，而不是考虑如何击败对手。

2. 人体内的肾上腺皮质激素和生长激素只有在夜间睡眠时才分泌，前者在黎明前分泌，后者入睡后即产生。肾上腺皮质激素具有促进体内糖的代谢和肌肉发育的功能。生长激素既可促进青少年生长发育，也可使中老年人延缓衰老。夜晚用脑过度，会使人的机体节奏规律紊乱，导致脑细胞衰减。

3. 富有才华和梦想的年轻人需要艰苦经历的磨炼。因为一般来说，年轻往往意味着贫穷，贫穷却能滋生出对生活的期盼和梦想。当一个人把年轻、才华、梦想都骄傲地作为自己最大财富的时候，他就找到了一生享用不尽的财富。

4. 森林是人类文明的摇篮，是最直接影响人类能否生存下去的生态因子。森林吸收二氧化碳，释放氧气，以此平衡大气中二氧化碳的比例。据估计，世界上的森林和植物每年产生 4000 亿吨氧气。森林是造雨者，不但影响降水量，而且能减缓山坡上的土壤侵蚀。

5. 诚然，我们应该向西方国家学习先进的自然和社会科学，但也不能因此而丢弃“自我”。历史证明，一个民族一旦失去了自己的文化传统，尤其是体现文化灵魂的思维传统，终究是要被淘汰出局的。

6. 现在，用词不当、语法错误、逻辑混乱等语言不规范现象，不仅出现在学生的笔下，而且在报刊、书籍上也屡见不鲜。

7. 人是一种被限定了时空范围的有限生物。人活着，就是与别人共存于同一个地球村落，人的物质生活和精神生活都有赖于与他人的互惠互利，因此应当宽容地对待别人和自己。

8. 夏天不宜长时间看电视，否则易造成热量堆积，加快元件老化。一般来说，收看三个半小时，就该关机半小时，让电视休息。同时不要频繁地开关电视机，还要定期给电视机除尘。

9. 喝水也要讲科学。怎样健康饮水呢？因人而异。运动员喝保健饮料，可稍加点儿盐和糖；高血压病人一般应少盐少水；老年人和小孩最好是饮用温开水，温开水对人刺激小，而且有利于保持酶的活性。吃饭时适当饮水有利于消化。其实，饮多饮少要视情况而定，不可一概而论。

10. 一项最新心理研究显示，为了激励孩子在学校中取得更好的学习成绩，最好的办法不是夸奖他们聪明，而是赞扬和勉励他们刻苦努力。那些被称赞为聪明的孩子往往变得过于注重考试成绩，将好的分数看得比什么都重要，一遇到挫折就灰心丧气，不愿选择新的学习任务。而那些被夸奖为努力和刻苦的孩子，则更富有持久的上进心和学习兴趣。他们认为智力及能力是可以通过刻苦学习而提高的，从而更愿意承担富有挑战性的学习任务。

11. 尽管大多数谎言都是自私的，是说谎者为了保护自己不会遭遇尴尬、反驳或者冲突，但是，仍有 1/4 的谎言是令他人受益的，这是为了保护对方的感情。这种情况通常发生在女性的交谈中，一旦有异性加入，谎言就会越来越多。

12. 虽然希腊不是欧洲足球强国，但众所周知，希腊不乏有实力的足球俱乐部和球队，也有不少有水平的教练和球员。希腊的足球很普及，观众很有激情，主力球员像电影明星和政治家一样是公众崇拜的偶像。

13. 向人提出较重大的请求时，必须注意把握恰当的时机。比如，当对方正遭遇重大变故时，你就不应随便前去打扰；当对方心情愉快、时间充裕时，向其提出请求就可能取得较好的效果。

14. 不要过分地依赖语言，不要总是企图在语言上占上风。语言解决不了的，事实可以解决。语言解决了而事实没有解决的，语言会失去价值，甚至只能添乱。

15. 医学专家很早以前就开始研究音乐家的天才与其大脑的关系。他们认为，音乐家的左、右脑是均衡发展的，大脑的右半球负责旋律和音调的识别，左半球负责节奏和乐理的调节、实施。

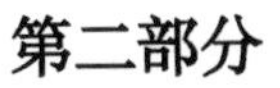

第二部分

第 16 到 30 题，请选出正确答案。现在开始第 16 到 20 题：

第 16 到 20 题是根据下面一段采访：

女：你觉得自己在文坛中扮演什么样的角色？

男：我觉得自己算“边缘人”吧。在社会的认知度上，当今的作家已经处在公众视野的边缘，因为公众关注的都是体育明星、娱乐明星、商界首富什么的，作家处在很边缘的一个地带。但是，我又因为思想很主流而被关注，所以我这个“边缘人”其实还是很微妙的。

女：有些纯文学作家不会为了讨好读者而写作，但是你在创作过程中，会选择和读者互动，你觉得你是一个优秀的作家吗？

男：我觉得作家分两种。一种是探索内心和思想的，这需要作家本身具有很优秀的品质和思想，而且这种作品是可以影响人的观念的。另外一种作家是希望写好一个故事，小说的核心是故事，读者在看这个故事时，能体会到阅读的乐趣就行了。我可能是后一种作家，我不希望用很个人的东西去影响那么大的一批读者。如果今天只有一万个人看我的书，可能我的感觉就不一样了，我就会随心所欲，想写什么就写什么，因为这一万个人是跟我“臭味相投”的，他们认同我的观念。但是现在，如果我把一个阴暗的内心世界写出来，影响了中国的一代青少年，那就是很恐怖的一件事。所以我写小说很多时候是在叙事，而不是传道，我不会说你应该怎么样，这件事情带给我们什么，我只是把这个事情表达出来。至于你能感受到什么，体会到多少，那是你的生活环境决定的。

女：甘愿做文学的垫脚石，让读者体会阅读的乐趣，这倒是一个不错的想法。

男：我承认我不是写得最好的，有很多文学艺术，包括我们看到的很多大师级的作家，他们写得非常棒，但是完全没有接触过文学的人有可能不能全看懂。我初中时看《尤利西斯》，觉得那是什么呀，看了三年都没看完，但是当我真正阅读过很多东西后，就能体会到这部作品的伟大之处了。所以，我觉得先要培养读者读书的兴趣，等他们的兴趣和阅历达到一定层次的时候，他们自己会去选择，也能越来越多地体会到阅读的快乐。

女：你希望做一个优秀出版人，现在公司的运作也是游刃有余了，有没有想过推出其他的作家？

男：我觉得阅读市场是巨大的，像我一年出一本书，但是读者看这本书只需要 5 天时间，他剩下来的 300 多天干什么呢？一定会看别人的东西，这个市场靠自己一个人的力量是填不满的，所以我希望有很多人来丰富我们的选择余地，你不能只看一个人的书。同时，有很多作家非常优秀，需要一个平台来让他们发光，让他们发展，所以我希望能建立这样一个平台。这个平台不是给我个人的，而是在行业里面产生一个聚光效益，只要是我策划的，是我关注的，是我涉足的领域，就会迅速吸引目光。无论是我们生产产业链上的目光，还是下游读者群的目光，都会变成效益，这也是我做出版的另外一个目的。

16. 男的所说的“边缘人”是指什么？
17. 男的的作品有什么特点？
18. 男的认为自己的小说以什么为主？
19. 对于那些没有接触过大师作品的读者，男的建议怎么做？
20. 下列哪项不是男的做出版的目的？

第 21 到 25 题是根据下面一段采访：

女：我觉得新闻类节目不好做，新闻评论类节目更不好做。我在你们的节目介绍中看到这样一句话，“培养人的现代公民意识”，能给我们解释一下吗？

男：我们现在所处的社会是信息爆炸、价值多元的时代，对某一事件或者某一个人的言论，应该说有完全不一样的视角。所谓公民意识，我的理解是，有自己的独立判断，有自己全方位的判断视角。不是说我给你，你就接受，而应该是双向的，我给了你，你给我反馈。我们节目希望提供的不是封闭的答案，而是发散的、开放的，让听众在收听过程中结合自己的经验，最终形成对一个事情的理解。

女：有很多人觉得评论节目很不容易做，因为既要让大家听懂，又要有深度和广度，你们是怎么做到的？

男：“跳出去，再跳回来”。我们宗旨就是，开始的时候“见山是山”，后来“见山不是山”，到最后“见山还是山”。怎么说呢？首先要掌握大量的资料，这样你才可以积累出一定的道理来；之后你要“跳出来”，因为你肯定会被这么多资料迷惑，会失去自己的判断。比如说反方那块，你也要想想他这么做有没有他的理由，他这么做的深层背景是什么。你跳出来之后就会发现，很多东西是需要相对来说的，所以我们的宣传语就是“新闻言而不尽，话题相对而论”。

女：而且广播的收听是线性的，前面一句话没有听到，后面就听不懂了。

男：所以我们找的嘉宾是讲得深、说得浅的嘉宾，就是这个事情他挖得很深，但是说的话老百姓听得懂。而且我们跟嘉宾说，尽可能把你们的道理嵌进一个个故事。

女：有人说，无论多优秀的栏目都有自己的寿命，你们是怎么看待变革和创新的？

男：我想不变的是那份诚心，还有悲天悯人的情怀。做民生新闻的时候，我们和新闻里的当事人同呼吸、共命运；搜集资料的时候，我们也是跟他们同欢喜、同哭泣。正是这种特别紧密的血肉般的联系，会让你做节目的时候让听众感受到那种心跳。真诚可能是永远不会变的，没有了真诚，做新闻评论节目就没有了根基，只是冷冰冰的评论而已。而且还有一点对主持人来说很重要，这就是热情。我们从周一做到周日，从来不厌倦。很多人做长了、做累了，热情会消失，但只有一直保持热情才会让节目越办越好。如果你有懒惰的思想，做节目时就会偷工减料，所以我觉得热情永远不能少。

21. 下列哪项不符合对话中“现代公民意识”的内容？

22. 关于“讲得深、说得浅”最准确的理解是什么？
23. 男的说的在做节目时“跳出来”是指什么？
24. 男的说做民生新闻那种“悲天悯人的情怀”是指什么？
25. 男的认为新闻节目如何应对变革与创新？

第 26 到 30 题是根据下面一段采访：

男： 最近常常听到“低龄语言暴力”这个词，那么什么是语言暴力呢？它对人有什么影响和伤害呢？

女： 语言暴力就是使用谩骂、蔑视、嘲笑等侮辱歧视性的语言，致使他人的精神和心理遭到侵犯和损害。而低龄语言暴力，就是指施暴者或受暴者是青少年。从表面上看，语言暴力比体罚显得文明，但它带给孩子的伤害绝不会比体罚小。从某种程度上讲，可能还有过之而无不及。体罚更多伤害的是孩子的身体，其痛苦可能是短暂的，但语言暴力的伤害却是长久的，它不仅侮辱孩子的人格，损伤孩子的自尊和自信，摧残孩子的心理健康，严重的还会导致孩子心智失常，丧失生活勇气，引发厌学、违法犯罪、自杀等严重恶果。

男： 那么，为什么会发生语言暴力呢？

女： 在很多情况下，语言暴力源自不平等的相互关系，受害者通常缺乏自卫的力量，低龄语言暴力就属于这一类。生活中，很多家长无意识地使用着这些辱骂挖苦的字眼，他们认为这样做是不得已的。如今家长体罚孩子的现象减少了，但使用讽刺、挖苦、冷落等过激语言惩罚孩子的情况却增多了。

男： 就是说，一般的语言暴力是来自父母和家庭的？

女： 实际上，有相当一部分语言暴力是来自学校的。据报道说，语言暴力正困扰着学校中的孩子。北京青少年法律援助与研究中心近日公布的调研报告显示：48%的小学生、36%的初中生、18%的高中生表示，老师在批评自己或者同学时使用过嘲笑、蔑视的语言。中国少年儿童平安行动组委会发布的一项调查结果也显示，“语言伤害”、“同伴暴力”、“运动伤害”是当前亟待解决的三大校园伤害问题。

男： 在很多家长看来，这样的教育方式是对孩子采取的一种激将法。

女： 所谓“爱之深，恨之切”，有相当一部分家长和老师认为，用语言激将法可以使孩子翻然悔悟，积极向上，于是“坏孩子”、“笨死了”、“你一辈子也不会有出息”等恶语便不假思索地抛向孩子。殊不知，这样做往往事与愿违。因为孩子天性纯真善良，他们幼小的心灵最容易受到伤害。这些极端的话语会重重刺伤孩子稚嫩的心灵，伤害孩子的人格尊严和自信心，甚至给孩子一生留下不可磨灭的阴影。孩子的自我认识水平很低，他们主要是根据别人，尤其是心目中崇拜的老师或父母的评价来认识自己的。如此一来，上述这些具有“权威性”的评价使他们深信不疑，并且产生严重的自卑感，不知不觉中按“坏孩子”的标准行事。长此以往，就可能变成真正的“坏孩子”了。

男： 是啊。成长过程中的孩子最需要鼓励和帮助，要培养他们的自信心和进取心，老师或家长在教育孩子时一定要注意“口下留情”。尤其是在孩子有不如意的表现时，更要善于寻找其闪光点，激励他继续向前。

26. 根据本文，哪个阶段的学生受到的语言暴力最多？
27. 为什么会发生语言暴力？
28. 下列哪项不属于对话中说的亟待解决的校园伤害问题？
29. 对话中所说的“激将法”是指什么？
30. 孩子的自我认知一般源于什么？

第三部分

第 31 到 50 题，请选出正确答案。现在开始第 31 到 32 题：

第 31 到 32 题是根据下面一段话：

人们都很讨厌蚊子，因为它们会吸血。但据法国《科学与生活》杂志报道，其实公蚊子不吸血，只吸食植物的汁液，所以它们一般不进屋，只有秋后天气冷了才会跑进室内避寒。吸血的都是母蚊子，它们吸血是为了增加营养，繁殖后代，吸饱了就找有水的地方去产卵。

蚊子一般 5 月开始出动，到 8 月中下旬达到活动高峰。秋天天气变冷，温度降到 10℃以下时，就会停止繁殖，不食不动进入冬眠，直到第二年春天激醒后又出来。蚊子最喜欢的温度是 30℃左右，太高了也受不了。它们的生存繁殖环境必须有水，因此地面积水、臭水沟、下水道都是蚊子繁殖的理想场所。

研究表明，蚊子叮人是有选择的，能为蚊子带来丰富胆固醇和维生素 B 的人最受蚊子青睐，蚊子能利用气味从人群中发现最适合它们胃口的对象。胆固醇和维生素 B 是蚊子生存所必需而自己又不能产生的营养。

蚊子具有很强的嗅觉能力。当人类呼出二氧化碳和其他气味时，这些气味会在空气中扩散，而这些气味好比是开饭的铃声，告诉蚊子一顿美餐就在眼前。蚊子跟踪它的目标时，总是随着人呼出的气味曲折前进，直到接触到目标为止，然后就落到皮肤上耐心寻找“突破口”，最后才把“针管”直接插入皮肤里吸血 8 到 10 秒钟。

大多数化妆品中都含有硬脂酸，所以化妆的人比不化妆的人更受蚊子“欢迎”。至于一个人的胆固醇水平，倒不会左右蚊子的判断力，除非有足够胆固醇贮存在离表皮很近的地方。当然，也有一些气味是蚊子所讨厌的，如月桂叶、柠檬草油、香茅、大蒜和香叶醇的气味。

31. 公蚊子一般靠什么维持生命？
32. 下列不符合这段话内容的是哪一项？

第 33 到 35 题是根据下面一段话：

有人做过一个实验：一个人右手上放 300 克的砝码，左手上放 305 克的砝码时，他并不会觉得有多少差别，直到左手砝码的重量加至 306 克，他才会觉得有些重。如果右手举着 600 克，那么左手上的重量要达到 612 克才能感觉到重了。也就是说，原来的砝码越

重，后来就必须加更大的量才能感觉到差别。这种现象被称为“贝勃定律”。

贝勃定律在生活中到处可见。比如5毛钱一份的晚报突然涨了5块钱，那么你会觉得不可思议，无法接受。但是，如果原本500万的房产也涨了5块，甚至500块，你都会觉得价钱根本没有变化。

有头脑的人会利用贝勃定律为自己减轻做事的阻力。比如商家在进行产品价格调整时，会先小幅度上涨，在人们都接受以后再加价更多；再如谈判的技巧，一般有经验的谈判专家都是在谈判临近结束时才提出一些棘手的条件，而对方被一开始的优厚条件所诱惑，也就不怎么在意后来才知道的那些缺点了。

有些人总是抱怨恋人对自己不如刚认识时那么好了，其实这也是贝勃定律在作怪。在还不熟悉的情况下，对方给你的一点点关怀你都会觉得情深似海，而相恋时间长了之后，与原来相同的那种关爱你也会觉得平淡如水了。所以，变化的不是事实，而只是你的感受。

我们的感觉很敏感，但也有惰性；它会蒙骗我们的眼睛，也会加重我们的感受而迷失理性。所以，我们不能太自以为是，应带着谦卑的心对待万物众生，这样才可以少犯错误，积累智慧。

贝勃定律告诉我们，给予方要多做雪中送炭的事，少做锦上添花的事，尽量不做画蛇添足的事；而接受方要懂得珍惜自己的点滴所得，善待身边的人。

33. 下列哪种情况人们会感觉出数量的差异？
34. 商家是如何利用贝勃定律的？
35. 下列哪项不符合贝勃定律？

第36到38题是根据下面一段话：

据已发现的化石研究分析，早在800万年前的晚中新世，在中国云南禄丰等地的热带潮湿森林的边缘，就生活着大熊猫的祖先——始熊猫。这是一种由拟熊类演变而成的以食肉为主的最早的熊猫，个体犹如一只较肥胖的狐狸。由始熊猫演化的一个旁支叫葛氏郊熊猫，分布于欧洲的匈牙利和法国等地的潮湿森林，在中新世末期即灭绝。而始熊猫的主支则在中国的中部和南部继续演化，其中一种在距今约300万年的更新世初期出现，体型只有现生大熊猫的一半大，像一只胖胖的狗，其化石被定名为大熊猫小种。从大熊猫小种的化石牙齿推测，它已进化成为兼食竹类的杂食兽。这些小型大熊猫又经历了约200万年，开始向亚热带潮湿森林延伸，并取代始熊猫广泛分布于云南、广西和四川。后来，大熊猫进一步适应亚热带竹林生活，体型逐渐增大。距今50万到70万年的更新世中晚期是大熊猫的鼎盛时期，化石大熊猫武陵山亚种的体型仅比现生大熊猫小约1/8。到更新世晚期，化石大熊猫巴氏亚种的体型又比现生大熊猫大约1/8，而且以竹子为生。在整个更新世，化石亚种大熊猫分布相当广泛，与剑齿虎、剑齿象以及北京猿人、南方猿人一起生活，构成了典型的更新世“大熊猫—剑齿象”动物化石群。

36. 大熊猫的祖先始熊猫以什么为食？

37. 大熊猫发展的鼎盛时期是哪一段?
38. 下列哪种亚种比现生大熊猫大约 1/8?

第 39 到 42 题是根据下面一段话：

酒可以分为酱香型和浓香型两大类。以小麦为主制成的酒是酱香型的，中国的白酒中几乎只有茅台是酱香型的，其他大部分都是浓香型的。但不论酱香还是浓香，里面的具体香料我们现在并不清楚。茅台酒中有 200 多种香料，其中有 100 多种到现在还搞不清楚是什么。泸州老窖和五粮液中大部分的香料我们也不知道。而且很奇怪，这些香料只在某一个地区才会有。

以茅台酒为例，茅台酒只能在贵州茅台镇生产。30 多年前，有人曾经把茅台酒的所有流程工序和设备，甚至制酒的老师傅都带走，连茅台酒厂的灰尘也装了一箱子——据说那里面有丰富的微生物，是制造茅台酒所必需的。这个人找了 50 个地方，最后在遵义找到了一个山清水秀、没有工业污染的地方。他按茅台酒的流程工序酿酒，一共进行了 9 个周期、69 次实验，最后还是宣布失败了。

为什么会失败？因为茅台酒不能离开它的原产地。离开了那里，微生物就不一样了。微生物不一样，造出来的酒就不一样。

再说说泸州老窖和五粮液，它们靠什么制酒呢？靠酒窖里面的泥巴，即窖泥。有人曾买下这种窖泥，在国外仿造五粮液和泸州老窖，但造出来的酒完全不是一个味道，因为这些微生物到了别的地方后水土不服，大部分都死了。

那些名酒为什么卖得好？最核心的原因就是历史。我们所看到的好酒，包括江苏的洋河大曲、四川的五粮液、剑南春、泸州老窖和贵州的茅台等，都是有历史的。只有靠历史的不断积累才能找到某种香料，而且这种香料一定只有这个地区才能出产。所有酒厂的研发都必须围绕历史所赋予你的这些微生物进行。如果历史给你的微生物是这些，你就只能在这些微生物的身上作研发，你不能离开这个工厂，也不能离开这些微生物，因为这些微生物是老祖宗留给我们的。所有酒厂的研发都必须在历史和地理的基础之上进行才有价值。

39. 下列哪种酒是以小麦为主制成的?
40. 录音中提到，茅台酒移到别处制作失败的原因是什么?
41. 根据这段话可知，五粮液是哪里的酒?
42. 录音中说酒的研发核心是什么?

第 43 到 46 题是根据下面一段话：

人们每日饮食离不开饭、菜、汤和水果，可这些食物应该按什么顺序吃才合理，许多人并不清楚。

众所周知，“饭前喝汤，胜似药方”。吃饭前，先喝几口汤，等于给消化道加了点儿“润滑剂”，使食物能顺利下咽，防止干硬食物刺激消化道粘膜，从而有益于胃肠对食物的消化和吸收。若饭前不喝汤，吃饭时也不进汤水，则饭后会因胃液的大量分泌使体液丧失

过多而产生口渴，但这时才喝水，反而会冲淡胃液，影响食物的消化和吸收。所以，有营养学家认为，养成饭前和吃饭时进点儿汤水的习惯，可以减少食道炎、胃炎等的发生。但吃饭时将干饭或硬馍泡汤吃却不同了。因为汤泡饭饱含水分，松软易吞，所以人们往往懒于咀嚼，把食物快速吞咽下去，这就给胃的消化增加了负担，日子一久，就容易导致胃病的发作。

水果的共同特点是富含各种营养物质，食用后对人体健康大有益处。水果的主要成分是果糖，无需通过胃来消化，而是直接进入小肠就被吸收。而米饭、面食、肉食等含淀粉及蛋白质成分的食物，则需要在胃里停留一段时间。如果进餐时先吃饭、菜，再吃水果，消化慢的淀粉蛋白质会阻塞消化快的水果，所有的食物一起搅和在胃里，水果在体内三十六七度的高温下，会产生发酵反应甚至腐败，出现胀气、便秘等症状，给消化道带来不良影响。所以餐后应过半小时左右再吃水果。而含鞣酸成分多的水果，如柿子、石榴、柠檬、葡萄、酸柚、杨梅等，不宜与鱿鱼、龙虾、藻类等富含蛋白质及矿物质的海鲜同吃。同吃后，水果中的鞣酸不仅会降低海鲜中蛋白质的营养价值，还容易和海鲜中的钙、铁结合成一种不易消化的物质，这种物质会刺激胃肠，引起恶心、呕吐、腹痛等。所以营养专家建议，食用了这些海鲜，应隔 2 到 3 小时后再享用水果。

43. 下列哪种食物是无需通过胃来消化的？
44. 食用下列哪种食物后不宜马上吃水果？
45. 下列哪种进食习惯是不合理的？
46. 合理的进餐顺序是什么？

第 47 到 50 题是根据下面一段话：

在南非的丛林中，生活着一种蝙蝠，名叫狐蝠，通常人们又称它为吸血蝠，因为它们主要靠吮吸家禽和其他动物身上的血来维持生命。每只狐蝠每天至少要喝足两汤勺的血才能存活下去，否则就会性命难保。

虽然号称是吸血蝙蝠，但实际上，对于狐蝠来说，每天要吮吸到足够的血并非易事，同类的激烈竞争加上家禽和其他动物都有自己的有效防护措施，使得狐蝠们吸血越来越难。很多狐蝠往往是忙碌一天都一无所获，死亡的阴影开始在它们头顶出现。如果在第二天零点到来之前，它们还是不能吮吸到足够的血，那就只能“饥渴”而死。

但是在死亡之前，狐蝠还有最后一个求救的办法，就是朝同类的其他狐蝠“借血”，吮吸它们体内的血。但由于一只狐蝠又不可能把体内所有的血都借出去，因此，没有吸到血的狐蝠就要一个一个地借，直到借足两汤勺的分量。但同时还有一个不可回避的问题，那就是并不是所有的狐蝠都愿意借血给同伴，只有那些平时曾经借出过血的狐蝠，当它们需要血时，其他狐蝠才愿意搭救它。所以那些因为“饥渴”而死掉的狐蝠，大都是平时处事古怪，不愿意帮助同伴的。

无独有偶，在中美洲的丛林里也生活着一种蚂蚁，它们通常在高大的树下觅食，在觅食过程中，常常会有树脂突然从天而降，将运气差的蚂蚁牢牢粘住，被粘住的蚂蚁如果不能在短时间内摆脱，那么就只能等着当琥珀标本了。这时蚂蚁群的首领会立即召开紧急会议，商讨救不救它，决定的因素包括被粘蚂蚁平时的劳动积极性、与同类的相处情况等，但最重要的一条是，它有没有积极参与过营救同类的活动，如果有就救，没有则不救。一旦决定救，蚂蚁们就会齐心协力地叼来一些沙子和细土朝被粘蚂蚁身上放，甚至用自己的唾液来稀释被粘蚂蚁身上的树脂，直到把它完全救出来。

狐蝠借血有道，蚂蚁营救有理，它们的这一互助规则，千百年来从未发生过任何变化，一直持续至今。想一想，我们人类何尝不也是如此呢？当危机来临，一个人能不能得到别人的帮助也同样取决于他平时对待别人的态度和做法。永远不要忘记，你今天对待别人的样子，便是明天别人对待你的样子。

47. 狐蝠如果吸食不到足够的血，最多能维持多长时间？
48. 在死亡之前，狐蝠一般会怎么做？
49. 什么样的狐蝠和蚂蚁会被同伴搭救？
50. 这个故事告诉我们什么？

听力考试现在结束。

HSK（六级）模拟试卷 7 参考答案

一、听 力

第一部分

1. B	2. C	3. B	4. C	5. A
6. A	7. D	8. C	9. A	10. D
11. B	12. D	13. B	14. C	15. D

第二部分

16. C	17. B	18. B	19. A	20. D
21. D	22. C	23. C	24. B	25. D
26. C	27. A	28. D	29. C	30. B

第三部分

31. D	32. B	33. B	34. D	35. A
36. A	37. D	38. D	39. D	40. B
41. B	42. C	43. B	44. D	45. B
46. D	47. C	48. A	49. C	50. A

二、阅 读

第一部分

51. C。动词和宾语搭配不当。“缓解”与“负担”不能搭配使用，故可改为“缓解……压力”或者“减轻……负担”。
52. B。主语位置错误。复句中前后两个分句主语相同时，主语多用在连词前，如“你只要用心去做，就一定会做好的”；两个分句主语不同时，主语多用在连词后，如“只要你能帮忙，他一定会做好的”。本复句两个分句主语相同，故应改为“热爱科学的人们不仅能在实践中获得成功的喜悦，而且能享受到发现与探索的乐趣”。
53. D。集合名词“书籍”不能受指量短语“这些”修饰，故可改为“这些书都是介绍现代高科技的科普读物”。
54. A。词语误用。动词“感到”一般带表示身心感受的形容词宾语，不能带名词宾语，故可改为“我感到很光荣”。
55. C。形容词误带宾语。形容词“惭愧”表示因自己的错误而感到不安，故本句可改为“他因为自己的自私自利而感到很惭愧”。
56. A。结果补语的否定一般是在谓语动词前加否定副词“没”，如“没写完作业”。谓语动词前用否定副词“不”表示否定多为假设关系，如“不写完作业就别走”。本句是一般意义的结果补语的否定，故应将“不”改为“没”，即“你怎么能没把事情搞清楚”。
57. B。语序不当。本句要表达的是“耕地十分有限”，而不是“占有十分有限”。故应改为“人均占有耕地十分有限”。
58. C。增加的情况可用“倍”，减少的情况不能用“倍”，应用分数形式表示。故可改为“减少了 50%”或“减少了一半”。
59. D。量词“层”用于重叠、累积的事物，如“三十层大楼”、“里三层外三层”等，故本句应改为“这幢楼的二层将优惠销售”。
60. B。形容词一般不单独做情态补语，做情态补语时要加上表示程度的词语或者用重叠形式。故本句可改为“摆放得很整齐”或“摆放得整整齐齐”。

第二部分

61. C	62. C	63. A	64. B	65. D
66. C	67. A	68. B	69. B	70. A

第三部分

71. B	72. E	73. C	74. D	75. A
76. E	77. B	78. D	79. C	80. A

第四部分

81. C	82. C	83. B	84. C	85. B
86. B	87. D	88. A	89. C	90. B
91. A	92. D	93. C	94. C	95. B
96. B	97. C	98. C	99. A	100. C

三、书　写

101. 参考范文

买青豆的老人

买菜对我来说不能不说是一种折磨，每当看着人们摸、挑、捏那些菜时，我就总会非常不耐烦。可是，昨天的事情却让我难以忘怀。

昨天，我去菜市场买青豆，可是买青豆的人移动最慢，他们差不多是一根一根地在挑选。

一位老人在我前面，他的动作非常缓慢。他对我说：“挑青豆可是一门艺术，得花不少工夫。”“青豆？”我大为不解。“是的，你看这根又粗又短的青豆，还有这根弯曲的青豆，都是没人要的，因为它们的外表不符合人们的标准。在人们看来，食物‘好看’更重要，但其实这个世界就是不完美的，人也是不完美的。这些难看的青豆也富含营养，要给它们机会才能发现它们真正的美。”老人絮絮地说着，我在旁边静静地看着。

“我得走了。”终于，老人的手停止了在青豆堆里的“搅拌”，“你得好好儿善待这些青豆，不要仅从外表判断它们。”可是老人在回身放青豆时，手却伸错了方向。“我来帮你放吧。”我说。“我是用心看世界的人，不过有时也会搞错。”

他是个盲人？我简直不敢相信。这时，他女儿要帮他挑些西红柿，但他说，她总是那么匆忙，肯定会错过那些最好的。从菜市场出来，我不再匆匆忙忙，而是在思考：在每天的忙碌中，我们错过了多少美好的风景？

HSK（六级）模拟试卷 8 听力材料

（音乐，30 秒，渐弱）

大家好！欢迎参加 HSK（六级）考试。
大家好！欢迎参加 HSK（六级）考试。
大家好！欢迎参加 HSK（六级）考试。

HSK（六级）听力考试分三部分，共 50 题。
请大家注意，听力考试现在开始。

第一部分

第 1 到 15 题，请选出与所听内容一致的一项。现在开始第 1 题：

1. 人体所需的矿物质 4%是由饮用水提供的，适时为体内补充一些矿物质是必要的。矿物质饮品是在纯净水中按人体所需比例加入了易于被人体吸收的矿物质。它区别于一般食品中所含有或添加的矿物质盐，是采用高科技、以天然矿物质为原料精心提炼出来的，保持了矿物质原有的天然属性，安全、健康。

2. 幸福固然依赖于一定的物质条件，但更直接地依赖于我们感受幸福的心灵。如果我们的心灵是麻木的，即使有再多花不完的钱，也享受不到真正的幸福。

3. 为了克服遗忘、提高学习效果，应尽量使复习方法多样化，应当用科学的、有趣的复习方法代替机械的、死记硬背的复习方法，以提高智力活动的积极性，激发学习兴趣，力求达到牢固掌握、融会贯通的目的。

4. 在北京吃早餐几乎体会不到悠闲的情趣，而广东人喝早茶要比北京人吃早点从容得多，也讲究得多。他们一早走进茶楼，约上两三个好友，叫几样点心，边吃边聊，一顿早茶能喝到九十点钟。很多人都奇怪，忙碌的广东人怎么会把大好时光消磨在茶楼里？其实，上茶楼也是一种社交活动，无论是会友聊天还是洽谈生意，这种场合都会让人感觉非常舒服。

5. 现代科技成果创造了发达的医学，延长了人的寿命，降低了新生婴儿的死亡率；加上第二次世界大战后长期的和平环境，一些国家很晚才实行计划生育政策，所以人类进入了一个稳定的生育时代，世界人口迅速增长，21 世纪初达到 64 亿。

6. 我们都知道，人和动植物的许多传染病都是由细菌作祟引起的，所以人们对它总有一种厌恶和恐惧感。其实，危害人类的细菌只是一小部分，大多数细菌不仅能和我们和平共处，而且还能为人类造福。比如，细菌能把地球上一切生物的残躯遗体“吃”光，同时转化成植物能够利用的养料，为促进自然界的物质循环立下汗马功劳。

7. 有人说，人生就是一张试卷。它上面有选择题、填空题、判断题和问答题；但它又不同于一般的试卷，一般的试卷用手来书写，而人生的试卷要用行动来书写。

8. 武汉的冬天不像南方那么暖和，经常是寒风刺骨。晚上睡在床上，上面盖两床被子，再压一件厚衣服，半夜仍会感到很冷。

9. 与陆地上的兔子不同，海兔不是脊椎动物，而是生活在热带和亚热带浅海里的一种拥有贝壳的软体动物。遗憾的是，今天的海兔已经见不到自己的贝壳了。这是因为它的贝壳长期不用，久而久之已经退化，变成了一片薄薄的透明角质层。这种以海带和海藻为主要食物的海兔在沿海有许多种类，而在渤海沿岸仅有一种，那就是斑拟海兔。

10. 皮肤美是人体美的一个重要表征。面部皮肤是最引人注目的地方，健美的面部皮肤可增添人的姿色，反映人体的健康状况与精神面貌。中国人属黄肤色人种，光洁柔润、白里透红的颜面，是历来为人们所称道、羡慕和追求的。

11. 心理学家指出，倘若人在儿童时期能得到父母的照顾和爱抚，并受到伙伴的喜爱和信任，那么他们成年后不易患身心疾病，生活与事业的发展往往较为顺利。研究还表明，如果只保障孩子物质生活上的需要，而缺乏感情上的融合，那么孩子往往身心不够健康。

12. 研究证明，人的体温波动对生物钟的节律有很大影响。体温下降就容易引起睡意，这是利用体温调节生物钟的有效方法。如果体温调节失控，就会导致睡眠生物钟发生紊乱。控制体温的方法很多，如睡前洗澡或睡前做 20 分钟的有氧运动等，睡觉的时候体温就会有所下降。

13. 城市里的树木越来越少，诗人笔下浪漫的鸟鸣声早已听不到了。也许偶尔能看到几只灰色的麻雀一头扎进刚刚倾倒的垃圾堆里，因为它们已没有栖身之地，道路旁边的树木已被“水泥森林”取代。人们推开窗户，只能呼吸到肮脏的废气，树影已经离我们越来越远了，只有在木器厂的车间和家具市场上能看到带着花纹的死去的树木，它们将成为千家万户的消费品。

14. 周庄的旅游收入连年超亿元大关。虽说江南的文化古镇不在少数，但旅游收入没有能超过周庄的。20 世纪 70 年代，陈逸飞画了这里的双桥，在美国展出后被美国石油大亨哈默所收藏。1979 年邓小平访美时，哈默将这幅画赠予邓小平，并说这是中国上海附近的一个古镇，从此周庄被天下人知晓并成为游江南古镇的首选。

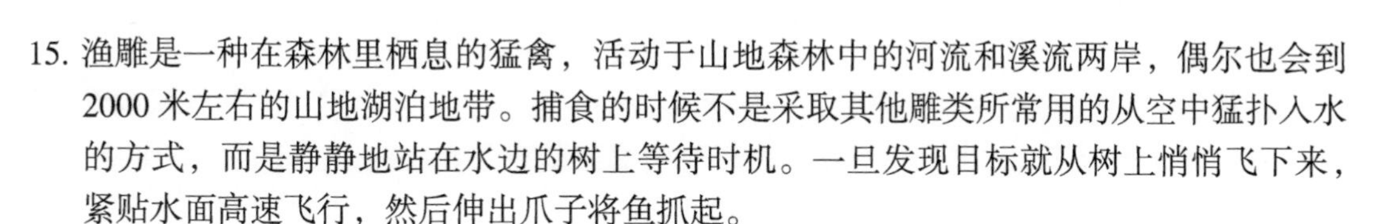

15. 渔雕是一种在森林里栖息的猛禽，活动于山地森林中的河流和溪流两岸，偶尔也会到2000 米左右的山地湖泊地带。捕食的时候不是采取其他雕类所常用的从空中猛扑入水的方式，而是静静地站在水边的树上等待时机。一旦发现目标就从树上悄悄飞下来，紧贴水面高速飞行，然后伸出爪子将鱼抓起。

第二部分

第 16 到 30 题，请选出正确答案。现在开始第 16 到 20 题：

第 16 到 20 题是根据下面一段采访：

“山寨文化”是中国独有的“草根文化”、“平民文化”还是饱受质疑的“流氓文化”？“山寨文化”与现代意义上的“平民文化”有何区别？就这些问题，《时代周报》专访了文化学者朱大可教授。

女：“山寨”一词无疑是近年来最流行的网络词语之一，但对其词义的理解却众说纷纭。在您看来，“山寨”这个词语究竟包含了哪些含义？

男：“山寨”这个词至少包含了三个方面的语义：第一，指仿制和盗版的工业产品；第二，指流氓精神；第三，指在一种流氓精神影响下的文化颠覆、反讽和解构。

女：“山寨春晚”、“山寨明星”等相继风行，“山寨”真的能沉淀成一种文化吗？或者，它只是网络时代一个短暂的流行风潮？

男：作为流氓文化的代名词，“山寨文化”有着历史悠久的传统，“山寨精神”就是华夏文化精神的一个组成部分，而且还是一种关键的民族遗传基因，它超越了时间的框架，显示出某种永恒的特点。

女：“山寨精神”或“山寨文化”扮演了怎样的角色？

男：“山寨”这个词只有在文化领域使用，才能回归到其语义的本源。“山寨精神”所指的无非就是我们熟知的流氓精神。只要查看《水浒》一百零八将的名单就不难发现，里面只有极少一部分地位卑微、没有话语权的纯正草根，更多的是北宋社会的精英分子，要么是地县级中层官吏，要么是前朝贵族和殷实乡绅。就阶层出身而言，中国的“山寨”基本不属于草根阶层。在水泊梁山这座典型的山寨里，精英永远是寨民的命运掌控者。把山寨变成草根的专利品，把它跟精英对立起来，可能会产生某种不当的文化误导。

女：山寨文化为什么会在中国当下发生并受到网络和民间的热捧？其中是否有某种独特的社会文化心理背景？

男：山寨文化是后威权社会的必然产物，是民众获得话语权之后的一种社会解构运动，旨在颠覆文化威权的中心地位。“山寨春晚”是这方面的范例，它表达了民众希望营造一种更为多元的文化格局的心理。

女：前面您也说过，山寨精神是一种流氓精神，在中国具有悠久的历史。作为社会解构运动的一部分，它具有模仿、反讽、恶搞、解构权威话语等特征，是网络时代恶搞的另一个翻版，但它是否也是文化原创的一部分？

男：山寨文化当然有优劣高下之分。优秀的山寨文化借助戏仿和反讽推进了文化发展，可以视为文化原创的一种特殊形态，但大多数山寨文化产品都是网民自娱自乐的结果，它们犹如卡拉OK式的自助演唱，自己觉得高兴就行了。任何以“低俗”之名展开的围剿，都只能陷入文化专制的误区。

女：“山寨文化”体现的究竟是一种什么精神也饱受争议，尤其是在网民眼中，他们认为更多体现的是一种草根精神、平民精神。

男：在此我要反复强调的是，“流氓”不是一个负面的司法和道德判断。它是一个中性词语，用以描述华夏社会中身份缺失的一个社群。作为流氓文化的山寨文化，包含着两种彼此对立的价值：一方面是对现有文化秩序的反叛、解构、颠覆、挑战和嘲弄，由此展示出积极的社会批判意义；另一方面，它也对社会正面价值实施颠覆。在大多数情况下，流氓文化只在单一地重复着解构的动作，它缺乏正面建构价值体系的机制，这就是流氓的哲学限度。流氓精神跟草根和平民有某种联系，但不是同一种事物。

女：在现在的中国，这种山寨精神或文化有什么意义或价值呢？

男：在我看来，山寨精神的价值在于，它在一些局部的数字虚拟空间里，实现在了民众对自由的想象，如此而已。

16. 男的认为“流氓文化”中的“流氓”指什么？
17. 关于“流氓文化”，不符合对话内容的是哪一项？
18. 从对话中可知，“山寨文化”怎么样？
19. 关于“山寨文化”，不符合对话内容的是哪一项？
20. “山寨精神”的价值是什么？

第21到25题是根据下面一段采访：

女：您最近谈到，哲学应该“使思想的能力和魅力最大化”，能谈一下您自己的具体实践吗？

男：“思想能力的最大化”是我一贯推崇的方法论，这是从老子那里来的。《道德经》说，正确地看问题要“以身观身，以家观家，以乡观乡，以邦观邦，以天下观天下”，我将它现代化了。简单地说，你要看清楚事情，千万不能只以自己为尺度。你自己去投资房产还是投资汽车，这个时候自己的尺子是适用的，但要分析国家利益就必须以国家为尺度。另一方面，任何一个立场都是有自己的道理的，一个立场是不可以被另一个立场所驳倒的。所谓“天生我材必有用”，关键是把立场用在哪里。这个方法比较讲究分析的对象和分析的框架之间的协调。所谓“思想的最大化”，就是必须考虑全部的可能性；“思想魅力的最大化”，就是你想的问题必须是和大家心中的困惑、和大家的幸福是相关的。问题不仅是“切身”的、“关己”的，也是“关人”的。这样的思想才会有魅力。

女：您认为如何保证一个人能做一个好人？

男：各种标准、规范和意识形态根本不能保证任何一个人成为好人，然而卓越的人性最有可能使人成为好人。“卓越”的表现不一定是伟大的功名，而主要是人作为人的生活成

就，比如，你勇敢、智慧、做人仗义、见义勇为、慷慨大方、有责任，等等，别人做不到的，你能做到，你就是卓越的。

女：卓越是否与现代体育精神相吻合？

男：卓越与现代体育精神完全不同，甚至相反。现代体育实际上违反了真正的体育精神。古希腊人参加体育赛事只是业余爱好，他们不是职业运动员。他们平时都做着各种有实际意义的工作，到特定时候大家来比赛是为了显示人类的勇气和力量。现代体育是对自然意义上的体育的反动，它比的是人类实际上并不需要的各种指标，而不是人性的力量。因此，它没有表现人的卓越，而是表现机器的卓越。体育的基本道德要求是，体育必须是有意义的生活技能，又对身体有好处，如跑步、游泳等。中国武术是最完美的体育运动。现代许多体育的目的似乎主要是残害身体以及发展疯狂的人性，比如赛车，鼓励的是疯狂，这些与人性的卓越无关。

女：您认为幸福是什么？

男：真正的幸福是很少见的，就像真理和美一样不可多得。人们不幸福的时候，就只好拿快乐来糊弄自己。所以，快乐只是暂时的目标，幸福才是生活永恒的目的。我不相信有人不明白什么是幸福，人都是明白的。当得不到幸福的时候，他没办法，只好用快乐去替代。“赝品文化”的精髓其实就在这儿，它有一种毒品式的替代性。毒品能够让人兴奋到假装自己很伟大、很痛苦、很深刻、很特别、很有个性，可惜那都不是真的。

21. 男的认为怎样才能做到“思想的最大化”？
22. 男的认为“卓越的人性”表现在哪里？
23. 男的认为体育精神应该是什么样的？
24. 男的认为哪项运动是完美的？
25. 男的认为快乐是什么？

第 26 到 30 题是根据下面一段采访：

女：我们生活的这个世界充满了意外，交通事故、自然灾难……每天都会夺去很多人的生命，比如，全世界每年死于交通事故的人数超过 50 万。在我们计划未来的时候，是否应该立下遗嘱为身后事作一个妥善的安排呢？这方面国外有什么可以借鉴的吗？

男：根据资料，世界上现存最早的遗嘱是一个埃及人在公元前 2500 年左右立下的。从那时到现在，4500 多年过去了，立遗嘱在西方国家已经相当普遍。近年来，随着人口老龄化进程的加快和财富的不断积累，东方人的观念也在发生着变化。

女：您能给我们介绍一下西方一些国家立遗嘱的相关法律规定吗？

男：在瑞典，遗嘱订立、生效和执行方面的法律体系已颇为完善，不仅有《家庭法》、《继承法》、《税法》等国内法，而且他们还参加了数项解决遗嘱或继承方面法律冲突的国际条约，从各方面保证了遗嘱的效力和执行。瑞典要求立遗嘱者年满 18 岁，而且要以书面形式订立，并有两名或以上的见证人。立遗嘱者要当着见证人的面签署遗嘱，虽然法律也允许在紧急情况下以变通方式立遗嘱，如订立口头遗嘱，或者在无人在场

的情况下，亲笔书写并签署遗嘱，但同时也规定，如果在三个月内，可以以正常方式订立遗嘱，那么非常情况下的口头遗嘱或亲笔遗嘱则属无效。

女：美国立遗嘱的现象也相当普遍，他们的情况跟瑞典一样吗？

男：美国的遗嘱是社会生活中一份非常重要的法律文件，因为它是用来保障个人的私有财产权的。美国人立遗嘱遵循以下几个原则：首先，遗嘱要写在一份不会褪色的文件上；其次，需要注明遗嘱的执行人，执行人可以是一个自然人，也可以是一个机构，如银行、律师事务所等；第三，遗嘱必须在至少两名证人在场的情况下签署才能生效。现在很多美国的律师事务所都有协助当事人立遗嘱的服务，遗嘱一般在律师事务所签署，经律师公证、立遗嘱人签署后立即生效。立遗嘱人的年龄，各州的规定不同，大部分要求立遗嘱人年龄不低于 18 岁，也有个别州定为 16 岁或 14 岁。

女：也就是年龄有所放宽。那法国呢？

男：法国政府公共服务部门及相关机构的服务做得很到位，它们的网站上有很多关于遗嘱的实用信息，公民想了解跟遗嘱有关的事情，只需上网搜索就行。年满 16 周岁、精神正常的人都可以立遗嘱。法国人立遗嘱主要有三种形式：自书遗嘱，即手写；公证遗嘱，即直接在公证处打印签字生效，大多数人都采用这个方式；密封遗嘱，即立遗嘱人想让遗嘱内容保密，可通过公证机关订立此类遗嘱。当然，立完遗嘱的公民也可以随时根据情况自由修改或者撤回遗嘱，先前所立遗嘱将自动作废。夫妻不能共立一份遗嘱，即便给子女遗产也要每人单独立。与其他国家不同的是，同居者有权获得遗产。当然，不管采用哪种形式，为了防止遗嘱丢失，法国人一般都把它放在公证处并登记入案。

26. 世界上现存最早的遗嘱是哪个国家的人立下的？
27. 对话中提到，三个国家立遗嘱的相同之处是什么？
28. 对话中提到，哪个国家允许在紧急情况下以变通方式立遗嘱？
29. 法国人一般采取什么样的方式立遗嘱？
30. 法国人的遗嘱不同于其他国家的地方是什么？

第三部分

第 31 到 50 题，请选出正确答案。现在开始第 31 到 32 题：

第 31 到 32 题是根据下面一段话：

鲨鱼的攻击性极强，只要被鲨鱼发现，很少有人能够逃生。不过，奇怪的是，海洋生物学家在对鲨鱼进行研究时，经常穿着潜水衣游到鲨鱼的身边，与鲨鱼近距离接触，可鲨鱼好像并不介意人的存在。海洋生物学家介绍说：“鲨鱼其实并不可怕，可怕的是你一见到鲨鱼，自己就先害怕了。”

是的，的确如此。只要你见到鲨鱼时，心里不害怕，那么你就很安全。可是，一般人在遇到鲨鱼时，心跳都会加速，正是那快速跳动的心脏引起了鲨鱼的注意。鲨鱼就是从那

快速跳动的心脏在水中的感应波发现猎物的。如果在鲨鱼面前，你能够心情坦然，毫不惊慌，那么鲨鱼就不会对你构成任何威胁，哪怕它不小心碰到了你的身体，也不会实施任何侵犯，它会马上又从你的身边游走去寻找其他猎物。反之，如果你一见到鲨鱼就吓得浑身发抖，尖声惊叫，心跳加速，只想快点儿逃命，那么你注定会成为鲨鱼的一顿美餐。

看似凶险的东西，只要心情坦然地面对，有条有理地处理，其实最终都可以解决。有时，困住我们的只是我们自己。

31. 鲨鱼是通过什么方式发现猎物的？
32. 根据这段话，遭遇鲨鱼时，怎么做才是最安全的？

第 33 到 35 题是根据下面一段话：

有一天早上，妈妈在厨房清洗早餐的碗碟，4 岁的儿子自得其乐地在沙发上玩耍。不久，妈妈听到了孩子的哭声，立即冲去客厅看孩子。原来，孩子的手伸进了放在茶几上的花瓶里，花瓶是上窄下宽的那种，所以孩子的手伸了进去却拔不出来。妈妈用了各种不同的办法，试图把卡着的手拿出来，但都不得要领。

妈妈非常着急，她稍一用力，孩子就疼得大叫。在无计可施的情况下，妈妈想到了一个下策，就是把花瓶打碎。可是她又有些犹豫，因为这可不是普通的花瓶，而是一件价值连城的古董。不过，为了能够把儿子的手拔出来，这是唯一的办法。结果，她狠下心将花瓶打碎了。虽然损失不菲，但儿子平平安安，妈妈也就不太计较了。她叫儿子将手伸出来，看看有没有受伤。虽然孩子的手完全看不出有什么皮外伤，但他的拳头仍然紧握着，似乎无法张开。“是不是抽筋了？”妈妈又惊慌起来。

原来，孩子的手不是抽筋，他的拳头之所以没有张开，是因为他紧紧抓着一枚硬币。他是为了拾这枚硬币，手才被卡在花瓶口的。孩子的手拿不出来，其实，不是因为花瓶口太窄，而是因为他不肯放手。

33. 孩子的手为什么卡在花瓶口了？
34. 怎样做才能保住花瓶？
35. 这个故事告诉我们什么？

第 36 到 38 题是根据下面一段话：

科学家说，男人与女人互相吸引，有的甚至一瞬间擦出火花，往往是人靠直觉寻找到了生物繁殖最适合的对象。他们研究发现，从优生角度来看，基因差别较大的男女，能够获得更好的后代，有更好的免疫力，所以，人靠本能就能找到那种具有你所需要的基因的人。比如鼻子，就是个天然的探测器。科学家做了一个实验，把一些女大学生穿过的 T 恤密闭贮存后，让男性受测者来闻。受测者觉得有一些气味好闻，有一些则让他们难以忍受。研究发现，受测者觉得气味好闻的，原来是跟自己基因差异大的，而基因相似的，嗅觉会有天然的排斥。

这个结果真让人大跌眼镜。通常我们以为，世界上的气味分为香和臭，人的气味也分

为香和臭，却不料这些都是完全主观的感觉。以前有女性告诉我，她之所以喜欢她的男友，是因为他身上的气味好闻，像干燥的松木；也有女性说，她的男友如同新鲜的青草地。现在科学家分析，她们闻到这些，仅仅缘于男友有她们想要的基因。

按科学家的逻辑，爱情产生于物种延续的本能。文学家讴歌的“一见钟情”，原来就是两个基因的相配，当双方都发现这一点的时候，体内会发生急速的化学变化，于是两人嘴唇充血，双眼发亮，彼此认定对方就是自己的另一半。

当然，文化的力量、性格的作用、外界的影响，都是情感的重要组成部分，科学所涉及的仅仅是那部分可以用仪器探测的东西，科学家也无法否认那些他们不能检测的东西。

36. 为什么有些人能闻到一般人闻不到的气味？
37. 按照科学家的说法，基因相似的男女会出现什么情况？
38. 按照科学家的说法，男女之间产生爱情是出于什么？

第 39 到 42 题是根据下面一段话：

愈来愈多的人爱上吃黑巧克力，愈来愈多的巧克力开始标示可可纯度，这都和人们想吃美味的健康食物有关。

众多的科学研究都发现，巧克力中含有多种抗氧化物质，如可可多酚和类黄酮可以降低“坏的胆固醇”，即低密度胆固醇的含量，提高“好的胆固醇”，即高密度胆固醇的含量。类黄酮也可以舒缓炎症，促进血液流通。

美国营养学家最新研究发现，每天吃富含巧克力多酚的可可棒，持续 6 周后可以降低低密度胆固醇。意大利科学家的研究也发现，黑巧克力可以降血压。这份研究同时也显示，黑巧克力可以预防二型糖尿病，因为类黄酮可以刺激荷尔蒙，使糖类转化为细胞的燃料。

除此之外，巧克力之所以令人着迷，甚至被称为“爱情灵药”，是因为巧克力中的色胺酸有助于合成血清素，这是一种带来喜悦的神经传导物质。这种成分不仅可以增加浪漫情趣，近来也发现可以对抗慢性疲劳综合征。遗憾的是，并非所有的巧克力产品都有这些功效，这取决于可可的纯度。最近科学家研究发现，可可粉是所有巧克力产品中含类黄酮和抗氧化物最多的，烘焙用巧克力次之，黑巧克力因为制造过程会去掉部分抗氧化物更次之，而大家最常吃的牛奶巧克力则含有最少的有用物质，大约只是可可粉的 1/10 而已。

39. 下列哪项不是这段话中提到的巧克力的功效？
40. 巧克力中的哪种物质可使人产生喜悦感？
41. 巧克力的功效取决于什么？
42. 下列哪项是按抗氧化物含量由少到多排列的？

第 43 到 46 题是根据下面一段话：

世界上没有哪个民族不钟情于饮食，各国饮食都保持着自己独有的民族性，而且这种民族性里没有一点点侵略的意图。

中国人在传统饮食习俗上是以植食性为主的。主食是五谷，辅食是蔬菜，外加少量肉

食。肉少，并不是中国人不爱吃肉，而是因为中国人的祖先以农业生产为主，因此生活饮食也是种瓜食瓜、种豆食豆。以热食、熟食为主，也是中国人饮食习俗的一大特点。这和中国文明开化较早以及烹调技术的发达有关。烹调就是一种将各种食物的味道中庸调和的技术。

在习惯上，中国人喜欢聚食制。从许多地下文化遗存的发掘中可见，聚食是有悠久历史的。古代厨房和餐厅是统一的，厨房在住宅的中央，上有天窗出烟，下有篝火，在火上做饭，就食者围火聚食。这种习惯培养和强化了中国人重视血缘关系的家族观念。

德意志民族绝对是一个“大块吃肉，大口喝酒”的民族，人均每年的猪肉消耗量为65公斤，居世界首位。由于偏好猪肉，大部分有名的德国菜都是猪肉制品。德国人最讲究、最丰盛的不是午餐、晚餐，而是早餐。除了咖啡、茶、各种果汁、牛奶等饮料外，还有主食面包以及与面包相配的奶油、干酪和果酱，另外就是香肠和火腿了。

法国料理的精神在于突出食物的原味，所以法国大厨做料理时加入的任何调味料、配菜，甚至于搭配的酒，都只有一个目的：把主要食材的原味给衬托出来。法国菜是西餐中最知名的菜系，凭借对材料的认知及灵活运用，法国人创造出了许多脍炙人口的佳肴美食，这是法国菜引以为豪的地方。法国是世界上盛产葡萄酒、香槟和白兰地的国家之一，法国人对于酒在餐饮上的搭配使用也非常讲究。如在饭前应饮用较淡的开胃酒；食用沙拉、汤及海鲜时，饮用白葡萄酒；食用肉类时饮用红酒；而在饭后则饮用少许白兰地或甜酒。

天性浪漫的意大利人推崇生活品质至上，因此他们拥有时尚的服装、精湛的艺术和灵动的足球，还有带给味蕾无限回味的意大利菜。春天鲜嫩的芦笋、秋天肥美的松茸，都是最令人垂涎的意大利美食。意大利饮食烹调崇尚简单、自然、质朴，按烹调方式的不同可分成四个派系：北意大利菜系、中意大利菜系、南意大利菜系和小岛菜系。一般而言，北意大利菜与法国菜相近，多用乳酪、鲜奶；南意大利菜则多用番茄、橄榄油。北意大利的美食“牛肉熬煮”深受南斯拉夫影响，而苹果派则有德国、奥地利的风味。

43. 下列哪项不是这段话中提到的中国饮食的特点？
44. 法国人在食用肉类食物时饮用什么酒？
45. 哪个国家的饮食重在突出食物的原味？
46. 下列哪项是录音中提到的意大利饮食的特点？

第47到50题是根据下面一段话：

对于博大精深的茶文化，世界各国都有不同的注解。中国人“以茶待客”、“以茶代酒”，喜欢喝茶听戏；日本人喝茶讲究“茶道”；英国人习惯喝下午茶，称傍晚为“茶时”；美国人通常用茶袋泡茶……无论哪个国家，从茶的品种、喝茶器具，到冲泡的水温、时间，都有要求，尤其是对时间的把握。

近日，有研究发现，红茶泡得时间越长，越有益健康。营养学家表示，时间长有利于其中有益健康的黄酮类物质充分溶解，最好泡够5分钟。

品茶师介绍说，对于其他种类的茶叶，冲泡时间也有讲究，以下就介绍几种常用茶叶的冲泡方法。碧螺春芽叶小而细嫩，冲泡时间恰到好处，才能清汤绿叶、口感香醇。如泡的时间过长，不仅汤色会变黄，而且新鲜度也大打折扣。冲泡时，先倒开水再放茶叶，泡两三分钟即可。

冲泡龙井茶、黄山毛峰前，最好先把茶叶浸泡一下，闻到淡淡的清香后，再加水，盖上盖子泡 4 分钟。泡够这个时间，茶叶口感最好，其中的有益成分也能有效析出。喝这类茶的时候，不要等杯内的水全部喝完再加水，喝完一半就加水，这样可以保持浓郁的口感。

普洱茶属于黑茶，一般泡 5 分钟香味就出来了。与茶饼相比，散茶更容易出味。“越陈越香”被公认为是普洱茶区别于其他茶类的最大特点。也正因如此，冲泡普洱茶最重要的步骤是洗茶，即先把茶叶放入杯中，倒入开水，过一会儿把水倒掉，再倒入开水，盖上杯盖。这样，第二道茶不仅滤去了茶叶上的杂质，而且更香醇。

另外，其他因素也会影响茶的效果，比如给红茶里加点儿柠檬汁，抗氧化剂含量可增加 80%。另外，奶茶是用红茶做原料的，但红茶配牛奶可能会阻碍某些营养成分的吸收。

47. 普洱茶最大的特点是什么？
48. 冲泡普洱茶最重要的一步是什么？
49. 下列哪种茶冲泡时间越长越有利于健康？
50. 这段话的主要内容是什么？

听力考试现在结束。

HSK（六级）模拟试卷 8 参考答案

一、听　力

第一部分

1. D	2. B	3. C	4. B	5. C
6. C	7. A	8. B	9. B	10. A
11. C	12. D	13. D	14. A	15. B

第二部分

16. A	17. B	18. C	19. D	20. A
21. C	22. B	23. A	24. B	25. C
26. D	27. C	28. A	29. B	30. A

第三部分

31. C	32. A	33. C	34. D	35. B
36. D	37. C	38. D	39. A	40. B
41. B	42. B	43. A	44. C	45. B
46. A	47. B	48. C	49. D	50. D

二、阅　读

第一部分

51. B。语序不当。应改为“是很受电脑用户欢迎的中文输入法”。
52. D。搭配不当。不是“生产深受欢迎”，而是“丝绸深受欢迎”，故可改为“中国生产的丝绸深受各国游客的欢迎”。
53. B。搭配不当。“集团被授予产品称号”显然不合逻辑，故应改为“生产的产品多次被授予国家优质产品称号，行销海内外”。
54. A。词语误用。介词“把”表示处置或致使（多带结果补语），引出动作支配的对象、动作的处所、范围或使受事怎样，如“把酒戒了”、“把他吓坏了”。动词“使”表示致使，引出动作的结果或目的，如“骄傲使人进步”、“他的话使我恢复了自信”。故应将介词“把”改为动词“使”，即“使伪劣消防产品无处藏身”。
55. C。搭配不当。动词“进行”表示从事某种活动，一般带动词宾语，如“进行讨论”、“进行研究”等，不能带名词宾语。故本句可将“进行”改为“举行”，即“举行结婚的仪式”。
56. D。搭配不当。动词“促进”表示推动向前发展，如“促进经济发展”、“促进两国关系正常化”，一般不带名词性宾语。故本句可改为“增加销售量”或“促进销售”。
57. C。动词“用于”是“用这个来……”的意思，不必再用介词“给”引进动作行为的对象。故本句可改为“速效救心丸常用于治疗心绞痛的病人”。
58. A。滥用助词，应将结构助词“的”去掉，即改为“现代人结婚很不容易”。
59. B。词语重复。成语“扪心自问”即表示自己问自己的意思，与“对自己”使用重复。故本句可将“对自己”去掉，改为“我不禁扪心自问”。
60. C。语序不当。应改为“一句汉语也不会说”。

第二部分

61. C	62. B	63. A	64. B	65. B
66. C	67. A	68. B	69. B	70. A

第三部分

71. C	72. A	73. B	74. E	75. D
76. E	77. D	78. B	79. A	80. C

第四部分

81. C	82. B	83. B	84. C	85. C
86. D	87. B	88. D	89. D	90. D
91. C	92. C	93. B	94. D	95. A
96. C	97. B	98. D	99. C	100. D

三、书　写

101. 参考范文

流泪的肖像画

画师刚刚出道，毫无成就，生活艰难。

“何不办个画展？”一日，妻子建议道。画师一无所有，却有个美丽贤惠的妻子。“无名画师，能成功吗？”画师有些胆怯。“没试怎么知道呢？就画我的肖像，不要画眼睛。”“没眼睛的肖像肯定会被同行耻笑的。”画师闷闷地想。可是别无他路的他还是在妻子的操办下开了画展，一幅与妻子高矮胖瘦一模一样的肖像画被放置在展厅一角。画师的画作本来就是些平庸之作，但那张肖像画却吸引了众多的参观者。“好！简直跟真的一样！”这哪里是一幅没有眼睛的肖像画？一双水汪汪的、充满灵气的眼睛简直是神来之笔！

画师成功了，他没有时间去追寻那双眼睛的秘密，因为有各种画坛盛会等着他参加，他成了著名的画家。而他送给妻子的却是一张离婚通知书。

“我早知道会有这么一天。”妻子平静地说。他们分居了，等待一个月后法院的判决。

没想到画师初生牛犊，公然贬低一位画界前辈，使自己陷入了危机。一时间，谣言四起，画师的画作不再有人问津，画师一蹶不振，整日与酒为伴。

“大不了重来一次。”这时，妻子又出现了，“还是画我的肖像，不要画眼睛。”这一次参观画展的人寥寥无几，而那幅肖像画却再次引人驻足。那面庞美丽、善良，挂着淡淡忧伤的眼神让人心动。突然，眼泪一滴一滴，顺着画布缓缓流下。“看哪，画中人流泪了！”所有的参观者都为之震撼。等所有人离去后，画师猛地掀开画布，终于发现，画布后，站着流泪的妻子。

解题攻略

HSK（六级）听力解题攻略

第一部分

题型特点

这一部分听力共 15 题，语段长度一般不超过 150 字，内容涉及生活的方方面面，如小新闻、小故事、小笑话、生活小常识及科普知识等，要求考生选出与所听内容一致的一项。

例题解析

典型题型一：

1. 自孔子时起，生与死便是中国人始终关注的问题，尤其是在汉代，人们以空前的热情讨论生与死的问题，这不仅是出于学者的学术兴趣，也出于普通民众的生存需要。然而孔子说过“未知生，焉知死”，在中国思想史上，人们对生的问题的关注似乎远胜于对死的问题的追问。有的时候人们确实觉得后者更重要，但这并非由于死本身，而是因为人们最终分析认为，死是生的延续。

   A 中国人一直在探究死的原因　　**B** 自古中国人就关注生的问题
   C 孔子毕生致力于研究生与死　　**D** 人们认为死后比生前更重要

【答案】**B**

【解析】本题要求概括语段中心。第一句指出中国人自古就关心生与死的问题；接着，用“然而”转折，指出中国人更关注“生”的问题；最后指出，有时人们也关心死，但那是因为人们觉得 “死是生的延续”。本题的解题关键在“然而”和“但”这两个转折连词上，通过分析，我们很容易概括出语段的中心是“自古中国人就关注生的问题”，选 B。

2. 有人说，爱情像一只表，不上发条就会停摆；而婚姻就像一只钟，除了必须上发条，还得忍受每隔一个小时就当当作响的钟声。

   A 物质条件决定着婚姻　　**B** 婚姻和爱情完全一样
   C 爱情比婚姻更加持久　　**D** 婚姻比爱情更难维持

【答案】**D**

【解析】本题也要求概括语段中心。本句核心词语为表示递进关系的“除了……还……”。本段文字将爱情比做一只表，不上发条就会停摆，说明爱情需要通过努力来维持；将婚姻

比做一只钟，除了上发条，还得忍受当当的声音，说明婚姻需要付出更多的努力去维持。所以，本段中心是“婚姻比爱情更难维持”，选 D。

总结　无论是阅读还是听力，新 HSK 在干扰选项的设置上难度有所增加，对于较长的语段，最直接快速的方法就是从关联词语入手，将复杂问题简单化。概括语段中心的考题都会有核心词语，而且用表示转折关系的关联词语引出主干句的情况居多。因此，熟练掌握关联词语，可以大大提高做题的准确性，取得事半功倍的效果。

典型题型二：

3. 随着网络的普及，如今政府执政的舆论环境发生了很大的变化，各种舆论都可以借助网络、短信等现代传播工具，跨越时空迅速传播，这大大提升了意见空间和意见力度。而政府决策透明度的增加，以及公民参与意识的增强，又加大了政府的舆论压力。在这样的背景下，政府处理舆论时，需要改变以往被动的方式，针对新出现的情况及时采取新的方式来应对。

   A 网络使民众有机会参与政府决策　　**B** 网络的普及不利于政府开展工作

   C 政府应转变方式应对新舆论环境　　**D** 网络的普及增加了政府工作难度

【答案】**C**

【解析】本题结构是典型的“先分后总式”，即先列举现象，再提出观点，观点就是语段中心。一般语段的中心都在开头或结尾，因此考生应该特别关注这两个地方。如本句用“在这样的背景下”概括前文，并引出后面的中心观点：政府应采取新方式来应对新的舆论环境。因此答案为 C。

4. 钢铁被用来建造桥梁、摩天大楼、地铁、轮船、铁路和汽车等，被用来制造几乎所有的机械，还被用来制造包括农民的长柄大镰刀和妇女的缝衣针在内的成千上万的小物品。

   A 钢铁是唯一的最为理想的建筑材料　　**B** 钢铁是所有金属中最为坚固的一种

   C 钢铁在生活中具有很多不同的用途　　**D** 自古钢铁就被广泛地用于日常生活

【答案】**C**

【解析】本句属于并列结构，虽没有明显的关联词语，但用三个并列分句引出了钢铁在生活中的应用，即“钢铁被用来……，被用来……，还被用来……”，从中不难推测出答案为 C。

总结　遇到语段中没有明显关联词语的情况时，考生应从语段的结构入手，分析是“总分式”、“分总式”、“总分总式”还是“并列式”，然后就能作出正确选择。

典型题型三：

5. 一个小女孩趴在窗口，看着人们埋葬她心爱的小狗，伤心不已。祖父见状，把她引到另一个窗口，让她欣赏窗外的玫瑰花园。果然，小女孩的心情好多了。祖父托起她的下巴

说："孩子，你开错了窗户。"（模拟试卷 1 第 2 题）

A 看问题的角度不同会导致心境不同
B 环境对人的情绪状态有很大的影响
C 人应该学会从不同角度去看待问题
D 不该让孩子看到与死亡有关的场景

【答案】B

【解析】小女孩趴在窗口，窗外是两种不同的场景：一是人们在埋葬她的小狗，一是祖父的玫瑰花园。两种场景所引起的结果完全不同，一是伤心不已，一是心情渐好。可见，不同环境对女孩的心情有着不同的影响。由此确定答案为 B。

6. 一只小型广告灯箱一年会杀死约 35 万只昆虫。昆虫是自然界食物链中的一个重要环节，很多小型动物、鸟类等都以昆虫为主要食物，许多植物靠昆虫授粉，如果昆虫的种类和数量发生变化，必将严重影响生态环境。

A 光照有利于消灭有害的昆虫
B 光污染干扰了自然生态平衡
C 光照有利于植物的快速生长
D 城市照明致使昆虫数量减少

【答案】B

【解析】本段列举了昆虫的好处，一是作为其他生物的食物，二是给植物授粉。因此，昆虫数量的变化会引起整个生态环境的变化。而广告灯箱的光照会杀死昆虫，显然，作者对光照是持反对意见的。由此推断答案为 B。

总结 此类题语段中并没有明显的标志性词语，但根据语段列举出的事物关系，推测出正确答案并不难。

典型题型四：

7. 很多人认为药酒就是保健酒，事实并非如此。专家介绍，药酒主要以治疗疾病为主，必须取得国药准字号，有药物的基本特征，必须在医生监督下饮用，在正规医院药房或药店销售。而保健酒以养生健体为主，没有治疗作用，产品上不能明确宣传其疗效，只需获得保健食品批号。（模拟试卷 1 第 3 题）

A 保健酒兼有药酒的疗效
B 保健酒只在医院内销售
C 药酒兼有保健酒的功效
D 药酒并不等同于保健酒

【答案】D

【解析】本题侧重考查考生对原文细节的把握，可用排除法来解决。

原文说"药酒主要以治疗疾病为主"、"而保健酒以养生健体为主，没有治疗作用"，答案 A、C 均与原文不符，所以应该排除。

答案 B"保健酒只在医院内销售"与原文"在正规医院药房或药店销售"不相符，所以应该排除。

8. 随着社会老龄化的日益加剧，许多社区的空巢老人越来越多，他们生活小事不能自理，需要社会特殊照顾。目前，社会对一些独居老人的关怀仍显欠缺。在这种情况下，应该

成立一些传统的养老院、敬老院、社区互助会等更加适合空巢老人欢度晚年的场所，这样既可以满足老年人的生活需要，又可以解除子女的后顾之忧，同时也加强了社区群众之间的交流与互助，能够使越来越多的老人晚年生活得丰富多彩。

A 人口老龄化并不是造成空巢老人的原因　　**B** 社区才是解决空巢老人问题的唯一途径

C 在解决空巢问题时子女应发挥更大作用　　**D** 空巢老人需要生活与精神上的多方帮助

【答案】**D**

【解析】本题考查的也是细节，也可以运用排除法。

答案 A “人口老龄化并不是造成空巢老人的原因”与原文“随着社会老龄化的日益加剧，许多社区的空巢老人越来越多”矛盾，所以应该排除。

答案 B “社区才是解决空巢老人问题的唯一途径”与原文“应该成立一些传统的养老院、敬老院”矛盾，所以应该排除。

答案 C “在解决空巢问题时子女应发挥更大作用”与原文“应该成立一些传统的养老院、敬老院、社区互助会等更加适合空巢老人欢度晚年的场所……又可以解除子女的后顾之忧”矛盾，所以应该排除。

总结 对于考查细节的题目，可用排除法将与原文不符的三项排除，最后剩下的就是正确答案。

第二部分

题型特点

这一部分听力共 15 题，选取三段采访录音，每段对话后面设置 5 个问题。内容以人物访谈居多，涉及社会热点话题，比较专业的科技类访谈较为少见。

例题解析 1 （模拟试卷 3 第 21-25 题）

男： 一位诺贝尔经济学奖获得者曾经说过，政府不仅要关注国家的经济指数，还要关注国民的幸福指数。那么，作为育儿专家，您想对家长提些什么忠告呢？

女： 家长不仅要关注孩子的成长指数，像孩子的身高体重是否符合目前的年龄标准等，而且还要关注孩子的幸福指数，也就是他是否拥有一个幸福的童年。我认为儿童成长有三大营养素：第一就是食物，这是物质的，可以促进孩子身体的生长发育；第二就是丰富而适宜的教育环境，可以促进孩子的智慧发展；再一个就是爱，爱是无与伦比的精神营养素，可以促进孩子人格的健康成长。

男： 那么怎么培养孩子的幸福指数呢？

女： 我认为要着力培养孩子的情商，特别是面对挫折的心理承受能力，让孩子具备主宰未来的力量。未来社会对孩子的素质、能力到底有什么样的要求呢？我认为培养儿童主宰未来的力量至少要具备四种重要的心理能力：第一就是创造力；第二是健康的人格；第三是行动果敢；第四是善于表达自己的思想。有的人创造了很多的财富，但是却没有幸福感，为什么呢？就是因为他没有一个健康的人格。那么行动果敢意味着什么？想清楚了就要立刻去做，因为社会变化太快，所以我们必须让孩子学会行动果敢，想清楚了立即就去做。另外还要善于表达自己的思想，也就是说，你仅仅有思想还不行，还要善于表达。

男： 在这四种能力中，您更看重哪种能力呢？

女： 我认为培养孩子的创造能力非常重要，因为人类的历史就是一部创造史。在生活中，人们发现那些智商比较高的人，走到社会上却不一定能获得成功，这是为什么呢？原来衡量孩子智商的主要指标是学业成绩，而学业成绩好并不等于未来就能成功。有些人虽然成绩不好，比如说我们熟知的李小龙，学习成绩并不好，但这并不影响他成为一代宗师、截拳道的创始人。就是说，人有不同的智力类型。

男： 是啊。比如一些影视明星不一定要高等数学学得很好。

女： 对。每个人都有自己不同的智力类型，最典型的关于智力类型的代表就是美国哈佛大学教授加德纳提出的人的智力可能是多元的，也就是说，不同的人可以有不同优势的智能。有的人可能是学术型的，有的人可能是社交型的，有的人可能是艺术型的。但是我认为，加德纳并没有告诉我们人的智慧和动物的智慧有什么区别。加德纳提出的八大智能中有运动智能。人有豹子那么快的奔跑速度吗？没有。人有鹰那么敏锐的眼睛吗？没有。人有狗那么灵敏的嗅觉吗？也没有。那么，人为什么能成为万物之灵呢？因为人具有创造文明的能力，所以创造性应当是人类智慧和动物智慧的根本区别。人类的文明史就是一部创造史，创造性是人类智慧的本质和核心。加德纳提出“类型论”，我提出“目的论”，也就是培养孩子的所有智能，而其根本目的就在于培养孩子的创造性。

1. 女说话人认为应怎样提高孩子的幸福指数？

A 满足孩子的物质需求　　**B** 着力培养孩子的情商

C 提供宽松的教育环境　　**D** 重点培养孩子的智商

【答案】**B**

【解析】对话中，女的说“我认为要着力培养孩子的情商，特别是面对挫折的心理承受能力”，可确定答案为 B。

2. 女说话人认为培养孩子哪方面的能力更重要？

A 健康的人格　　**B** 创造的能力

C 表达的能力　　**D** 行动的果敢

【答案】**B**

【解析】对话中，女的先说孩子应该“具备四种重要的心理能力：第一就是创造力；第二是健康的人格；第三是行动果敢；第四是善于表达自己的思想”，然后男的问女的“更看重哪种能力”，女的回答“我认为培养孩子的创造能力非常重要”，故而确定答案为 B。

3. 女说话人举李小龙的例子是为了说明什么？

A 每个人都有不同的智力类型　　**B** 学武术并没有什么智商要求

C 具有高智商的人不一定成功　　**D** 情商培养比智商培养更重要

【答案】**A**

【解析】女的在提出李小龙的例子后用“就是说”引出概括性文字：“人有不同的智力类型”，然后又引用加德纳教授“人的智力可能是多元的”这一论点，最后用“也就是说”概括总结上述内容，即“不同的人可以有不同优势的智能。有的人可能是学术型的，有的人可能是社交型的，有的人可能是艺术型的”。因此判定答案为 A。

4. 下列哪项符合加德纳教授的观点？

A 智商高低决定人生　　**B** 提倡培养所有智能

C 提出了目的论理论　　**D** 人的智力是多元的

【答案】**D**

【解析】本题考查的是细节。对话中说，“最典型的关于智力类型的代表就是美国哈佛大学教授加德纳提出的人的智力可能是多元的”，因此确定答案为 D。

5. 下列哪项符合女说话人关于人类智慧与动物智慧的观点？

A 动物并不具有智慧能力　　**B** 人类核心智慧在于创造

C 人的运动智能不及动物　　**D** 人的潜能是后天开发的

【答案】**B**

【解析】对话的最后一部分陈述了人类在很多方面都赶不上动物，然后用一个设问句“那么，人为什么能成为万物之灵呢”引出中心语段，因为“人具有创造文明的能力，所以创造性应当是人类智慧和动物智慧的根本区别”，明确指出人类具有动物没有的创造性；接着说“人类的文明史就是一部创造史，创造性是人类智慧的本质和核心”，再次重申“人类智慧的本质和核心就是创造”，最后总结，“我提出‘目的论’，也就是培养孩子的所有智能，而其根本目的就在于培养孩子的创造性”。因此确定答案为 B。

例题解析 2（模拟试卷 7 第 16–20 题）

女：你觉得自己在文坛中扮演什么样的角色？

男：我觉得自己算“边缘人”吧。在社会的认知度上，当今的作家已经处在公众视野的边

缘，因为公众关注的都是体育明星、娱乐明星、商界首富什么的，作家处在很边缘的一个地带。但是，我又因为思想很主流而被关注，所以我这个“边缘人”其实还是很微妙的。

女：有些纯文学作家不会为了讨好读者而写作，但是你在创作过程中，会选择和读者互动，你觉得你是一个优秀的作家吗？

男：我觉得作家分两种。一种是探索内心和思想的，这需要作家本身具有很优秀的品质和思想，而且这种作品是可以影响人的观念的。另外一种作家是希望写好一个故事，小说的核心是故事，读者在看这个故事时，能体会到阅读的乐趣就行了。我可能是后一种作家，我不希望用很个人的东西去影响那么大的一批读者。如果今天只有一万个人看我的书，可能我的感觉就不一样了，我就会随心所欲，想写什么就写什么，因为这一万个人是跟我“臭味相投”的，他们认同我的观念。但是现在，如果我把一个阴暗的内心世界写出来，影响了中国的一代青少年，那就是很恐怖的一件事。所以我写小说很多时候是在叙事，而不是传道，我不会说你应该怎么样，这件事情带给我们什么，我只是把这个事情表达出来。至于你能感受到什么，体会到多少，那是你的生活环境决定的。

女：甘愿做文学的垫脚石，让读者体会阅读的乐趣，这倒是一个不错的想法。

男：我承认我不是写得最好的，有很多文学艺术，包括我们看到的很多大师级的作家，他们写得非常棒，但是完全没有接触过文学的人有可能不能全看懂。我初中时看《尤利西斯》，觉得那是什么呀，看了三年都没看完，但是当我真正阅读过很多东西后，就能体会到这部作品的伟大之处了。所以，我觉得先要培养读者读书的兴趣，等他们的兴趣和阅历达到一定层次的时候，他们自己会去选择，也能越来越多地体会到阅读的快乐。

女：你希望做一个优秀出版人，现在公司的运作也是游刃有余了，有没有想过推出其他的作家？

男：我觉得阅读市场是巨大的，像我一年出一本书，但是读者看这本书只需要 5 天时间，他剩下来的 300 多天干什么呢？一定会看别人的东西，这个市场靠自己一个人的力量是填不满的，所以我希望有很多人来丰富我们的选择余地，你不能只看一个人的书。同时，有很多作家非常优秀，需要一个平台来让他们发光，让他们发展，所以我希望能建立这样一个平台。这个平台不是给我个人的，而是在行业里面产生一个聚光效益，只要是我策划的，是我关注的，是我涉足的领域，就会迅速吸引目光。无论是我们生产产业链上的目光，还是下游读者群的目光，都会变成效益，这也是我做出版的另外一个目的。

6. 男的所说的“边缘人”是指什么？

A 脱离主流社会的人 **B** 备受公众关注的人

C 处于群体之间的人 **D** 无法融入社会的人

【答案】**C**

【解析】男的先说“我觉得自己算‘边缘人’吧”，然后立即进行解释：“在社会的认知度

上，当今的作家已经处在公众视野的边缘……作家处在很边缘的一个地带”，但男的又“因为思想很主流而被关注”，所以男说话人说的“边缘人”是在“公众视野里处于边缘”的人，A、B、D 均不对，因此确定答案为 C。

7. 男的的作品有什么特点？

A 用个人的思想影响年轻读者的观念　　**B** 使读者在阅读故事时体会阅读乐趣

C 通过故事告诉年轻读者应该怎么做　　**D** 探索人物内心和思想从而影响读者

【答案】**B**

【解析】男的说：“我觉得作家分两种。一种是探索内心和思想的……另外一种作家是希望写好一个故事，小说的核心是故事，读者在看这个故事时，能体会到阅读的乐趣就行了。我可能是后一种作家。”后一种即是指“让读者在读故事时能体会到阅读的乐趣”，因此答案为 B。

8. 男的认为自己的小说以什么为主？

A 解惑　　**B** 叙事　　**C** 传道　　**D** 探索

【答案】**B**

【解析】男的说“我写小说很多时候是在叙事，而不是传道，我不会说你应该怎么样，这件事情带给我们什么，我只是把这个事情表达出来”，因此答案为 B。

9. 对于那些没有接触过大师作品的读者，男的建议怎么做？

A 阅历达到一定层次再阅读　　**B** 从小养成良好的阅读习惯

C 阅读大师作品并持之以恒　　**D** 反复阅读体会作品的精髓

【答案】**A**

【解析】男的说“先要培养读书的兴趣，等他们的兴趣和阅历达到一定层次的时候，他们自己会去选择，也能越来越多地体会到阅读的快乐”，所以答案为 A。

10. 下列哪项不是男的做出版的目的？

A 获得一定的经济效益　　**B** 为作家提供展示平台

C 介绍更多的优秀作家　　**D** 让更多的人关注自己

【答案】**D**

【解析】男的说：“我希望有很多人来丰富我们的选择余地，你不能只看一个人的书。同时，有很多作家非常优秀，需要一个平台来让他们发光，让他们发展，所以我希望能建立这样一个平台。这个平台不是给我个人的，而是在行业里面产生一个聚光效益，只要是我策划的，是我关注的，是我涉足的领域，就会迅速吸引目光。无论是我们生产产业链上的目光，还是下游读者群的目光，都会变成效益，这也是我做出版的另外一个目的。”可见，答案为 D。

总结 本类听力理解侧重于考查考生的综合能力，特别是对核心词语的把握能力，还有对嘉宾观点的理解能力、概括能力以及对细节的把握能力等。做这类考题时，首先一定要认真倾听关联词语，找出核心语句，这是至关重要的。常用的关联词语有“然而”、“但是”、“却”等表示转折关系的词语；“不但……而且……甚至……”、“除了……还……”等表示递进关系的词语；“可见”、“从而”等引出结论性语句的词语以及“因为”、“所以”等表示因果关系的词语。这些关联词语往往会引出对话的核心内容，也就是设置考点的地方，所以要特别关注。其次，还应注意排除对话中的干扰词语。比如，在关联词语之间往往有大段文字是无关紧要的，所以还是要把握核心词语，概括主要意思或观点。第三，此类考题的最后一题往往是“下列哪项与文章内容不符”、“关于……，下列说法哪项正确”或“这段对话的主要内容是什么”，这类问题考查考生对细节的把握能力以及对整段文字的概括能力，可以在听录音前迅速浏览选项；在听的过程中，对于选项涉及的内容即时进行判断。

第三部分

题型特点

这一部分听力试题共 20 题，选取几段文章，每段后面设置 2-5 个问题，内容涉及面较广，比较常见的有哲理故事、生活常识、风土人情、科普知识等，其中难度较大的为科技类、社科类文章。

例题解析 1

（模拟试卷 5 第 47-50 题）

地震发生时，最基本的现象是地面的连续震动，主要是明显的晃动。震区的人在感到大的晃动之前，有时首先感到上下跳动，这是因为地震波从地球内部向地面传来，纵波首先到达的缘故。接着横波产生大振幅的水平方向的晃动，这是造成地震灾害的主要原因。1960 年智利大地震时，最大的晃动持续了 3 分钟。地震造成的灾害首先是破坏房屋和建筑物，如 1976 年中国河北唐山地震中，70%到 80%的建筑物倒塌。地震对自然界景观也有很大影响，最主要的后果是地面出现断层和地裂缝。大地震的地表断层常绵延几十至几百千米，往往具有较明显的垂直错距和水平错距，能反映出震源处的构造变动特征。但并不是所有的地表断裂都直接与震源的运动有关，它们也可能是地震波造成的次生影响。特别是地表沉积层较厚的地区，坡地边缘、河岸和道路两旁常出现地裂缝，这往往是地形因素造成的，即在一侧没有依托的条件下的晃动使表土松垮和崩裂。地震的晃动使表土下沉，浅层的地下水受挤压会沿地裂缝上升至地表，形成喷沙冒水现象。大地震能使局部地

形改观，或隆起，或沉降，使城乡道路毁坏、铁轨扭曲、桥梁折断。在现代化城市中，地下管道破裂和电缆被切断会造成停水、停电和通信受阻，煤气、有毒气体和放射性物质泄漏可导致火灾和毒物、放射性污染等次生灾害。在山区，地震还会引起山崩和滑坡，常造成村镇被埋的惨剧。崩塌的山石还会堵塞江河，在上游形成地震湖。

1. 下面哪项属于地震的次生灾害？

A 桥梁断裂　　**B** 通信中断　　**C** 山体滑坡　　**D** 管道断裂

【答案】**B**

【解析】A、C、D 属于地震造成的主要灾害，而“通信中断”属于地震间接形成的次生灾害，故答案为 B。

2. 下面哪项与震源的运动有关？

A 地震的持续时间　　**B** 表土松垮和崩裂

C 地表断层及裂缝　　**D** 道路两旁的裂缝

【答案】**C**

【解析】文章中说“最主要的后果是地面出现断层和地裂缝。大地震的地表断层常绵延几十至几百千米……能反映出震源处的构造变动特征。但并不是所有的地表断裂都直接与震源的运动有关”，由此推测，地表断层及地裂缝与震源运动有关，选 C。

3. 下列哪项不符合这段话的内容？

A 地表断裂都直接跟震源的运动相联系　　**B** 横波产生水平晃动造成地震主要灾害

C 地震时，房屋和建筑物首先遭到破坏　　**D** 地震时，人们首先感到的是地震纵波

【答案】**A**

【解析】文章中说“但并不是所有的地表断裂都直接与震源的运动有关，它们也可能是地震波造成的次生影响”，用“但”转折，推翻了 A 选项，所以答案为 A。

4. 这段话主要介绍了哪方面的内容？

A 地震的预防知识　　**B** 地震的各种现象

C 地震产生的原因　　**D** 地震造成的危害

【答案】**D**

【解析】这段话主要介绍了地震灾害的主要原因和后果，其中主要讨论的是后果，即“地震造成的危害”，故而答案为 D。

例题解析 2（模拟试卷 7 第 36–38 题）

据已发现的化石研究分析，早在 800 万年前的晚中新世，在中国云南禄丰等地的热带潮湿森林的边缘，就生活着大熊猫的祖先——始熊猫。这是一种由拟熊类演变而成的以食

肉为主的最早的熊猫，个体犹如一只较肥胖的狐狸。由始熊猫演化的一个旁支叫葛氏郊熊猫，分布于欧洲的匈牙利和法国等地的潮湿森林，在中新世末期即灭绝。而始熊猫的主支则在中国的中部和南部继续演化，其中一种在距今约 300 万年的更新世初期出现，体型只有现生大熊猫的一半大，像一只胖胖的狗，其化石被定名为大熊猫小种。从大熊猫小种的化石牙齿推测，它已进化成为兼食竹类的杂食兽。这些小型大熊猫又经历了约 200 万年，开始向亚热带潮湿森林延伸，并取代始熊猫广泛分布于云南、广西和四川。后来，大熊猫进一步适应亚热带竹林生活，体型逐渐增大。距今 50 万到 70 万年的更新世中晚期是大熊猫的鼎盛时期，化石大熊猫武陵山亚种的体型仅比现生大熊猫小约 1/8。到更新世晚期，化石大熊猫巴氏亚种的体型又比现生大熊猫大约 1/8，而且以竹子为生。在整个更新世，化石亚种大熊猫分布相当广泛，与剑齿虎、剑齿象以及北京猿人、南方猿人一起生活，构成了典型的更新世“大熊猫—剑齿象”动物化石群。

5. 大熊猫的祖先始熊猫以什么为食？

A 肉类　　**B** 杂食　　**C** 竹子　　**D** 狐狸

【答案】**A**

【解析】这段话说始熊猫“是一种由拟熊类演变而成的以食肉为主的最早的熊猫”，由此确定答案为 A。

6. 大熊猫发展的鼎盛时期是哪一段？

A 距今约 800 万年　　**B** 距今约 300 万年

C 距今约 200 万年　　**D** 距今 50 万–70 万年

【答案】**D**

【解析】这段话说“距今 50 万到 70 万年的更新世中晚期是大熊猫的鼎盛时期”，选 D。

7. 下列哪种亚种比现生大熊猫大约 1/8？

A 葛氏郊熊猫　　**B** 大熊猫小种

C 武陵山亚种　　**D** 巴氏亚种

【答案】**D**

【解析】这段话说“化石大熊猫巴氏亚种的体型又比现生大熊猫大约 1/8”，选 D。

例题解析 3 （模拟试卷 4 第 46–50 题）

每一位经营者都对经济学中的“木桶原理”津津乐道。这个原理的核心是说，桶能装多少水是由最短的木板决定的，以此引导企业关注自己明显的缺陷。

但对木桶原理的理解也使企业走入了另一个误区，那就是容易头痛医头，脚痛医脚，对营销体系缺乏系统观和整体观，在某方面投入大量资源恶补“短板”却仍然不见效果。

因为有时看似短板得到了加强，但箍桶的铁箍却松了，水一边注入一边从桶缝中跑冒滴漏，木桶内的水平线高低就要看水注入的流量与泄出的流量哪一个大了。当营销进入微利竞争时代，如果不加强细节控制，创造的利润不如泄漏的流量大，企业就会趋向崩溃。

营销系统工程不仅要做到没有明显的短板，还要保证每块木板都结实，整个系统都坚固，各环节接合部紧密无缝隙，也就是要将木桶打造成"铁桶"，以保证营销的实效与成功。

某乳品企业营销副总谈起他们在某市的推广活动时说："我们的推广非常注重实效，不说别的，每天在全市穿行的100辆崭新的送奶车，醒目的品牌标志和统一的车型颜色，本身就是流动的广告。而且我要求，即使没有送奶任务也要在街上开着转。多好的宣传方式！别的厂家根本没重视这一点。"

然而，原来很多喝这个牌子牛奶的人后来坚决不喝了，这恰恰是送奶车惹的祸。原来，这些送奶车用了一段时间后，由于忽略了维护清洗，车身粘满了污泥，有些车厢甚至已经明显破损，但照样每天在大街上招摇。人们每天受到这样的视觉刺激，还能喝这种奶吗？创造这种推广方式的厂家没想到，"成也送奶车，败也送奶车"，就是这样一个细节问题导致了推广失败。

某酒水营销企业最头痛的问题是：市场启动速度太慢。于是公司在经销商利润空间、终端策略、广告支持上花了很大的本钱，目的在于补齐短板，以吸引经销商，并拉动终端销售，但效果不佳。后来经过营销诊断发现：企业在营销管理方面存在许多细节问题，如对业务员开发经销商的激励机制不科学、业务员的巡店制度没有严格监督、终端建设表面漂亮而实效不足、与经销商的沟通没有制度化规范化、经销政策没有完全落实。细节的"漏水"导致了全局的失败。

营销的过程是注重突破的过程，比起其他更理性的企业行为，营销"感性、创造力"的色彩更浓厚一些。但营销毕竟是企业行为的一部分，应该毫无疑问地在制度化管理平台上运行，决定营销生命力的仍是其自身体制和技术上的周密安排。是否关注细节，即桶缝的跑冒滴漏，其意义更大于对短板的关注，因为短板的不足较为明显，而桶缝的危害更隐蔽，对企业的影响也更大。

8. 乳品企业营销副总对什么很得意？

A 产品质量　　**B** 品牌标志　　**C** 人员素质　　**D** 宣传方式

【答案】**D**

【解析】这段话说："某乳品企业营销副总谈起他们在某市的推广活动时说：'我们的推广非常注重实效，不说别的，每天在全市穿行的100辆崭新的送奶车，醒目的品牌标志和统一的车型颜色，本身就是流动的广告。而且我要求，即使没有送奶任务也要在街上开着转。多好的宣传方式！别的厂家根本没重视这一点。'"可见，营销副总为自己独特的宣传方式而得意，所以选D。

9. 录音中提到的"桶缝"指什么？

A 管理　　**B** 细节　　**C** 技术　　**D** 人员

【答案】**B**

【解析】这段话开头提到“木桶原理”，并指出这个原理“引导企业关注自己明显的缺陷”。然后用转折词“但”引出核心语句，“但对木桶原理的理解也使企业走入了另一个误区，那就是容易头痛医头，脚痛医脚……因为有时看似短板得到了加强，但箍桶的铁箍却松了，水一边注入一边从桶缝中跑冒滴漏……当营销进入微利竞争时代，如果不加强细节控制，创造的利润不如泄漏的流量大，企业就会趋向崩溃”。最后又重申了此说法：“是否关注细节，即桶缝的跑冒滴漏，其意义更大于对短板的关注，因为短板的不足较为明显，而桶缝的危害更隐蔽，对企业的影响也更大”。由此推断答案为B。

10. 录音中提到的“短板”指什么？

A 企业的明显缺陷　　**B** 企业的营销手段

C 企业的管理模式　　**D** 企业的经营策略

【答案】**A**

【解析】文章开头就提到“木桶原理”并作出解释：“这个原理的核心是说，桶能装多少水是由最短的木板决定的，以此引导企业关注自己明显的缺陷”。可见“企业明显的缺陷”就是“短板”，所以答案为A。

11. 录音中的两个例子说明了什么？

A 忽视细节将会导致全局的失败　　**B** 吸引消费者的方式应不断翻新

C 应该提倡经济实惠的促销手段　　**D** 恶性竞争将导致企业走下坡路

【答案】**A**

【解析】本文在每个例子后面都用一句话进行了概括。在分析完送奶车的宣传模式后，文章说“创造这种推广方式的厂家没想到，‘成也送奶车，败也送奶车’，就是这样一个细节问题导致了推广失败”。在分析完某酒水营销企业的营销模式后指出：“细节的‘漏水’导致了全局的失败”。两个例子的共同之处在于忽视细节而导致全局的失败，因此答案为A。

12. 木桶原理使企业走入了什么误区？

A 忽视所存在的明显缺陷　　**B** 忽视营销管理上的漏洞

C 忽视所存在的细小缺陷　　**D** 忽视对广告宣传的投入

【答案】**C**

【解析】其实从本文的论据已不难判断出答案，而且末尾再次重申了作者的观点：“营销的过程是注重突破的过程……但营销毕竟是企业行为的一部分……决定营销生命力的仍是其自身体制和技术上的周密安排。是否关注细节，即桶缝的跑冒滴漏，其意义更大于对短板的关注，因为短板的不足较为明显，而桶缝的危害更隐蔽，对企业的影响也更大”，因此答案为C。

例题解析 4 （模拟试卷 1 第 34-36 题）

从前有一位贤明而受人爱戴的国王，把国家治理得井井有条，使人民安居乐业。不过，国王的年纪渐渐大了，却没有子女，这让国王很伤心。最后，他决定在全国范围内挑选一个孩子收为义子，把他培养成自己的接班人。

国王选子的标准很独特，他给每个孩子发了一些花的种子，宣布谁用这些种子培育出最美的花朵，谁就成为他的义子。孩子们领回种子后，开始了精心的培育，从早到晚，浇水、施肥、松土，谁都希望自己能够成为幸运者。

有个男孩也整天精心地培育花种。但是，十天过去了，半个月过去了，一个月过去了，花盆里的种子却连芽都没冒出来，更别说开花了。苦恼的男孩去请教母亲，母亲建议他把土换一换，但依然无效。

终于，国王观花的日子到了。无数个穿着漂亮衣服的孩子涌上街头，他们各自捧着盛开鲜花的花盆，用期盼的目光看着缓缓巡视的国王。国王环视着争奇斗艳的花朵与精神漂亮的孩子们，并没有像大家想象中的那样高兴。忽然，国王看见了端着空花盆的男孩。他无精打采地站在那里，眼角还有泪花。国王把他叫到跟前，问他："你为什么端着空花盆呢？"男孩抽泣着把自己精心摆弄但种子怎么也不发芽的经过说了一遍，还说，他想这是报应，因为他曾在别人的花园中偷过一个苹果吃。没想到国王的脸上却露出了最开心的笑容，他把男孩抱起来，高声说："孩子，我找的就是你！"国王对大家说："我发下的种子全部都是煮过的，根本就不可能发芽开花。"那些捧着鲜花的孩子们一个个都低下了头。

13. 男孩的种子为什么没长出鲜花？

A 培育方法不得当　　**B** 没得到精心照顾

C 花种是被煮过的　　**D** 根本没拿到种子

【答案】**C**

【解析】在文章最后，国王说："我发下的种子全部都是煮过的，根本就不可能发芽开花"，所以答案为 C。

14. 国王选中这个男孩是因为什么？

A 男孩流泪了　　**B** 男孩很认真

C 男孩很诚实　　**D** 男孩很可怜

【答案】**C**

【解析】根据上下文，男孩整天精心地培育花种，结果却是"花盆里的种子却连芽都没冒出来，更别说开花了"；他为此请教母亲，"但依然无效"；国王观花那天，男孩"端着空花盆"接受了国王的巡视。由此推断答案为 C。

15. 捧着鲜花的孩子为什么都低下了头？

A 偷换了别人的鲜花　　**B** 因未被选中而难过

C 鲜花不是自己种的　　**D** 因欺骗而感到羞愧

【答案】**D**

【解析】煮过的花种是不可能发芽的，然而除了男孩以外，其他孩子都手捧鲜花，可见都是换过种子的，最后国王的话使孩子们明白了真相，自然为自己的行为感到羞愧，因此答案为 D。

总结　处理短文听力理解试题的重点是：

1. 把握关键词语。不同类型的文章，关键词语的位置也有所不同，有的在开头，有的在结尾，有的没有明说。关键词在文章开头或结尾比较容易把握；而关键词没有明说的，一般意义比较隐晦，需要根据语境自己概括总结。
2. 注意理解作者的立场和态度。在听的过程中要注意获取有价值的信息，了解作者对问题的看法，搞清哪些是作者的观点，哪些是引用的事实论据。
3. 注意针对细节的提问。考查的题目有的涉及时间、数量，有的涉及正误判断，有的涉及原因、结果、目的等；考查的难点多是文章中一些比较模糊的词语。这些都是在聆听过程中应该特别注意的。

HSK（六级）阅读解题攻略

第一部分

题型特点

这一部分是挑错，即从四个选项中挑出一个病句。病句是指不符合汉语语言规律、不符合客观事实的事理、不符合人们语言习惯的句子。

病句的常见类型有：

1. 语序不当。包括：多层定语语序不当、多层状语语序不当、定语与中心语语序不当、定语与状语位置不当、主语与关联词语序不当、并列词语或短语语序不当等。

2. 搭配不当。包括：关联词语搭配不当、定语与中心语搭配不当、状语与中心语搭配不当、动宾搭配不当、主谓搭配不当、主宾搭配不当等。

3. 成分缺失。包括：主语缺失、谓语缺失、宾语缺失、修饰语缺失、中心语缺失等。

4. 结构混乱。包括：主语、谓语、宾语、定语、状语、补语基本成分结构的混乱等。

5. 不合逻辑。包括：指代不清、范围不清、自相矛盾、多次否定造成混乱、主客颠倒、关联词语错用等。

6. 词语错用。包括：名词、动词、形容词、数量词、副词、介词、连词、助词等基础词语词性及词义的错用等。

解题技巧

通过语法分析找出病句是最准确、最有效的方法。对于复杂的单句，可以先找出句子的主语、谓语、宾语等主干成分，检查主语、谓语、宾语搭配是否合理恰当；然后依次检查定语、状语、补语等附加成分的搭配、语序、用词等是否准确。对于复句，应重点检查连词与主语的关系，各分句间的关系、层次、语序是否合理，以及关联词语搭配是否恰当等。具体如下：

1. 检查介词和主语。句子以介词开头时，容易犯主语缺失的错误。例如：

(1) *由于科学最大的局限在于它不能解决人类道德的问题，同样也不能满足人类心灵的空虚。

【解析】误用介词造成全句主语缺失，删去“由于”。

【改正】科学最大的局限在于它不能解决人类道德的问题，同样也不能满足人类心灵的空虚。

(2) ＊在当地政府的支持下，使校园的保卫力度和校园周边的整治力度进一步加强了。

【解析】介词短语的错误使用造成全句主语缺失，删去“使”。

【改正】在当地政府的支持下，校园的保卫力度和校园周边的整治力度进一步加强了。

2. 检查宾语。句子较长时，往往会顾前不顾后，犯宾语缺失的错误。

(3) ＊烟草公司为提高赢利能力而采取一些诸如调整香烟配方等节约成本是必要的。

【解析】“采取”后缺少宾语“措施”。

【改正】烟草公司为提高赢利能力而采取一些诸如调整香烟配方等节约成本的措施是必要的。

(4) ＊上海是中国传统文化与西方文化交流的前沿，东西方文明在这里和谐交融，塑造了上海海纳百川的城市。

【解析】“塑造”后缺少宾语“特点”。

【改正】上海是中国传统文化与西方文化交流的前沿，东西方文明在这里和谐交融，塑造了上海海纳百川的城市特点。

3. 对于联合结构、动宾结构，可以从词性、词义入手检查搭配，因为此类结构的各个部分易顾此失彼。

(5) ＊这篇文章写得很有深度，关注社会现实，内容完整、清晰、条理，值得推荐。

【解析】名词“条理”不能与形容词“完整、清晰”并列使用。

【改正】这篇文章写得很有深度，关注社会现实，内容完整、清晰、有条理，值得推荐。

(6) ＊随着经济和城市的发展，对能源的需求日益提高，电力、石油、燃气等能源设施也越来越靠近人口密集的小区。

【解析】“提高”与“需求”搭配不当。

【改正】随着经济和城市的发展，对能源的需求日益增加，电力、石油、燃气等能源设施也越来越靠近人口密集的小区。

4. 定语、状语较多时应检查语序，因为此时易出现语序不当、修饰语与中心语位置颠倒的错误。

(7) ＊淅淅沥沥的小雨已经下了断断续续的好几天，对于即将开始的春耕来说，是及时的好雨。

【解析】“断断续续”表示时断时续，多用来形容声音、动作、状态等，本句形容“下雨”的状态，故“断断续续”应该修饰动词“下”，在句中做状语。

【改正】淅淅沥沥的小雨已经断断续续地下了好几天，对于即将开始的春耕来说，是及

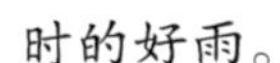

时的好雨。

(8) ＊夏天的北京是难过的季节，不是骄阳似火就是闷热潮湿，难得有清新凉爽的好天气。

【解析】定语与中心语位置颠倒，造成主宾搭配不当。

【改正】北京的夏天是难过的季节，不是骄阳似火就是闷热潮湿，难得有清新凉爽的好天气。

5. 句中出现“是否、高低、大小、好坏”等包括两方面意义的词语时，应检查前后呼应的词语是否恰当。

(9) ＊我们不应该以成绩高低为条件，而应以学生具有一定技能及终身学习能力为标准判断好学生。

【解析】“成绩高低”关涉两面，而后半句只有肯定的一面，前后不一致。

【改正】我们不应该以成绩高低为条件，而应以学生是否具有一定技能及终身学习能力为标准判断学生好坏。

(10) ＊一个人是否具有坚定的信念和持之以恒的毅力是走向成功的关键，否则只能半途而废。

【解析】很显然，“具有坚定的信念和持之以恒的毅力是走向成功的关键”，反之则不是。前半句包含两方面意义，后半句只有一方面，不合逻辑。

【改正】一个人具有坚定的信念和持之以恒的毅力是走向成功的关键，否则只能半途而废。

6. 句中出现关联词语时，应检查其搭配和位置。

(11) ＊鸟的翅膀无论多么完美，如果不凭借空气，鸟就永远不能飞到高空。

【解析】前一分句的主语“鸟的翅膀”与后一分句的主语“鸟”不同，所以应将“无论”放在主语前。

【改正】无论鸟的翅膀多么完美，如果不凭借空气，鸟就永远不能飞到高空。

(12) ＊入夏以来，蔬菜的供应量增加了，反而价格上涨了很多，涨幅一般在15%–30%之间。

【解析】起关联作用的副词“反而”一般放在主语后。

【改正】入夏以来，蔬菜的供应量增加了，价格反而上涨了很多，涨幅一般在15%–30%之间。

(13) ＊科学家发现，鸟类用“V”字队形结队飞行比单独飞行速度更快，能量消耗因此相对减少。

【解析】本句为转折关系复句，应将表示因果关系的“因此”改成表示转折关系的“却”。

【改正】科学家发现，鸟类用“V”字队形结队飞行比单独飞行速度更快，能量消耗却相对减少。

7. 当句中有介词“以”、“为”、“所”、“和”时，应检查搭配。由介词组成的固定短语通常会出现搭配缺失或搭配错误的现象。

(14) * 北京猿人属直立人，过着狩猎为主的洞穴群居生活，距今约 70 万–20 万年。

【解析】介词短语“以……为……”构成固定搭配，表示“把……作为……”的意思，本句缺少“以”。

【改正】北京猿人属直立人，过着以狩猎为主的洞穴群居生活，距今约 70 万–20 万年。

(15) * 现代彩色印刷已成为国际潮流，表现出印刷科学技术能够社会高科技发展同步的态势。

【解析】介词短语“和（同、跟、与）……同步”比喻互相协调，步调一致，在句中做状语。本句缺少介词。

【改正】现代彩色印刷已成为国际潮流，表现出印刷科学技术能够与社会高科技发展同步的态势。

8. 出现反问句或多重否定时，应检查句子本义。此时易出现与原句意义不符的错误。

(16) * 难道能否认这起重大安全事故不是由公司主要责任人玩忽职守、滥用职权造成的吗？

【解析】“难道、否认、不是”三次否定，使句子的意思变为“事故不是由主要责任人玩忽职守、滥用职权造成的”，正好与要表达的意思相反。

【改正】难道这起重大安全事故不是由公司主要责任人玩忽职守、滥用职权造成的吗？

(17) * 谁也不会否认天下的父母不是疼爱自己的孩子的，但是孩子却未必能感受到这一点。

【解析】“不否认”即“承认”，“承认天下的父母不疼爱自己的孩子”，明显不合逻辑。

【改正】谁也不会否认天下的父母是疼爱自己的孩子的，但是孩子却未必能感受到这一点。

9. 句中出现“上下”、“左右”、“至少”、“超过”、“近”等词语时，应检查句子前后内容是否矛盾。

(18) * 国产小型车以其稳定的性能、低廉的价格受到了年轻人的欢迎，一辆“奔奔”售价不过几万元左右。

【解析】“不过”与“左右”同时使用，造成前后矛盾，应去掉其一。

【改正】国产小型车以其稳定的性能、低廉的价格受到了年轻人的欢迎，一辆“奔奔”售价不过几万元。

(19) * 记者从气象监测部门了解到，这几天广州气温都在 40°C 左右，而城市中心区地表温度至少高达 50°C 以上。

【解析】“至少”与“以上”同时使用，造成前后矛盾，应去掉其一。

【改正】记者从气象监测部门了解到，这几天广州气温都在 40°C 左右，而城市中心区地表温度至少 50°C。

10. 当句中出现介词“把”、“被”、“给”、“对”或动词“使”时，应通读全句，检查使用是否恰当。

(20) *他被领导狠狠地批评了一顿，于是把责任发泄到家人身上，搞得家里上下不安宁。

【解析】介词“把”的宾语可与全句的谓语动词构成动宾关系。本句“把”的宾语“责任”不能与谓语动词“发泄”构成动宾关系，即不能说“发泄责任”。

【改正】他被领导狠狠地批评了一顿，于是把不满发泄到家人身上，搞得家里上下不安宁。

(21) *研究表明，环境温度高，植物的呼吸会被很大的影响，呼吸速率会随温度升高而增加。

【解析】介词“被”表示被动意义，在句中充当状语。动词“受”表示接受或遭受，在句中充当谓语，如“受欢迎”、“受教育”、“受刺激”等。本句应把“被”改为“受”。

【改正】研究表明，环境温度高，植物的呼吸会受很大的影响，呼吸速率会随温度升高而增加。

11. 综合检查逻辑关系。可以从事理上进行分析，看是否符合日常规律；也可以从概念、判断方面进行检查，看语句表达是否准确、句意关系是否合适。

(22) *我是在看日本动漫的环境中长大的，因为从小就喜欢画画儿，所以对学校的其他科目没什么兴趣。

【解析】本句不是因果关系，不能使用关联词语“因为……所以……”。

【改正】我是在看日本动漫的环境中长大的，从小就喜欢画画儿，对学校的其他科目没什么兴趣。

(23) *政府要查明事故原因，严惩责任者，但是也要吸取事故教训，杜绝类似事件再次发生。

【解析】本句不是转折关系，应把“但是”改为“同时”。

【改正】政府要查明事故原因，严惩责任者，同时也要吸取事故教训，杜绝类似事件再次发生。

考点精讲

（一）常见句型使用不当

1.“是”字句的误用

用判断动词“是”做谓语的句子称为“是”字句。一般的实词和短语都可以充当判断动词“是”的主语和宾语。

(1) *他一直想办个以昆虫为专题的摄影展览，后来发现其实事情不是那么容易。
【解析】形容词在句中充当谓语时，主语和谓语之间不用“是”。
【改正】他一直想办个以昆虫为专题的摄影展览，后来发现其实事情不那么容易。
(2) *在供三个孩子上学的那个阶段，对父母来说，经济上、精神上最困难的时期。
【解析】动词“是”做谓语时不能省略。
【改正】在供三个孩子上学的那个阶段，对父母来说，是经济上、精神上最困难的时期。
(3) *我朋友的职业是一名汉语老师，他对学生很严厉，所以学生都很怕他。
【解析】这里“是”两边应表示“等同”，不表示“等同”时不能用“是”。
【改正】我朋友的职业是汉语老师，他对学生很严厉，所以学生都很怕他。

2.“是……的”句的误用

“是……的”句是动词谓语句，“是”多用于谓语或主语前；“的”多用于句末或谓语动词后、宾语前；中间一般是动词或动词短语、主谓短语、介词短语等。“是……的”句是典型的强调句，强调已经发生或完成的动作的时间、地点、方式、目的、对象等。
(4) *实验终于成功了，可他却病倒了，大家都知道他的病是长期超负荷工作引起。
【解析】“是……的”句不能省略“的”。
【改正】实验终于成功了，可他却病倒了，大家都知道他的病是长期超负荷工作引起的。
(5) *独生子女的特点是自己愿意做的事就一定要做的，父母的迁就也助长了这种恶习。
【解析】谓语动词“是”做谓语时，不是“是……的”句，句末不能用“的”。
【改正】独生子女的特点是自己愿意做的事就一定要做，父母的迁就也助长了这种恶习。
(6) *医院规定，病人家属在病房留宿不允许的，不但影响治疗，还会影响病人休息。
【解析】“是……的”句表示加重语气时，不能省略“是”或“的”。
【改正】医院规定，病人家属在病房留宿是不允许的，不但影响治疗，还会影响病人休息。
(7) *随着女性地位的提高，女性购房者越来越多。我的房子就自己买的。
【解析】“是……的”句强调施事者时不能省略“是”。
【改正】随着女性地位的提高，女性购房者越来越多。我的房子就是自己买的。

3.“有”字句的误用

“有”是非动作性动词，不表示具体动作。
(8) *他在游泳时不慎滑了一跤，膝盖磕破了，虽然按了半天，但是还有流血。
【解析】谓语动词“有”表示具有，宾语多由抽象名词充当，不能带动词或形容词宾语。
【改正】他在游泳时不慎滑了一跤，膝盖磕破了，虽然按了半天，但是还流血。
(9) *昨晚宿舍外边很吵，弄得我一夜没睡好觉，早晨起来就有头晕。
【解析】表示人体某部位不舒服，不能用“有”。
【改正】昨晚宿舍外边很吵，弄得我一夜没睡好觉，早晨起来就头晕。

(10) *很久以前一位君主，很贤明，是中国古代历史上唯一践行一夫一妻制的君主。
【解析】表示存在的句子不能没有谓语动词“有”。
【改正】很久以前有一位君主，很贤明，是中国古代历史上唯一践行一夫一妻制的君主。

（二）成分缺失

(11) *通过阅读，可以使我们增长见识，提高综合能力，积累社会经验。
【解析】滥用介词“通过”，造成句子主语缺失。
【改正】阅读可以使我们增长见识，提高综合能力，积累社会经验。
(12) *岩浆岩不论浸入到地下，还是喷出到地表，它们和周围的岩石之间都很明显的界限。
【解析】较为复杂的单句易出现谓语缺失的错误，这是汉语考试中最为常见的一种考法。
【改正】岩浆岩不论浸入到地下，还是喷出到地表，它们和周围的岩石之间都有很明显的界限。
(13) *他擅自离岗致使公司财物丢失，公司决定开除其公职并赔偿公司 3 万元经济损失。
【解析】“公司赔偿公司 3 万元经济损失”显然不合情理，本句动词缺失。
【改正】他擅自离岗致使公司财物丢失，公司决定开除其公职并责令其赔偿公司 3 万元经济损失。

（三）搭配不当

(14) *这番称赞的确让人感到欣慰，但欣慰之余也使我心中产生一种莫名其妙的沉重。
【解析】动宾搭配不当。动词“产生”只带名词性宾语。
【改正】这番称赞的确让人感到欣慰，但欣慰之余也使我心中产生一种莫名其妙的沉重感。
(15) *医学专家认为，动物迁徙引发的疾病传播范围有限，人类自身的活动导致了人畜共患疾病的跨国界。
【解析】压缩句子得到主干为：“动物导致了……跨国界”，主宾搭配不当。
【改正】医学专家认为，动物迁徙引发的疾病传播范围有限，人类自身的活动导致了人畜共患疾病的跨国界传播。
(16) *汶川大地震震撼着每一位中华儿女的心，又一次让我们领略到了一方有难，八方支援的感动场面。
【解析】修饰语与中心语搭配不当。动词“感动”不能修饰名词“场面”。
【改正】汶川大地震震撼着每一位中华儿女的心，又一次让我们领略到了一方有难，八方支援的感人场面。

（四）词语错用

(17) *在去往足协的高速公路两旁挤满了数万名欢迎的人群，他们唱着歌迎接国家队的凯旋。

【解析】“人群”为集合名词，不能受个体量词“名”修饰。

【改正】在去往足协的高速公路两旁挤满了数万名欢迎的人，他们唱着歌迎接国家队的凯旋。

(18) *随着网络的普及，音像店的生意也跌入低谷，音像店数量成倍减少，营业额更是不及辉煌时的1/10。

【解析】“增加”可以用倍数表示，“减少”只能用分数或百分数表示。

【改正】随着网络的普及，音像店的生意也跌入低谷，音像店数量急剧减少，营业额更是不及辉煌时的1/10。

(19) *上周本市又报告两例手足口病死亡病例，重症患者累计达到近300多人，是去年同期的近4倍。

【解析】“近”与“多”矛盾，不能同时使用，应去掉其一。

【改正】上周本市又报告两例手足口病死亡病例，重症患者累计达到近300人，是去年同期的近4倍。

(20) *如果你表现出足够的真诚，虽说没见了几面，我想对方也不会反感，也许反而被你的真诚所打动。

【解析】“没”用在不定数词“几”或“多少”前表示数量少。如果没有动态助词“了”或“过”，“没”可以放在动词前；如果有动态助词“了”，“没”只能放在动量词前，不能放在动词前。

【改正】如果你表现出足够的真诚，虽说见了没几面，我想对方也不会反感，也许反而被你的真诚所打动。

(21) *其实我从小就不喜欢游泳，但为了健康，每天不得不硬着头皮一直跟着哥哥学会游泳。

【解析】副词“一直”表示动作或状态的持续，“学会”表示动作已产生某种具体结果，前后矛盾。

【改正】其实我从小就不喜欢游泳，但为了健康，每天不得不硬着头皮一直跟着哥哥学游泳。

（五）虚词使用不当

1. 副词的误用

(22) *当电脑正在遭受越来越多的病毒侵袭之际，手机受到的威胁也越来越很大。

【解析】程度副词与表示程度的词语不能同时使用。

【改正】当电脑正在遭受越来越多的病毒侵袭之际，手机受到的威胁也越来越大。

(23) *时至今日，功能性人才已步入了渐渐的成熟期，但是能统帅大军的将才却寥寥无几。

【解析】副词一般修饰动词或形容词，在句中做状语。

【改正】时至今日，功能性人才已渐渐步入了成熟期，但是能统帅大军的将才却寥寥无几。

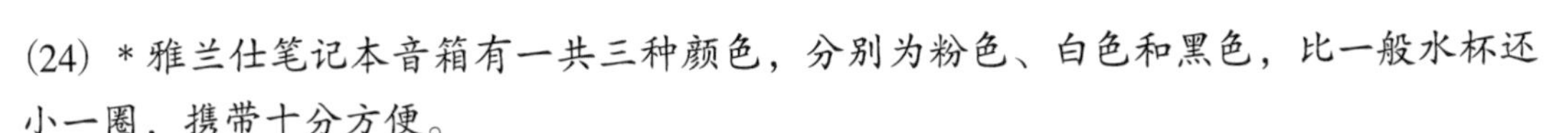

(24) *雅兰仕笔记本音箱有一共三种颜色，分别为粉色、白色和黑色，比一般水杯还小一圈，携带十分方便。

【解析】副词应用在谓语动词前，做状语。

【改正】雅兰仕笔记本音箱一共有三种颜色，分别为粉色、白色和黑色，比一般水杯还小一圈，携带十分方便。

(25) *现在老年人享受天伦之乐的机会越来越减少了，而淡化亲情的人却多了起来。

【解析】表示程度的“越来越”多修饰性质形容词或心理活动动词，一般不修饰动作或行为动词。

【改正】现在老年人享受天伦之乐的机会越来越少了，而淡化亲情的人却多了起来。

(26) *清晨漫步在卢沟桥畔，河水很清清，只见一轮明月当空，倒映在湖中，微波粼粼，美不胜收。

【解析】程度副词不能修饰重叠式形容词。

【改正】清晨漫步在卢沟桥畔，河水很清，只见一轮明月当空，倒映在湖中，微波粼粼，美不胜收。

(27) *伴随着国民经济的快速发展，各级政府高度重视农业甚至是粮食生产，不断加大农业投入和深化农村经济体制改革。

【解析】副词“甚至”强调突出的事例，如“他变化太大了，我甚至都认不出他了”。副词“尤其”强调全体中比较突出的，如“他擅长运动，尤其是足球”。本句应把“甚至”改为“尤其”。

【改正】伴随着国民经济的快速发展，各级政府高度重视农业尤其是粮食生产，不断加大农业投入和深化农村经济体制改革。

2. 介词的误用

Ⅰ.“把”的误用

(28) *有人说，人生每天都是现场直播，任何人都不能把自己的人生做练习。

【解析】“把”字句强调主语对“把”的宾语的处置意义，即“把”的宾语与全句的谓语动词之间存在动宾关系，如“他把烟戒了”可以说成“他戒烟了”。如果不能构成动宾关系，则不能用介词“把”。这时可以用“拿（用）”引进动作的对象，如“父母拿他没办法”。

【改正】有人说，人生每天都是现场直播，任何人都不能用自己的人生做练习。

(29) *母亲看到孩子把花瓶碎了以后不分青红皂白就把孩子打。

【解析】“把”的谓语动词不能是单个的动词（尤其是单音节动词），应带其他成分（如“了”、“着”、动词重叠、补语、宾语等）。

【改正】母亲看到孩子把花瓶摔碎了以后不分青红皂白就把孩子打了一顿。

(30) *各级部门严把生产领域质量关，从源头开始抓，把假冒伪劣产品无藏身之处。

【解析】介词“把”表示致使，做状语，谓语动词多带有结果补语，如“把他忙坏了”、

“把衣服弄脏了”等。动词“使”表示致使，做谓语，必带兼语，引出某种结果。
【改正】各级部门严把生产领域质量关，从源头开始抓，使假冒伪劣产品无藏身之处。
(31) ＊推给别人自己不愿意做的事情，这种行为是不道德的，也是不负责任的。
【解析】如果谓语动词不能带宾语或不能带双宾语，应该用介词“把”将宾语提前。
【改正】把自己不愿意做的事情推给别人，这种行为是不道德的，也是不负责任的。
(32) ＊我们把我们的母语应该发扬光大，学好汉语、用好汉语是我们每个人的责任。
【解析】能愿动词、否定副词应放在“把”前做状语。
【改正】我们应该把我们的母族语发扬光大，学好汉语、用好汉语是我们每个人的责任。
(33) ＊随着石油消费的大幅攀升，把90%以上的石油依赖从国外进口，这样极易受制于人，对能源运输安全极为不利。
【解析】滥用介词“把”，造成主语缺失。
【改正】随着石油消费的大幅攀升，90%以上的石油依赖从国外进口，这样极易受制于人，对能源运输安全极为不利。
(34) ＊研究表明，长期大量饮酒把心脏危害极大，表现为心室扩大及收缩功能低下，而停止饮酒后其功能则得以改善。
【解析】表示人或事物之间的对待关系应用介词“对”，不能用“把”。
【改正】研究表明，长期大量饮酒对心脏危害极大，表现为心室扩大及收缩功能低下，而停止饮酒后其功能则得以改善。

(35) ＊孔子的“仁学”理论作为调节不同文化之间关系的准则，把不同文化得以和谐相处，无疑仍有一定的现实意义。
【解析】介词“把”应改为动词“使”。
【改正】孔子的“仁学”理论作为调节不同文化之间关系的准则，使不同文化得以和谐相处，无疑仍有一定的现实意义。
(36) ＊早已厌倦了城市生活的他把大学毕业以后，就独自背上行囊，行走于自己喜欢的都市或者乡村，一边打工，一边享受生活。
【解析】“把”字句强调主语对“把”的宾语的处置意义，谓语动词一般是及物动词。“毕业”是不及物动词，不能做“把”字句的谓语动词。
【改正】早已厌倦了城市生活的他大学毕业以后，就独自背上行囊，行走于自己喜欢的都市或者乡村，一边打工，一边享受生活。

Ⅱ.“被”的误用

(37) ＊电脑上的本地连接显示“被限制”或“无连接”一般跟网络服务器和网卡有关，而跟电脑本身没多大关系。
【解析】介词“被”表示被动意义，在句中充当状语。动词“受”表示接受或遭受，在句中充当谓语，如“受欢迎、受教育、受刺激”等。
【改正】电脑上的本地连接显示“受限制”或“无连接”一般跟网络服务器和网卡有关，而跟电脑本身没多大关系。

(38) ＊随着社会经济的高速发展，人们的生活水平提高了，但生存环境也破坏了。

【解析】表示被动意义时应该用介词“被”。

【改正】随着社会经济的高速发展，人们的生活水平提高了，但生存环境也被破坏了。

(39) ＊丈夫意外死亡后，她生活非常艰难，为了养育年幼的儿女，她被改嫁了。

【解析】主语是施事者不能用“被”。

【改正】丈夫意外死亡后，她生活非常艰难，为了养育年幼的儿女，她改嫁了。

(40) ＊他年轻气盛，在很不恰当的情况下顶撞了老板，结果被辞职了。

【解析】表示主动意义的动词不能充当“被”字句的谓语动词。

【改正】他年轻气盛，在很不恰当的情况下顶撞了老板，结果被辞退了。

(41) ＊规则在我们的生活中无处不在，规则由于具有一定的隐蔽性而人们经常忽视的。

【解析】本句的主干为：“规则……人们经常忽视”，出现了两个主语，不合语法。

【改正】规则在我们的生活中无处不在，规则由于具有一定的隐蔽性而经常被人们忽视。

(42) ＊回到家，她被眼前的景象愣住了：房间里一片狼藉，七八个人东倒西歪地躺在地上。

【解析】介词“被”表示被动，多跟及物动词配合，构成“被+施事者+动词+其他”的形式。“愣”为不及物动词，不能做“被”的谓语动词。

【改正】回到家，她被眼前的景象惊呆了：房间里一片狼藉，七八个人东倒西歪地躺在地上。

(43) ＊回国后我被入选高中代表队参加全国汉语演讲比赛，并取得了不错的成绩。

【解析】本身含有被动意义的动词不能充当“被”字句的谓语动词。动词“入选”就是“被选入”的意思，故不能使用“被”。

【改正】回国后我被选入高中代表队参加全国汉语演讲比赛，并取得了不错的成绩。

(44) ＊第一眼看到天池，我就被那圣洁的美景震惊着，那是人间少见、美到极致的景观。

【解析】“被”的谓语动词不能是单个动词，应带有其他成分如（如“了”、“过”、补语、宾语等），但不能带动态助词“着”。

【改正】第一眼看到天池，我就被那圣洁的美景震惊了，那是人间少见、美到极致的景观。

(45) ＊由上海舞蹈学院承办的国际舞蹈大师班将聘请美国舞蹈节现代舞大师授课，这是美国舞蹈节首次引进中国。

【解析】表示动作的被动性，虽然不一定要指明动作的施动者，但动词前应有“被”。

【改正】由上海舞蹈学院承办的国际舞蹈大师班将聘请美国舞蹈节现代舞大师授课，这是美国舞蹈节首次被引进中国。

(46) ＊大量事实已经被证明，吸烟不仅严重影响人的智力，使记忆力、辨别能力受到损害，而且会降低工作效率。

【解析】本句不是被动句，不能用“被”。

【改正】大量事实已经证明，吸烟不仅严重影响人的智力，使记忆力、辨别能力受到损害，而且会降低工作效率。

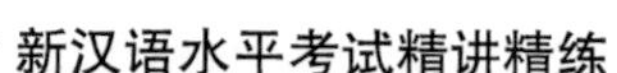

Ⅲ. 其他介词的误用

(47) * 司马光放所有的时间在这部著作上，历时 19 年终于完成了历史巨著《资治通鉴》。

【解析】“放”是不能带双宾语的动词，应该用介词引进宾语。

【改正】司马光把所有的时间都放在这部著作上，历时 19 年终于完成了历史巨著《资治通鉴》。

(48) * 相对于成年人，学生群体对外形鲜艳、简单时尚的手机更有吸引力。

【解析】介词前后的主客体颠倒。

【改正】相对于成年人，外形鲜艳、简单时尚的手机对学生群体更有吸引力。

(49) * 长白山是一座休眠火山，据史料记载，自 16 世纪到现在以来共喷发过三次。

【解析】介词短语“自……以来”表示从过去到现在的一段时间，与句中“到现在”重复，应去掉其一。

【改正】长白山是一座休眠火山，据史料记载，自 16 世纪以来共喷发过三次。

(50) * 兴隆街是南京的老街，三年来的城市化改造实践给这里的面貌发生了深刻的变化。

【解析】表示“使得”(产生某结果)，应该用动词“使”。

【改正】兴隆街是南京的老街，三年来的城市化改造实践使这里的面貌发生了深刻的变化。

(51) * 徐渭的绘画、戏曲、诗歌一样，在中国绘画史上占有继往开来、推陈出新的重要地位。

【解析】“和（跟、同、与）……一样”构成固定短语，表示相同，没有差别。这里缺少介词。

【改正】徐渭的绘画和戏曲、诗歌一样，在中国绘画史上占有继往开来、推陈出新的重要地位。

(52) * 夕阳西下，一个人行走在水乡古镇，仿佛置身于一幅美妙的“小桥、流水、人家”的水乡风景画。

【解析】动词“置身”表示“把自己摆在……”，常构成“置身于……之中”的固定表达。

【改正】夕阳西下，一个人行走在水乡古镇，仿佛置身于一幅美妙的“小桥、流水、人家”的水乡风景画之中。

(53) * 我常常对自己问：“为什么不能把眼光放长远一些呢?”

【解析】可带双宾语的动词不能用介词“对”引进宾语。

【改正】我常常问自己：“为什么不能把眼光放长远一些呢?”

(54) * 第二天，世界各大报纸关于这起震惊国际体坛的事件都作了非常详细的报道。

【解析】“关于”组成的介词短语应放在主语前做状语，“对于”组成的介词短语用在主语前后均可。

【改正】第二天，世界各大报纸对于这起震惊国际体坛的事件都作了非常详细的报道。

(55) * 大学生创业基金会给她借 1 万元创业基金，她在网上开了个主营儿童服装的小店。

【解析】如果“给”后面的名词或代词表示动作行为的接受者，“给+宾语”可做状语或补语，如“他给朋友寄了一封信”、“他寄给朋友一封信”。如果“给”后面的宾语表示动作行为的受益者，“给+宾语”一般做状语，比如，可以说“妈妈给孩子讲故事”，不能说“妈妈讲给孩子故事”。而谓语是表示“给予”的动词时，“给+宾语”一般做补语，比如，可以说“他转交给我一封信”，不能说“他给我转交一封信”。
【改正】大学生创业基金会借给她1元万创业基金，她在网上开了个主营儿童服装的小店。
(56) * 猪肝中铁质丰富，是补血食品中最常见的食物，猪肝做给病人吃可以改善造血系统的功能。
【解析】谓语动词是表示“制作”或“取得”的动词时，“给+宾语”一般做状语，不做补语。
【改正】猪肝中铁质丰富，是补血食品中最常见的食物，给病人做猪肝吃可以改善造血系统的功能。

3. 助词的误用

Ⅰ. 结构助词“的”、“所”，动态助词“了”、“着”、“过”及语气助词“了”、“的”的误用

(57) * 全球金融体系正经历了严峻考验，一场金融崩溃与一次严重经济衰退必将改变世界。
【解析】表示动作正在进行或状态持续，不能用表示“完成”的动态助词“了”。
【改正】全球金融体系正经历着严峻考验，一场金融崩溃与一次严重经济衰退必将改变世界。
(58) * 元大都城垣遗址那高高的山坡、茂密的树林、清清的护城河好像还在向人们诉说过它多年的雄伟与辉煌。
【解析】表示动作正在进行或状态持续，不能用表示过去曾发生或经历过某事的动态助词“过”。
【改正】元大都城垣遗址那高高的山坡、茂密的树林、清清的护城河好像还在向人们诉说着它多年的雄伟与辉煌。
(59) * 张老师每两个星期对我布置了一次“特别作业”，就是让我用中文写一篇读后感。
【解析】经常性的动作不用动态助词“了”。引进动作行为的接受者应该用介词“给”，不能用“对”。
【改正】张老师每两个星期给我布置一次“特别作业”，就是让我用中文写一篇读后感。
(60) * 登山不仅能够锻炼体力，还能培养人的忍耐力。过去我从来没有登山过，不免有点儿紧张。
【解析】动态助词“过”不能放在动宾结构的宾语后面，应放在动词与宾语之间。
【改正】登山不仅能够锻炼体力，还能培养人的忍耐力。过去我从来没登过山，不免有点儿紧张。
(61) * 一般婚礼都在礼堂举行，新人双方父母坐着最前面，其他亲戚朋友在后面观看。
【解析】“动词+着”不能带处所宾语。

【改正】一般婚礼都在礼堂举行，新人双方父母坐在最前面，其他亲戚朋友在后面观看。

(62) *芙蓉树像一把大伞撑在路边，“伞”上点缀了千姿百态的花儿，在晨光的沐浴下，显得那么娇艳。

【解析】当不强调动作本身，而是说明一种状态时，动词后应该用动态助词“着”。

【改正】芙蓉树像一把大伞撑在路边，“伞”上点缀着千姿百态的花儿，在晨光的沐浴下，显得那么娇艳。

(63) *“这个多少钱”是我跟中国人说的第一句汉语，对方居然听懂了，所以我特别兴奋了。

【解析】程度副词修饰形容词，句末不能用表示变化的语气助词“了”。

【改正】“这个多少钱”是我跟中国人说的第一句汉语，对方居然听懂了，所以我特别兴奋。

(64) *我高二时被选了为班长，自然要主持班级会议和课外活动，这无形中锻炼了我的表达能力。

【解析】动词和结果补语之间不能加其他成分。

【改正】我高二时被选为了班长，自然要主持班级会议和课外活动，这无形中锻炼了我的表达能力。

(65) *虽然我如愿上了广播大学，但学广播不到一年，我就知道了自己不是从事广播业那块料。

【解析】宾语为主谓短语或动词短语时，谓语动词后不能用动态助词“了”。

【改正】虽然我如愿上了广播大学，但学广播不到一年，我就知道自己不是从事广播业那块料。

(66) *大家一直看着我，听我的说话，我很享受这种被注视的感觉，并暗下决心，一定要当主持人。

【解析】结构助词“的”不能修饰动宾结构。

【改正】大家一直看着我，听我说话，我很享受这种被注视的感觉，并暗下决心，一定要当主持人。

(67) *虽然我来了中国留学三年了，但父母还是跟三年前一样每天担心我，为我操心。

【解析】如果谓语动词是持续性动词，时量补语与谓语动词之间可加动态助词“了”或“过”，如“他躺了一会儿就出去了”。如果谓语动词是非持续性动词或带有结果补语、趋向补语，且后面有宾语，则谓语动词与宾语之间不能加动态助词“了”或“过”。

【改正】虽然我来中国留学三年了，但父母还是跟三年前一样每天担心我，为我操心。

4. 连词的误用

(68) *科学家发现，有些病毒能够从宿主病毒和其他微生物身上“掠夺”基因，病毒基因因而达到显著的混合效果。

【解析】后一分句如果有主语的话，一般连词放在主语前，起关联作用的副词放在主语后。

【改正】科学家发现，有些病毒能够从宿主病毒和其他微生物身上“掠夺”基因，因而病毒基因达到显著的混合效果。

(69) *名著在主题、结构、语言上都是非名著可望而不可即的，如果随便翻翻便会有所收获。

【解析】本句不是单纯的假设关系复句，而是含有假设转折关系的复句。

【改正】名著在主题、结构、语言上都是非名著可望而不可即的，即使随便翻翻也会有所收获。

(70) *认真是一种美德，无论在各种情况下、在各种位置上，都应该认真做好每件事。

【解析】连词“无论”表示任何假设条件下结果都不变，后面应带疑问代词或选择性词语。

【改正】认真是一种美德，无论在什么情况下、在什么位置上，都应该认真做好每件事。

(71) *《敕勒歌》是一首只有27个字的北朝民歌，所以它有着极大的艺术感染力。

【解析】应将表示因果关系的“所以”改为表示转折关系的“可是”。

【改正】《敕勒歌》是一首只有27个字的北朝民歌，可是它有着极大的艺术感染力。

（六）定语或状语语序不当

1. 多项定语的次序一般为：① 表领属或时间、处所的词语；② 指示代词或数量词；③ 动词或动词性短语及主谓短语；④ 形容词或形容词性短语；⑤ 名词或名词性短语。

(72) *目前，中国是世界上出口稻米最多的国家之一，稻米的生产约有40%作为商品粮销往国外市场。

【解析】定语和中心语位置颠倒。

【改正】目前，中国是世界上出口稻米最多的国家之一，生产的稻米约有40%作为商品销往国外市场。

(73) *昨晚一家饭店发生煤气泄漏事故，许多附近的居民被紧急疏散。截至凌晨，险情已基本排除。

【解析】表示数量的“许多”应放在表示处所的“附近”之后。

【改正】昨晚一家饭店发生煤气泄漏事故，附近的许多居民被紧急疏散。截至凌晨，险情已基本排除。

(74) *多年来他一直喜欢收藏汽车模型，他的房间里摆着各种各样的他平时收集来的汽车模型。

【解析】动词或动词性短语应放在形容词或形容词性短语前做定语。

【改正】多年来他一直喜欢收藏汽车模型，他的房间里摆着他平时收集来的各种各样的汽车模型。

2. 多项状语的特点有：① 先时间后处所；② 先介词短语后形容词或形容词性短语；③ 表示对象的介词短语一般放在中心语前。注意：不要弄错修饰对象。

(75) *新闻记者应该对新闻事件在客观公正的基础上进行报道，只有这样才能体现新闻的客观性和真实性。

【解析】表示对象的介词短语一般放在紧靠中心语的位置做状语。

【改正】新闻记者应该在客观公正的基础上对新闻事件进行报道，只有这样才能体现新闻的客观性和真实性。

(76) * 因为是假期，图书馆开放的时间较平时晚，都快中午了，才有人陆续来看书。

【解析】副词“陆续”表示时断时续，做状语修饰动词。本句是兼语句，兼语句的状语一般放在第一个动词前。

【改正】因为是假期，图书馆开放的时间较平时晚，都快中午了，才陆续有人来看书。

3. 定语、状语的误用

(77) *14 世纪以前，世界人口的增长速度是很缓慢的，自 18 世纪以来，世界人口的增长速度才加快明显起来。

【解析】修饰语“明显”应放在动词前。

【改正】14 世纪以前，世界人口的增长速度是很缓慢的，自 18 世纪以来，世界人口的增长速度才明显加快起来。

(78) * 在能源危机、环境危机的双重压力下，寻找替代能源、可再生能源越来越广泛地引起世界各国的重视。

【解析】根据语意，本句应表示“重视”的范围“广泛”。

【改正】在能源危机、环境危机的双重压力下，寻找替代能源、可再生能源越来越引起世界各国的广泛重视。

(79) * 在亲切友好的气氛中，两国领导人就共同关心的重大国际和地区问题交换了广泛的意见。

【解析】不是“意见”“广泛”，而是“交换”的范围“广泛”。

【改正】在亲切友好的气氛中，两国领导人就共同关心的重大国际和地区问题广泛交换了意见。

(80) * 这次展览展出了陕西考古所两千多年前出土的周代贵族墓群中众多罕见的精美文物。

【解析】“文物”是“两千多年前”的，并不是“两千多年前出土”的。

【改正】这次展览展出了陕西考古所出土的两千多年前的周代贵族墓群中众多罕见的精美文物。

(81) * 由于两国共同拥有以儒学、佛教思想为基础的文化，所以在思想、文化上很多有相似之处。

【解析】“很多”不能做状语，只能修饰名词性词语做定语。

【改正】由于两国共同拥有以儒学、佛教思想为基础的文化，所以在思想、文化上有很多相似之处。

（七）补语使用不当

(82) *新艺行是一个集商城与资讯为一体的综合网站，提供把废品制造工艺品及产品销售等服务。

【解析】结果补语表示动作或状态的结果，所以在叙述一个动作或状态引起某种结果时，应该使用结果补语。

【改正】新艺行是一个集商城与资讯为一体的综合网站，提供把废品制成工艺品及产品销售等服务。

(83) *顾客游览名胜古迹完了以后，又来到产品展厅，切身感受多元家居文化的设计魅力。

【解析】谓语动词和结果补语之间不能加其他成分。

【改正】顾客游览完名胜古迹以后，又来到产品展厅，切身感受多元家居文化的设计魅力。

(84) *他们结40年婚了，始终相敬如宾，从未红过脸，家中偶有分歧也能心平气和地协商解决。

【解析】表示一个事件而不是一个具体动作的离合词、动宾短语带时量补语时，一般采用“动词+宾语+时量补语”或“动词+宾语+动词+时量补语”的形式，表示状态的持续。

【改正】他们结婚40年了，始终相敬如宾，从未红过脸，家中偶有分歧也能心平气和地协商解决。

(85) *来了四川一个月，目睹了中国人民在抗震救灾中万众一心、众志成城的壮举之后，他发出了“中国原来是这样的”感叹。

【解析】如果谓语动词是持续性动词，时量补语与谓语动词之间可加动态助词“了”或“过”，如“他躺了一会儿就出去了”。如果谓语动词是非持续性动词或带有结果补语、趋向补语的话，后面再加宾语，则谓语动词与宾语之间不能加动态助词“了”或“过”。

【改正】在四川待了一个月，目睹了中国人民在抗震救灾中万众一心、众志成城的壮举之后，他发出了“中国原来是这样的”感叹。

(86) *让抽烟了几十年的老烟民一下子把烟戒掉是不现实的，因此应该采取逐步戒烟的方法。

【解析】时量补语带宾语且宾语是代词时，常采用“动词+代词宾语+时量补语”形式，如“等了他半天”。当宾语是名词时，常采用“动词+时量补语+名词宾语”形式，如“看了一天书”。

【改正】让抽了几十年烟的老烟民一下子把烟戒掉是不现实的，因此应该采取逐步戒烟的方法。

(87) *他到处找房子，终于在清静优雅的近郊找了一处满意的。幽静的小院是他理想的创作之所。

【解析】结果补语与动态助词“了”功能不同。动态助词“了”只表示动作的发生或状态出现，而结果补语表示动作产生的某种具体结果，所以动态助词“了”不能代替结果补语。

【改正】他到处找房子，终于在清静优雅的近郊找到了一处满意的。幽静的小院是他理想的创作之所。

(88) *不可否认，咖啡能提神，但喝多了咖啡就会产生类似食用兴奋剂的感觉，引起神经过敏。

【解析】“大、小、快、慢、肥、瘦”等形容词做结果补语时，一般表示不符合某一标准，不能带宾语，句末要加“了”。

【改正】不可否认，咖啡能提神，但咖啡喝多了就会产生类似食用兴奋剂的感觉，引起神经过敏。

(89) *房间很大，床上放着叠好的床单，洗漱用品一应俱全，摆放得整齐的桌子上也干干净净。

【解析】形容词单独做情态补语时，多含有比较的意思，如“你说得好，还是你说吧”。如果没有比较的意思，得用重叠式形容词或带有表示程度的词语的形容词做情态补语，如“房间收拾得很干净”或者“房间收拾得干干净净”。

【改正】房间很大，床上放着叠好的床单，洗漱用品一应俱全，摆放得很整齐的桌子上也干干净净。

(90) *酒后人们处于兴奋状态，往往容易开车很快，但反应迟钝又会导致对突发事件失去判断，极易发生事故。

【解析】句中有宾语又有情态补语时，可重复谓语动词或把宾语放在谓语动词前，构成“动词＋宾语＋动词＋得＋情态补语”或“宾语＋动词＋得＋情态补语”的形式。

【改正】酒后人们处于兴奋状态，往往容易把车开得很快，但反应迟钝又会导致对突发事件失去判断，极易发生事故。

(91) *学校不能只注重学生的成绩，不能把多才多艺的年轻人变得一个只会读书、一无所长的庸才。

【解析】谓语“变得”应该带补语，不能带宾语。

【改正】学校不能只注重学生的成绩，不能把多才多艺的年轻人变成一个只会读书、一无所长的庸才。

（八）成语使用不当

正确使用成语，重点在于把握成语的语义特点，可以从以下几个方面来掌握：

1. 把握成语的本来意义和语境意义。
2. 注意成语的使用范围。每个成语都有其相对固定的使用范围，准确把握其使用范围是运用成语的重要环节。
3. 注意成语的感情色彩。尤其应注意意义相近，但感情色彩完全不同的成语之间的差别。
4. 注意成语用法的不同。尤其应注意意义相近，但搭配对象不完全相同的成语的用法。

(92) * 市面上浩如烟海的汽车美容养护产品满足了车主张扬个性、让爱车成为一个“流动的家”的消费需求。

【解析】成语“浩如烟海”形容文献、资料等非常丰富，不能形容“产品”多样。成语“琳琅满目”形容美好的事物（多指书籍或工艺美术品）很多。

【改正】市面上琳琅满目的汽车美容养护产品满足了车主张扬个性、让爱车成为一个“流动的家”的消费需求。

(93) * 中国女性秉承和发展了东方审美的整体性和完美性，化妆时从肤色、色彩搭配到各个细节都一尘不染，恰到好处。

【解析】成语“一尘不染”形容非常干净，如“房间一尘不染”。成语“一丝不苟”形容非常认真，一丝一毫都不马虎。

【改正】亚洲女性秉承和发展了东方审美的整体性和完美性，化妆时从肤色、色彩搭配到各个细节都一丝不苟，恰到好处。

(94) * 如今有些年轻的父母选择运用网络资源，集思广益给孩子取名，有的甚至慷慨解囊“买名”。

【解析】成语“慷慨解囊”指拿钱帮助别人，不是为自己。形容不吝惜钱，舍得花钱，可用“不惜重金”表示。

【改正】如今有些年轻的父母选择运用网络资源，集思广益给孩子取名，有的甚至不惜重金“买名”。

(95) * 走进医疗器械商店，店员很热情，服务态度也很好，讲起产品性能夸夸其谈，感觉挺专业的。

【解析】成语“夸夸其谈”指言辞动听而不切实际，含贬义，如“要多干实事，不要夸夸其谈”。成语“头头是道”形容人说话、办事有条理，层次分明，如“他说得头头是道”。

【改正】走进医疗器械商店，店员很热情，服务态度也很好，讲起产品性能头头是道，感觉挺专业的。

(96) * 年逾花甲的黑妮嗓音洪亮、底气十足、音色优美，在星光大道的舞台上崭露头角，一举获得年度总冠军。

【解析】成语“崭露头角”多指年轻人表现出非凡的才能，如“大批优秀新生代外来工人崭露头角，成为生产一线的先锋代表”。

【改正】年逾花甲的黑妮嗓音洪亮、底气十足、音色优美，在星光大道的舞台上表现出色，一举获得年度总冠军。

(97) * 正值盛夏，电子蚊香走俏市场，果不其然，这类产品没那么神，利用超声波驱赶蚊子并未被证实。

【解析】“果不其然”是“果然”的意思，表示符合所听说的情况，与下文“这类产品没那么神”矛盾。

【改正】正值盛夏，电子蚊香走俏市场，其实，这类产品没那么神，利用超声波驱赶蚊子并未被证实。

(98) *研究表明，经常饮用凉开水可以使老人面色红润、年富力强、牙齿坚固，还有防病的功效。

【解析】成语“年富力强”用来形容年轻人精力旺盛。

【改正】研究表明，经常饮用凉开水可以使老人面色红润、精力充沛、牙齿坚固，还有防病的功效。

(99) *《樱桃》这部影片把母爱表现得炉火纯青，感人至深，但结尾处理得不够好。

【解析】成语“炉火纯青”指技艺高超，常用来比喻学问、技术或办事达到了纯熟完美的程度，如“他的二胡演奏技巧已达到了炉火纯青的程度”。形容表达、刻画得充分透彻，应该用“淋漓尽致”，如“淋漓尽致的表演”、“发挥得淋漓尽致”等。

【改正】《樱桃》这部影片把母爱表现得淋漓尽致，感人至深，但结尾处理得不够好。

(100) *他语气冷冰冰的，不带丝毫暖意，听起来让人感觉他似乎漠不关心任何事情，其实这只是别人的错觉而已。

【解析】成语“漠不关心”不能带宾语。

【改正】他语气冷冰冰的，不带丝毫暖意，听起来让人感觉他似乎对任何事情都漠不关心，其实这只是别人的错觉而已。

(101) *世界杯赛场上济济一堂、万头攒动，加油呐喊声震耳欲聋，球迷的狂热达到了极致。

【解析】成语“济济一堂”比喻人才聚集，如“招聘会上人潮涌动，各路精英济济一堂”。

【改正】世界杯赛场上人潮涌动、万头攒动，加油呐喊声震耳欲聋，球迷的狂热达到了极致。

第二部分

题型特点

这一部分考查考生对词语的正确理解。要求考生从两个方面去把握词语：一是正确理解词语的语义，看使用是否正确；二是在语境中正确使用词语，看表达是否合理。

考查重点：1. 近义词的辨析；
2. 多义词的辨析；
3. 成语的语义。

考查难点：1. 在语境中理解词义；
2. 对词语用法的把握。

考点精讲

1. 实词同义词辨析

（1）从词义上辨析。例如：

A. “发现”与“发明”：“发现”侧重于找到；“发明”侧重于创造。

B. “承担”与“承受”：“承担”侧重于担负；“承受”侧重于接受。

C. “复杂”与“庞杂”：“复杂”侧重于多而杂；“庞杂”侧重于大而杂。

（2）从用法上辨析。例如：

搭配对象不同：A. 承担（后面加“义务、责任、工作”等）
承受（后面加“压力、考验、重量”等）
B. 固执（多形容“性格、性情、作风”等）
顽固（多形容“思想、观念、立场、态度”等）
C. 挨（多带表示消极意义的宾语，如“挨打、挨骂、挨批评”）
受（既可带表示消极意义的宾语，也可带表示积极意义的宾语，如“受灾、受苦、受表扬”）

词性和功能不同：A. 勇敢（形容词，做谓语，如“非常勇敢”）
勇气（名词，做主语或宾语，如“勇气过人、鼓起勇气”）
B. 充足（形容词，做谓语，不能带宾语，如“非常充足”）
充实（形容词、动词，做谓语，可以带宾语，如“内容充实、充实生活”）
C. 充足（形容词，可以做谓语，不能做状语，如“理由充足”）
充分（形容词，可以做谓语，也可以做状语，如“很充分、充分利用”）

使用对象不同：A. 爱戴（多用于下对上，如“爱戴领袖”）
爱护（多用于上对下，如“爱护儿童”）
B. 爱好（多用于积极方面，如“爱好体育、爱好表演”）
嗜好（多用于不良习惯，如“不良嗜好、他的嗜好就是爱喝酒”）
C. 脆弱（多用于情感上，如“感情脆弱、脆弱的心灵”）
柔弱（多形容女性身体，如“身材柔弱”）
懦弱（多用于性格上，如“性格懦弱”）

词义范围不同：A. 书籍（集合名词，不能说“一本书籍”）
书（个体名词，可以说“一本书”）
B. 纸张（集合名词，不能说“一张纸张”）
纸（个体名词，可以说 “一张纸”）
C. 边疆（范围大，如“支援边疆建设”）
边境（范围小，如“边境贸易”）

读音近似，用法不同：A. 暴发（多由外部条件促成，用于与水有关的自然物，如“山洪暴发”）
爆发（多由内部条件促成，多是人为的，如“危机爆发”）
B. 必须（副词，做状语，如“问题必须解决”）
必需（动词，做定语，如“生活必需品”）
C. 表明（多用于抽象事物，如“表明立场、态度、观点”）
标明（多用于具体事物，如“标明位置、地点、价格”）

（3）从词语色彩上辨析。例如：

感情色彩不同：A. 同伴（中性）——同伙（贬义）
B. 团结（褒义）——勾结（贬义）
C. 大肆（贬义）——大事（中性）

语体色彩不同：A. 头脑（书面语）——脑袋（口语）
B. 忐忑不安（书面语）——七上八下（口语）
C. 同舟共济（书面语）——同心协力（口语）

2. 虚词的使用

虚词方面主要考查考生对其语法意义的把握。具体包括：

（1）了解一些基本虚词的用法。比如：“把、被、对、对于、给、跟、向”等介词，以及关联词。

（2）掌握虚词的细微差别。比如：“以致”和“以至”、“关于”和“对于”、“或者”和“还是”等。

（3）掌握关联词语的正确使用。

A. 掌握关联词语的固定搭配，防止搭配不当。例如：

*你有事只有提前请假就可以。

【改正】你有事只要提前请假就可以。

B. 正确理解分句之间的关系。比如：“甚至”表示递进关系，不用于因果关系。“以至”可用于表示递进关系，也可用于表示因果关系。例如：

他不配合医生治疗，以至病越来越重。（*甚至）

他太紧张了，以至忘了说什么。（*甚至）

C. 注意关联词语的位置。

a. 用于前一分句的连词，两个分句主语相同时，连词多用于主语后；两个分句主语不同时，连词多用于主语前。例如：

*你只要坚持下去，梦想就一定能成真。

【改正】只要你坚持下去，梦想就一定能成真。

b. 后一分句如果有主语的话，连词一般放在主语前。例如：

* 公安机关开始调查他，这个案子可见与他有关。

【改正】公安机关开始调查他，可见这个案子与他有关。

c. 起关联作用的副词一般用在主语后。例如：

* 剧本经他改动以后，反而内容不如以前了。

【改正】剧本经他改动以后，内容反而不如以前了。

d. 不可滥用关联词。例如：

* 本品是用银花、连翘等中药配制而成的，并且具有祛寒退热的功能。

【改正】本品是用银花、连翘等中药配制而成的，具有祛寒退热的功能。

3. 成语的使用

成语是汉语中相沿已久、约定俗成的、结构相对固定、语法功能相当于一个词的语言单位。

（1）把握成语的适用范围。例如：

A. 不计其数（多用于人或物）——不胜枚举（多用于事例）

B. 生机盎然（只用于自然界的景象）——生机勃勃（可用于自然界的景象及社会现象）

（2）准确把握成语的侧重点。例如：

A. 包罗万象（侧重指无所不包）——应有尽有（侧重指品种类别齐全）

B. 不闻不问（侧重指行动）——漠不关心（侧重指态度）

（3）辨析成语感情色彩的不同。例如：

A. 循序渐进（褒义）——按部就班（中性）

B. 面目一新（褒义）——面目全非（贬义）

总结 做词语选择题时应把握两点，一是对词语本身的正确理解；二是分析具体语境，只有结合语境来理解词语才能选出最适合上下文的答案。

例题解析

1. 慕田峪长城______北京怀柔区北部的燕山______，在明长城基础上______而成，______现存长城中保存最______的。

A 属于　上面　建筑　是　完全　　**B** 位于　之上　扩建　为　完好

C 处于　之下　扩张　成　整体　　**D** 地处　上头　扩大　即　完美

【答案】**B**

【解析】我们可以从第一个选项入手。动词“属于”表示为某方所有，可用于人、具体事物或抽象事物，如“人属于哺乳动物”、“海淀区属于北京市”等，不能带处所宾语，故排除 A 项。动词“处于”表示处在某种地位或境遇，如“处于初级阶段”、“处于有利地位”，不能带处所宾语，故排除 C 项。动词“位于”、“地处”可以带处所宾语，符合题意，因此

B、D 为备选项。

再来看看第三组词语。“长城”属于建筑类，“扩大”多用于范围、规模方面，如“扩大影响”、“扩大场地”、“扩大面积”等，故应排除 D 项；“扩张”多用于军事、经济方面，如“扩张势力”、“军事扩张”等，故应排除 C 项。这时就可以判定答案为 B 了。

本题也可以从最后一项入手。“完全”、“整体”不能受程度副词“最”修饰，所以可排除 A 项和 C 项；形容词“完美”侧重指“美”，不但完备，而且美好，多用来形容“结构、形式、语言、形象、典型、人格”等，显然不合语境，故应排除 D 项。形容词“完好”表示事物整体无残缺，如“领土完整”、“体系完整”等，完全符合题意，确定答案为 B。

总结　这是一道较为基础的词语辨析题，主要考查词语词义与搭配。对看似“面熟”又难以说清的词语，最好的办法是先忽略，先从自己最为熟悉的词语入手，这样问题往往会迎刃而解。

2. 双休日应该以休息为主，______有些人在双休日根本不休息，______比平时更累更忙，______就______了人体的生理需要，______了自己的健康。

A 却　反正　那样　违犯　伤害　　**B** 但　反而　这样　违反　损害

C 而　反之　如此　违背　影响　　**D** 还　相反　怎样　违抗　侵害

【答案】**B**

【解析】先看第一组词。“却”、“但”、“而”虽然都可以表示转折关系，但“却”只能用于主语后，故排除 A 项；副词“还”应放在主语后做状语，故排除 D 项。

再看第二组词。连词“反之”引出与上文相反的意思，如“气温降低时人体排尿量显著增加，反之，气温上升时，人体排尿量则显著减少”，不合语境；“双休日比平时更累更忙”显然是转折关系，副词“反而”表示跟前文意思相反或出乎意料，故可确定答案为 B。

本题也可以从动词的搭配对象入手。第四组词语都是动词，都有“不依从”的意思，但侧重点及搭配对象有所不同。“违抗”侧重指有意抗拒，如“违抗命令、指示”等，不合文意；“违背”侧重指不遵守，如“违背诺言、意愿、要求、实际、良心”等，不合文意；“违犯”侧重指有意抵触，如“违犯法律、制度、政策、法令、原则”等，不合文意；“违反”侧重指不符合，如“违反规定、制度、纪律、规律”等，“人体生理需要”可以理解成“人体规律”，故判定答案为 B。

我们也可以从最后一组词语入手。动词“伤害”多用于有生命的或与感情有关的事物，如“伤害感情、自尊、身体、小动物”等，不能与“健康”搭配，故排除 A 项；动词“侵害”指用暴力或非法手段损害，如“侵害消费者的权益”，不能与“健康”搭配，故排除 D 项，从第四组可知，“违背”与“需要”不能搭配，故可判定答案为 B。

总结　这是一道考查连词、动词语义及搭配的题目，重点考查词语的细微差别。连词考查重点有二：一是与主语的关系，二是复句之间的关联关系，从这两方面入手基本就可以解决。而对于看起来“极像”的词语，就要求考生具有良好的语法和词汇基础了。这样在

考试中就能做到真正的高效快捷，基本通过一两组词就能确定答案，因为考试时题量很大，时间紧张。这就要求考生在考前复习时重点掌握词语的细微差别。

3. 时时______着愉快的心态，内心就会涌起大量的美。________客观世界对大多数人都相差无几，只是每个人的心态________着对客观世界的感受。所以说，良好的心态往往比客观世界更________。（模拟试卷 3 第 63 题）

A 坚持　实际　保留　主要　　**B** 保持　其实　决定　重要

C 保守　所以　反映　紧要　　**D** 维持　虽然　影响　可靠

【答案】**B**

【解析】第一组都是动词，但词义与搭配有所不同。“坚持”侧重指态度坚决，不妥协，多用于比较艰苦的情况，如“坚持原则、主张、方针，坚持学习、工作”等，不合题意，故排除 A 项；动词“维持”侧重指一定限度内不改变现状，有时带有勉强的语气，如“维持生活、生命、局面、秩序、关系”等，不合题意，故排除 D 项；动词“保守”侧重指保持使不失去，多与“秘密、机密”搭配使用，故排除 C 项。用排除法即可确定答案为 B 项。再看B项，动词“保持”侧重指较长时间内持续不变，如“保持水平、现状、优势、习惯，保持安静、整洁，保持沉默、联系”等，完全符合题意，故确定正确答案为 B。

本题也可从最后一组词语入手。非谓形容词“主要”不能受程度副词“更”修饰，故排除 A 项；形容词“紧要”形容紧急重要，如“紧要关头、事关紧要”等，不合题意，故排除 C 项；形容词“可靠”指可以信赖和依靠，多用于“人”或“消息材料”等，不合题意，故排除 D 项。故可判定正确答案为 B。

现在再来看第二组词。形容词“实际”不能用在主语前做状语，故排除 A 项；根据题意，本题非因果关系，故排除 C 项“所以”；而无论是否与下文具有转折关系，连词“虽然”都不能与“只是”一起使用，故排除 D 项。副词“其实”表示所说的是实际情况，承接上文而和上文意思相反，符合题意，最后判定正确答案为 B。

由此可见，无论从哪一组词语入手，前提都是具有良好的语法和词汇基础，这样才能在做题过程中做到应用自如，游刃有余。

总结　这是一道考查实词搭配的题目。本题可以应用排除法，即使对答案词语不是很熟悉，也可以在排除其他三项的情况下确定正确答案。新 HSK 增加了实词的考查量，所以做到高效至关重要。对于具有良好词汇基础的同学来说，很多题是不必通读全题就可确定答案的。本题就是一个典型例子。另外，对自己把握不是很准的虚词用法，有时可以采取回避的态度，从自己熟悉的实词入手，这也可以作为考场上的一个技巧。

4. 人的一生是一个轮回往复的______。童年和老年是人生的两个端点，有着相似的______特征。人老了便越来越孩子气，会变得天真、主观，对别人的言语非常______，特别爱听好话，稍不如意就感到委屈，容易______。

A 经历　生理　过敏　感动　　**B** 程序　原理　反感　生气

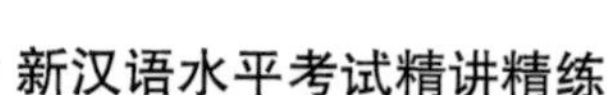

C 状态　无理　敏锐　兴奋　　　　　　　　D 过程　心理　敏感　激动

【答案】D

【解析】先看第一组词。"一个"修饰中心语做定语，只有"过程"符合此条件，即可以说"一个过程"，从第一组词语即可排除其他三个选项，确定正确答案为 D。可见，即使是高级的汉语水平考试，也是有诸多做题技巧可寻的。

再来学习其他几组词语。第二组中，名词"原理"指某一学科或领域内具有普遍意义的基本定律，如"工作原理、机械原理"等，不能应用于"人"，故排除 B 项；动词"无理"指没有道理，如"无理取闹、要求、挑衅、干涉"等，显然不合题意，故排除 C 项；"童年"与"老年"生理上是不可能相似的，虽然搭配没有问题，但不合逻辑，故排除 A 项，最后确定答案为 D。

再来看第三组词语。形容词"过敏"可指人对某些事情过于敏感，警惕性过高，如"神经过敏"，显然不合题意，故应排除 A 项；形容词"反感"指不满，符合题意，但由于前一组"原理"不用于"人"，不做定语，也可以排除 B 项；形容词"敏锐"和"敏感"都指对外界事物反应迅速，但"敏锐"多用于感官方面，如"敏锐的眼光、观察力"等，不合题意，故排除 C 项；"敏感"多用于感觉方面，如"敏感的嗅觉、性格过于敏感"等，符合题意，故确定答案为 D。

最后看第四组词语。遇到不如意的事情，情绪反应肯定不是"感动"和"兴奋"，故排除 A 项和 C 项。动词"激动"指感情因受刺激而冲动，引起"激动"的事物可以是正面、积极的，也可以是反面的、消极的，符合题意，再结合第一组和第二组词语，即可判定正确答案为 D。

总结　本题从第一组词就可直接判断出答案，后几组可以帮助进一步验证所选答案。在做这类难度不大的考题时，最重要的是时间。迅速作答，可以把时间留给其他需要思考的地方。

5. 地震是地壳运动和地球运动的一种表现，是从地球内部______出来的地震波所造成的地面震动。这种震动有的微弱，我们根本______不到，只有______的地震仪才能测量到；有的却极为______，可以破坏人工建筑和自然地形，______自然灾害。

A 传送　体验　准确　强烈　引起　　　　B 播放　感受　精细　猛烈　导致

C 传递　觉察　精确　剧烈　造成　　　　D 传播　感觉　精密　强烈　形成

【答案】D

【解析】第一组动词都有"传给"的意思，但侧重点及搭配对象有所不同。动词"传递"侧重指转给，即一个接一个送过去，多用于具体事物，如"传递信件、消息、稿件"等，不合题意，故排除 C 项；动词"传送"即"传递"，并无"发散"之意，不合题意，故排除 A 项；动词"播放"指通过广播、电视发送，如"播放音乐、比赛实况、新闻"等，不合题意，故排除 B 项；动词"传播"侧重指散布，一般都是直接的动作或行为，可用于具体的和抽象的事物，如"传播疾病、病菌、花粉、消息、文化、理论"等。本题说的是"地震波"，符合"散布"的特点，故判定正确答案为 D。

第二组都是动词，词义存在细微差别。“体验”指通过实践认识周围的事物，如“体验生活”等，不合题意，故排除 A 项；“感受”、“感觉”都表示由外界事物引起的反应，但侧重点有所不同。“感受”侧重指亲身经历后得到的体会，如“感受挫折、刺激、温暖、幸福”等，而“感觉”侧重指觉察到，如“感觉天气太闷”、“感觉他变了”等；动词“觉察”侧重指发觉，符合题意。因此 B、C、D都可作为备选答案。

再看第三组形容词。“准确”指完全符合实际情况，如“用词、发音、表达准确”等，不合题意，故首先排除 A 项；“精细”形容精致细腻，多用于办事、制作、思考等，如“办事、做工、考虑精细”等，不合题意，故排除 B 项；“精确”形容准确，多与数字有关，如“计算、数据、统计精确”等，不合题意，故排除 C项；“精密”形容精确细密，多用于仪器，而“地震仪”是典型的仪器，完全符合题意，故判定正确答案为 D。

第四组的形容词都含有“势猛、厉害”的意思，但适用范围及侧重点有所不同。“剧烈”侧重指急剧、厉害，常用来形容社会的巨大变革，事物的矛盾、冲突，急剧的运动，肉体上的疼痛等，本身已表示极强的程度，一般不受程度副词修饰，故排除 C项；“猛烈”侧重指来势凶猛，常用于形容来势急、力量猛的事物，如“暴风雨、火势”等，不合题意，故排除 B 项；“强烈”多用来形容程度极强的光线、电流或浓度很高的色彩、气味，也可以形容人的感情、要求、主张等，本题与这组形容词搭配的词语是“地震的震动”，参考上下文，“强烈”最为合适。

最后一组动词都可以表示因某种结果出现某种情况，但侧重点有所不同。“形成”多是由于自身的原因而引起某种情况，如“冻雨现象形成雨凇景观”；“造成”多用于因外界因素而出现某种情况，如“地震造成巨大损失”；“引起”强调引起某种情况的原因，如“地震引起恐慌”；而“导致”强调出现某种后果，如“吸烟导致不孕”。

总结 这是一道典型的考查实词搭配的题目，是考试中较为常见的一种类型。如果暂时不能准确判断某一组词语的细微差别，也可以从另一组词语入手。做此类题有时“知难而上”并不是好办法，“避重就轻”的方法更为有效，即从自己熟悉的词语入手。

6. 据调查，佩戴隐形眼镜的人大多曾出现眼睛干涩、红血丝、______模糊不清的现象。医生提醒，这可能是角膜缺氧的______，并建议佩戴______超过 8 小时，______日久视力______。（模拟试卷 6 第 63 题）

A 视力　症状　切忌　以便　疲劳　　**B** 视线　征兆　切勿　以免　受损

C 眼前　病症　切记　免得　疲倦　　**D** 眼睛　兆头　不要　以致　下降

【答案】**B**

【解析】先看第一组名词。“视力”指眼睛辨别物体形象的能力，“视力”可以“增强”或“减退”，不能“模糊不清”，故排除 A 项；可以说“眼前模糊不清”，但不能说“眼睛模糊不清”，“模糊不清”是眼睛对外界的反应，不是眼睛自身的感觉，故应排除 D 项；“视线”指眼睛和所见到的物体之间的假想直线，如“视线模糊”、“挡住视线”等，符合题意，故

B、C项为备选。

再看第三组词语，“切记”指务必记住，如“切记认真检查”等，根据题意，排除C项；“切忌”、“切勿”指务必要避免，如“切忌饮用生水”、“切勿吸烟”等，符合题意。结合第一组词语，可确定B为正确答案。

再来看第四组词语。这是一组连词，“以便”有“为了”的意思，用于希望的事情，如“请写清地址，以便准确投递”，不合语意，故应排除A项；“以致”表示因果关系，多用于已发生的不希望的结果，如“他长期劳累，以致病倒了”，显然不合题意，故排除D项；“以免”、“免得”含有“为了不”的意思，用于不希望的事情，如“请写清地址，以免投递错误”等，完全符合题意。

第二组和第五组词语稍有难度，我们来一一分析。名词“征兆”、“兆头”都指事情发生前显露出来的先兆，如“地震前的征兆”、“好兆头”等，符合题意；名词“病症”指疾病，如“疑难病症”等，不合题意；名词“症状”指因患病而呈现的异常状态，不合题意。形容词“疲劳”、“疲倦”都可以形容人劳累、无力。“疲劳”侧重指因体力或脑力消耗过大而劳累，如“过度疲劳”；“疲倦”侧重指因疲劳过度而感到困倦，如“他不知疲倦地工作着”，主体都是“人”，都不能与“视力”搭配使用，故应该排除A项和C项。“下降、受损”都可以与“视力”搭配使用。

总结 本题并没有什么生僻词语，但有些词很难说清它们的细微差别。因此，对于这种看似简单的题目不能掉以轻心，以免掉进“陷阱”。在解题时，我们回避了较难把握的第二组和第五组词语，通过一、三组词语就确定了正确答案。可见，解题角度也很重要，选择自己熟悉的“路径”更为方便。

7. 爱情和婚姻对于人生的意义是______的。但是，随着社会的发展，年轻人在婚姻关系中所表现出的个人______意识和独立性进一步______，这使他们的婚姻、家庭______发生了很大的变化。因此，有些人为了拥有一个______的、独立的内心世界和生活天地而选择独身。（模拟试卷4第64题）

A 不谋而合　自我　加强　意识　完美　　**B** 不言自明　独立　增加　观点　齐全
C 不可思议　自立　加固　想法　完善　　**D** 不言而喻　自主　增强　观念　完整

【答案】**D**

【解析】本题可以先从大家熟悉的第五组词语入手。这组都是形容词，但侧重点及适用对象有所不同。“完善”侧重指“善”，齐全而良好，可用于“设备、工作、计划”等；“完美”侧重指“美”，齐备而美好，可用于“结构、语言、形式、形象”等；“齐全”侧重指“全”，表示事物整体的各个组成部分不短缺，多用于具体事物，如“设备、品种、货物”等；“完整”侧重指“整”，表示事物整体完好，不残缺，可用于“领土、主权、体系”等，也可以用于较为抽象的事物，如“完整的记忆、印象”等。本题指“拥有一个不残缺的内心世界和生活”，“完整”最为合适，故排除其他三项，确定正确答案为D。

现在看难度较大的第一组成语。“不谋而合”指事先没有商量，但意见或行动完全一

致，如“他们的意见不谋而合”，主体为“人”，显然不合题意，故排除A项；“不可思议”指神秘深奥的事情让人难以理解，如“感情是个不可思议的东西”、“自然界的变化让人觉得不可思议”，不合题意，故应排除C项；“不言自明”与“不言而喻”都有“道理很明显，不用说就可以明白”的意思，如“吸烟的危害不言而喻”、“固执己见的结果不言自明”，均符合题意。

再看第三组词语。动词“加固”指加工使其坚固，用于工程建筑方面，如“加固堤坝工事”等，不合题意，故应排除C项；“增加”侧重指数量的增多，如“增加投入、人员、消费”等，不合题意，故应排除B项；可以说“加强意识”或“增强意识”，再结合第一组词语，可确定正确答案为D。

最后看第四组词语。这是一组名词，泛指想法，但侧重点完全不同。“观点”侧重指从某一立场或角度出发看问题，如“政治、技术、业务观点”等，不合题意；“想法”是思考的结果，如“他早有辞职的想法”，不合题意；“意识”指人们对某事物的认识，如“环保、理财、投资、爱国、家庭意识”等；“观念”侧重指头脑中长期形成的意识，如“传统、组织、法制、家庭观念”等。本题指人们对婚姻及家庭的认识，故“观念”、“意识”均合适。

总结 对于成语，考生一般都心怀恐惧。其实成语并没有大家想象得那么难，在考场上用冷静与坦然的心态面对“障碍”是非常重要的，同时也要学会跳跃障碍，寻找突破口。

8. 人在世上是不能没有朋友的。不论是天才还是普通人，没有朋友都会感到______和不幸。事实上，绝大多数人也都会有自己或大或小的朋友______。如果一个人活了一辈子连一个朋友也没有，那么，他很可能______得离谱，使得人人只好______；或者坏得离谱，以至于人人侧目而视。

A 孤单　圈子　怪僻　敬而远之　　**B** 孤独　范围　乖僻　若即若离
C 孤立　领域　怪诞　窃窃私语　　**D** 孤寂　领地　怪异　小心翼翼

【答案】**A**

【解析】第一组形容词都有“独自一人”的意思，但侧重点有所不同。“孤单”侧重指没有依靠，如“孤单一人”；“孤独”侧重指没有同伴，如“内心孤独”；“孤立”侧重指不能得到同情和援助，如“孤立无援”；“孤寂”侧重指寂寞，如“孤寂的生活”。“感到”一般不与“孤立”搭配，故排除C项。

再看第二组词语，这组为名词，都可指四周界限，但适用对象有所不同。“领域”多适用于学术思想、社会活动等方面，如“科学、思想、文化领域”等，不合题意，故应排除C项；“范围”适用于或抽象或具体的事物，如“职权、工作、考试范围”等，但一般不说“朋友范围”，故应排除B项；“领地”指所属的地方，如“国家领地”等，不合题意，故应排除D项；“圈子”指人活动的范围或集体的范围，如“生活圈子”等，“朋友”显然是指一个人活动的范围，完全符合题意，所以确定正确答案为A。

第三组词语都是较为少见的形容词，甚至有点生僻。“怪僻”、“乖僻”都指人的性格，

如“性格、脾气怪僻”、“生性乖僻”等，符合题意；“怪诞”指离奇荒诞，不合常理，不用于人，故应排除 C 项；“怪异”指不同一般，可用于形容人的行为，如“行为、想法怪异”等，但一般不直接说“人很怪异”，故也应排除 D 项。

最后来看第四组成语。“敬而远之”指表面上尊敬，实际上不愿接近，如“大家对太挑剔的同事都敬而远之”，符合题意；“若即若离”形容对人保持一定距离，让人捉摸不定，如“他这种若即若离的态度让人失望”，本题可用；“小心翼翼”侧重指小心、一点儿也不敢疏忽的样子，如“他小心翼翼地把花瓶放在桌子上”，本题可用；“窃窃私语”表示私下小声议论、交谈，常做“声音”的定语，如“会场上响起了窃窃私语的声音”，不合题意，故应排除。

总结 新 HSK 不排除那种不了解成语就难以确定答案的题，也许有，但并不多见，一般来说，都可以从其他选项找到突破口，因此，对于实在不会的成语，可跳过不考虑。

9. 《三字经》自南宋形成以来，已有 700 多年的历史，可谓______，脍炙人口。它总共有 1000 多字，是学习中华文化______的儿童启蒙______，三字一句的韵文______极易成诵，内容______教育、历史、天文、伦理和道德以及一些民间传说。（模拟试卷 1 第 65 题）

A 家喻户晓　不可多得　读物　形式　包括

B 百花齐放　难能可贵　文件　方式　概括

C 万古长青　独一无二　教材　格式　包含

D 众所周知　不计其数　刊物　模样　涵盖

【答案】**A**

【解析】先从第一组成语入手。“万古长青”比喻崇高的精神或深厚的友谊永远不会消失，常与“精神、友谊”搭配使用，如“两国人民的友谊万古长青”，不合题意，故应排除 C 项；“百花齐放”比喻各种不同形式和风格的艺术作品自由发展，多形容艺术界的繁荣景象，如“百花齐放的时代呼唤百花齐放的文艺”，不合题意，故应排除 B 项；“家喻户晓”指大家都知道，应用范围较广，可用于人或事物，如“屈原是家喻户晓的人物”、“三国的故事家喻户晓”、“海尔电器在中国家喻户晓”，完全符合题意；“众所周知”有“人所共知”的意思，如“教育决定国家未来，这是众所周知的”、“提起曹操，可谓众所周知，无人不晓”，符合题意。故 A、D均可作为备选项。

再看第二组，同样也是成语。“难能可贵”指做到一般人或一般情况下不易或不能做到的事情，如“重诺守信的契约精神难能可贵”、“最难能可贵的是学会了宽容”，不符合题意，故应排除 B 项；“不计其数”指数量多，可用于人、事或物，如“白手起家而终成大业的人不计其数”、“北京的汽车不计其数”，显然不合题意，故应排除 D项；“不可多得”即难得，如“不可多得的人才”、“不可多得的好书”，完全符合题意；“独一无二”即唯一、没有相同或可以相比的，如“独一无二的艺术品”，不合题意，故确定答案为 A 项。

来看第三组词语。“文件”是公文、信件的统称，如“公司文件”、“机密文件”等，不

合题意；“刊物”即杂志，指定期或不定期的出版物，如“文学刊物”、“医学刊物”等，不合题意；“读物”指供阅读的书报杂志等，符合题意；而《三字经》可以理解成儿童启蒙“教材”，符合题意，故A、C为备选项。

第四组词语是差异较为明显的名词。“格式”指规格、标准，如“书信格式”、“写作格式”等，不合题意；“模样”指长相或情势，如“这姑娘模样俊秀”、“看这模样，红方必胜”等，不合题意；“方式”指方法和形式，如“生活、工作方式”等，不合题意；“形式”指事物的结构，如“文章、艺术、表现形式”，符合题意。

第五组是差异较小的动词。“包含”侧重指一类事物的各个方面互相依存、不可分割，如“包含的内容、成分、因素、道理”等，不合题意；“概括”指归结事物的共同点，“总括”的意思，如“用简练的语言概括文章内容”，不合题意；“涵盖”、“包括”都有“里面含有”的意思，如“南亚包括哪些国家”、“这本书涵盖了银行的全部业务”，均符合题意。

总结 本题在考试中较为少见，属于难度较高的一组题。主要考查学生对成语的辨析能力以及对基础词汇细微差别的把握能力。前两组词语有些难度，而后三组词语基本属于基础词汇，难度较低，可见，考试也是难易结合的。

10. 缂丝在中国拥有四千多年的悠久历史，______之作甚少；更由于当今缂丝工艺传人______，所以缂丝工艺当之无愧地被______世界非物质文化遗产名录。缂丝因其______的工艺而被称为“雕刻过的丝绸”或“织中之圣”，历来为中国皇家所______。（模拟试卷1第70题）

A 优秀　独一无二　算为　标新立异　继承
B 杰出　凤毛麟角　放入　风格独特　操纵
C 经典　少之又少　列为　匠心独运　控制
D 传世　屈指可数　列入　独树一帜　垄断

【答案】**D**

【解析】第一组词语均符合题意，因此我们可以从第二组词语入手。考题对应的主体是“人”，“独一无二”即唯一，如“长城是独一无二的”、“每个人都是独一无二的”，搭配没有问题，但不合题意，因为本题所表达的是“传人稀少”而非“唯一”，故应排除A项；其他三个词语可以用于形容稀少而高贵的人或物，符合题意，均可作为备选。

第三组词语中“放入”多用于具体事物，“工艺被放入名录”显然不合逻辑，故应排除B项。

第四组词语修饰“工艺”做定语，成语“独树一帜”和“标新立异”都有“与众不同”的意思，但适用对象有所不同，“标新立异”多用于提出新奇的主张，显示与众不同，主体为“人”，不合题意，故应排除；“独树一帜”多用于风格、主张、学派等自成一家，主体既可以是“人”，也可以是“事物”，符合题意；“匠心独运”指独创性地运用巧妙的艺术构思，多用于文学、艺术方面的独特构思，不合题意。此时即可确定正确答案为D。

最后一组都是动词。“操纵”指用不正当手段支配，带有贬义，如“操纵股市、市场”、

“暗中操纵”等，不合题意，应排除 B 项；“垄断”泛指把持和独占，虽略带贬义，但符合题中缫丝产品被皇家独占的意义。“控制”也可用于本题。“继承”指接受前人遗留下来的东西，侧重于“承接”，不合题意。

总结 这是一道看似很难的题，词语看似熟悉但又不甚了解，还包括两组成语，但是不必着急，可以各个突破。总而言之，良好的语法及词汇基础，结合上下文语境的细心观察、沉着应对是考试成功的法宝。

第三部分

题型特点

阅读第三部分共 10 题，两篇文章。文章类型分为两类，一是说明类或介绍类文章，二是以日常生活为题材的故事。每篇文章设置 5 个空格，要求考生根据下上文内容选句填空。这类题难度并不高，只要注意联系上下文，找出核心词语特别是关联词语及指代词语就可以了。难点在于时间有限，快速准确更为重要，所以一般无须通读，只要注意空白处的上下文就行。

例题解析 1 （模拟试卷 8 第 71–75 题）

宇宙环境是极为恶劣的，高真空、高缺氧、宇宙辐射、温度差异等不利因素会对人体造成严重伤害。在这种环境里，航天员是无法生存和工作的。面对严峻的宇宙空间环境，怎样才能保证航天员的生命安全呢？科技人员研制了一个基本与外界隔绝的密闭环境，即密闭座舱，用来保护航天员。

人类长期的生活习惯是（1）______，睡眠一般都安排在夜晚。而航天飞船在飞行中的昼夜周期和我们在地球上的昼夜周期是不同的。地球上的一天是一次日落日出，为 24 小时。空间飞行时的一次日落日出，周期长短不一，因为（2）______。轨道高，昼夜周期就长；轨道低，昼夜周期就短。飞船航天飞行期间的昼夜周期，白天和黑夜的时间长短是不一致的，白天时间长，黑夜时间短。90 分钟一个昼夜周期，最长的黑夜仅有 37 分钟。飞船由地球阳面进入阴面时，就如同由白天进入黑夜一样。由于航天飞机速度很快，太阳出来时好像迅雷似的一跃而出，落山时也如旋风一样迅速地隐去。

一位航天员曾经这样描述宇宙间的一天：早晨，计算机控制的钟唤醒我们。起床后，拉开窗帘看看宇宙空间，阳光灿烂，天色真美。可是不大一会儿，太阳没有了，天暗下来了，黑夜来临了，我们想：又该睡觉了吧？真是有趣极了，（3）______。

在宇宙空间最特殊的就是睡觉姿势，失重时，身体完全放松，会自然形成一种弓状姿势。航天专家认为，在太空中睡眠，身体稍微弯曲成弓状，比完全伸直平躺着要舒服得多。

在太空飞行中，(4) ______，如果不这样，在发动机开动时，就会跟舱壁发生碰撞。所以，航天员一般还是喜欢将睡袋紧贴着舱壁，(5) ______。在失重时，反正分不清上和下，站着躺着睡都一样，想怎么睡都可以。由于人在失重时是飘浮的，航天员行动起来会感到不方便，动作都不像在地面上那样协调。站立不稳，摇摇晃晃，稍一抬头仰身就有可能来个大翻身，弯腰时又可能翻跟头，所以一切动作都得小心翼翼。

A 它和飞船绕地球飞行的轨道高低有关

B 一会儿是早晨，一会儿是黑夜

C 日出而作，日落而息

D 这样就像睡在床上一样舒服

E 睡袋一般固定在飞船内的舱壁上

1. 【答案】**C**

   【解析】根据前半句“人类长期的生活习惯”，可以轻而易举确定答案为 C。众所周知，人类的习惯就是白天活动，晚上休息。

2. 【答案】**A**

   【解析】根据后面的“轨道高，昼夜周期就长；轨道低，昼夜周期就短”，可以确定答案为 A。

3. 【答案】**B**

   【解析】本段描写了一位航天员的一天：“早晨……可是不大一会儿……天暗下来了，黑夜来临了”，展现了一会儿是早晨、一会儿是黑夜的场景，所以答案为 B。本句要注意抓住核心词语，排除其他干扰词语。

4. 【答案】**E**

   【解析】联系下文 “如果不这样，在发动机开动时，就会跟舱壁发生碰撞”，可推测出睡袋需要固定，故而确定答案为 E。

5. 【答案】**D**

   【解析】根据上句“航天员一般还是喜欢将睡袋紧贴着舱壁”， 可以确定答案为 D。 D 选项中的“这样”即指“将睡袋紧贴着舱壁”。

例题解析 2 （模拟试卷 7 第 76–80 题）

他和她的相识是在一个宴会上，那时的她年轻美丽，身边有很多追求者，而他却是一个很普通的人。因此，当宴会结束，他邀请她一块儿去喝咖啡的时候，她很吃惊，然而，出于礼貌，她还是答应了。

坐在咖啡馆里，两个人之间的气氛很是尴尬，没有什么话题，她只想尽快结束，好回去。但是当服务员把咖啡端上来的时候，他却突然说："麻烦你拿点儿盐过来，我喝咖啡习惯放点儿盐。"当时她愣了，服务员也愣了，大家的目光都集中到了他身上，以至于他的脸都红了。

服务员把盐拿过来，他放了点儿进去，慢慢地喝着。她是好奇心很重的女子，于是很好奇地问他："你为什么要加盐呢？"他沉默了一会，很慢地，几乎是一字一顿地说："小时候，我家住在海边，我老是在海里泡着，海浪打过来，海水涌进嘴里，又苦又咸。现在，很久没回家了，咖啡里加盐，(6) ______，可以把距离拉近一点儿。"她突然被打动了，因为这是她第一次听到男人在她面前说想家，她认为，想家的男人必定是顾家的男人，而顾家的男人必定是爱家的男人。(7) ______，跟他说起了她远在千里之外的故乡，冷冰冰的气氛渐渐变得融洽起来。两个人聊了很久，而且她没有拒绝他送她回家。

再以后，两个人频繁约会，她发现他实际上是一个很好的男人，大度、细心、体贴，符合她所欣赏的所有优秀男人应该具有的品质。她暗自庆幸，幸亏当时的礼貌才让她没有和他擦肩而过。她带他去遍了城里的每家咖啡馆，每次都是她说："请拿些盐来好吗？我的朋友喜欢咖啡里加盐。"再后来，(8) ______，"王子和公主结婚了，从此过着幸福的生活"。他们确实过得很幸福，而且一过就是四十多年，直到前不久他得病去世。

故事似乎要结束了，如果没有那封信的话。

那封信是他临终前写的，写给她的："原谅我一直都欺骗了你！还记得第一次请你喝咖啡吗？当时气氛差极了，我很难受，也很紧张。不知怎么想的，我竟然对服务员说拿些盐来，其实我喝咖啡不加盐，当时既然说出来了，只好将错就错了。没想到竟然引起了你的好奇心，这一下，(9) ______。有好多次，我都想告诉你，可我怕你会生气，更怕你会因此离开我。现在我终于不怕了，因为我就要死了，死人总是很容易被原谅的，对不对？今生得到你是我最大的幸福，(10) ______。只是我可不想再喝加盐的咖啡了，咖啡里加盐，你不知道那味道有多难喝！咖啡里加盐，我当时是怎么想出来的！"信的内容让她吃惊，同时有一种被骗的感觉。然而，他不知道，她多想告诉他：她是多么高兴，有人为了她，能够做出这样的一生一世的欺骗……

A 如果有来生，我还希望能娶到你
B 她突然有一种倾诉的欲望
C 让我喝了半辈子加盐的咖啡
D 就像童话书里所写的一样
E 就算是想家的一种表现吧

6.【答案】**E**

【解析】原文中男的说："小时候，我家住在海边，我老是在海里泡着，海浪打过来，海水涌进嘴里，又苦又咸。现在，很久没回家了，咖啡里加盐……"由"盐的味道"想到"家乡海水的味道"，继而又想到了"回家"，故而确定答案为 E。

7.【答案】**B**

【解析】根据下文“跟他说起了她远在千里之外的故乡”可知，她开始向他倾诉，判定答案为 B。

8.【答案】**D**

【解析】下文有“王子和公主结婚了，从此过着幸福的生活”，这是童话书里的经典情节，故而确定答案为 D。

9.【答案】**C**

【解析】上文先写“对服务员说拿些盐来”并“只好将错就错”，然后用“这一下”引出结果语句，可以推断出男的一直在喝加盐的咖啡，因此答案为 C。

10.【答案】**A**

【解析】前半句提到“今生”，下半句一般都会说“来生”，由此推断出答案为 A。

第四部分

题型特点

这部分试题共 20 题，分散在五六篇文章中。文章类型跟听力第三部分差不多，但难度更大，干扰项的难度设置也有所增加。内容大致分为三类：一是说明类或介绍类文章，包括科普文章及中国民俗民情介绍等；二是以日常生活为题材的故事，包括童话、寓言、成语、典故等；三是科技类或社科类文章。每篇文章后面设置 3–5 个问题，要求考生选出正确答案。

例题解析 1：介绍类 （模拟试卷 6 第 93–96 题）

悬空寺位于北岳恒山脚下的金龙峡，距大同市约 80 公里，据说是北魏时一位叫了然的和尚所建，距今已有 1400 多年的历史。

这里山势陡峻，两边是直立百余米、如同斧劈刀削一般的悬崖。悬空寺就建在这悬崖上，给人一种可望而不可即的感觉。抬头望上去，但见层层叠叠的殿阁，只有十余根像筷子似的木柱子把它撑住。那大片的赭黄色岩石，微微向前倾斜，好像瞬间就要塌下似的。俗语说：“平地起高楼。”可是，悬空寺却反其道而行之，悬空建在这绝壁之上。虽然悬空寺给人的第一印象是像一栋危楼，但出于好奇和探险的冲动，谁都愿意鼓起勇气踏上寺门。

过了佛堂前面的平台后，踏上那连接殿宇之间的栈道，人们会不约而同地提起脚跟，屏住呼吸，小心翼翼地踩在木板上，好像走在刚结了冰的河面那样，生怕脚重，寺塌下来，自己变成“空中飞人”；然而，脚底下的木板虽然吱吱作响，贴在岩石上的楼台却岿然不动。侧身探头向外仰望，但见凌空的栈道只有数条立木和横木支撑着。这些横木又叫“铁扁担”，是用当地的特产铁杉木加工而成的方形木梁，深深插在岩石里。据说，木梁用桐油浸过，所以不怕被白蚁咬，还有防腐的作用。这不正是修筑栈道的古方吗？看来，悬空寺就是用类似筑栈道的方法修建的，而阁楼的底座便铺设在许多“铁扁担”上。大殿的后面挖了很多石窟，变成了一半房子一半洞的独特建筑形式。

其实，悬空寺之所以能够悬空，除了借助“铁扁担”之力以外，立木也立下了汗马功劳。这些立木，每条柱的落点都经过精心计算，以保证能把整座悬空寺支撑起来。据说，有的木柱起承重作用；有的用来平衡楼阁的高低；有的要有一定的重量加在上面，才能够发挥支撑作用，如果空无一物，它就无所借力而身不由己了。

但是，除了因地制宜之外，到底还有其他什么缘故要把悬空寺建在这千尺峭壁上呢？原来，以前这里是南去五台、北往大同的交通要道，悬空寺建在这里，可以方便来往的信徒进香。其次，浑河河水从寺前山脚下流过，常常暴雨成灾，河水泛滥，人们以为有金龙作祟，便想到建浮屠来镇压，于是就在这百丈悬崖上悬空修建了寺院。

1. 文中画线的“反其道而行之”是指悬空寺：

A 建在山脚下 **B** 建在悬崖上

C 建在恒山上 **D** 用木质材料

【答案】**B**

【解析】此类问题一般都可以在上下文找到答案。上文说“平地起高楼”，那么悬空寺“反其道而行之”就肯定不是建在平地上的；接着又用 “悬空建在这绝壁之上”对上文进行解释。故而确定答案为 B。

2. 关于“铁扁担”，下面正确的一项是：

A 铁质材料包裹寺庙 **B** 寺庙建筑材料似铁

C 木梁由铁杉木制成 **D** 寺庙的外形似扁担

【答案】**C**

【解析】原文说：“这些横木又叫‘铁扁担’，是用当地的特产铁杉木加工而成的方形木梁”，故而确定答案为 C。

3. 关于悬空寺，正确的说法是：

A 整个寺庙采用了石窟式建筑形式 **B** 寺庙重量由筷子粗细的木梁支撑

C 寺庙中的房子有的建筑在崖壁里 **D** 寺庙修建多年，已面临倒塌危险

【答案】**C**

【解析】文章第三段说：“大殿的后面挖了很多石窟，变成了一半房子一半洞的独特建筑形式”，可见悬空寺的建筑只有一半是石窟式的，而非“整个寺庙”，故而排除 A。

原文介绍，殿阁“只有十余根像筷子似的木柱子把它撑住”，木柱子形状似筷子，而非粗细似筷子；文章第四段介绍悬空寺除了有“铁扁担”支撑外，立木也起到了重要作用，故而排除B。

第二段有：“那大片的赭黄色岩石，微微向前倾斜，好像瞬间就要塌下似的”，是说“好像”要塌而非真的“倒塌”。第三段也介绍“脚底下的木板虽然吱吱作响，贴在岩石上的楼台却岿然不动”。故而排除D。

运用排除法，可知正确答案为C。

4. 本文主要介绍了悬空寺的：

A 建筑特点　　**B** 建筑历史

C 建筑年代　　**D** 建筑原因

【答案】**A**

【解析】文章开头介绍了悬空寺的地理位置、建筑年代，后面介绍了其独特之处，即“建在悬崖上”，接着介绍了建筑材料“铁扁担”及“立木”等，最后简单介绍了建造悬空寺的历史背景，其中说得最多的是建筑特点，故而确定答案为A。

例题解析2：科普类

150年来，人们从未停止过对达尔文进化论的挑战。人脑的变化是进化论的重要依据。进化论认为，人的聪明程度跟脑容量的多少有关，新人的脑容量比古人多，古人比猿人多，因而人类就逐渐聪明起来。

考古学家往往以一两颗牙齿、半片头盖骨化石为依据进行推论，难免有人为因素掺杂其间，未可全信。比如，苏格兰一些3.7亿年前的化石，以前的研究者都视为鱼类化石，而后经考证，这些骨骼具有四足动物的特征。抛开以上这些不说，单说根据现代医学的论证，人的聪明程度并不完全取决于脑容量的多少，脑容量较少，甚至无脑的聪明人不断见诸报端，而脑容量超出常人的白痴也不乏其人。

根据考古学材料可知，新人的脑容量与现代人不相上下，那么新人就该同现代人一样聪明。换句话说，5万多年来，人类似乎并没有进化。如果进化，那么现代人的脑容量应该是最重的。也就是说，按照进化论的观点，人的脑容量永远不会有相同的时候。照此推论下去，势必会有这样的结论：人类的脑容量相同，则说明这段时间人类没有进化；若进化，则脑容量不应该相同。所以，新人与现代人脑容量相同，恰好证明进化论站不住脚。

现代医学证明，人脑的使用只发挥了百分之几的潜能。按进化论的观点，现代人的智慧是以前的人无法相比的，脑潜能尚且只使用了百分之几，那么新人肯定还没有达到这个水平。这就使我们不得不问：新人何以将脑潜能进化到这种程度而不用？这些没有使用的潜能是如何进化来的？因为按进化论来说，人类各种器官的进化都是劳动的结果，正是由于劳动的刺激，器官才逐步进化。可是如此多搁置不用的人脑潜能又是通过什么刺激进化

而来的呢？

另外，人种问题也是进化论难以说清的现象。现在世界上主要有白、黄、黑、棕四大人种。经科学证明，这不是变异的结果，也不可能是变异，而是从来如此。因为变异毕竟是少数，也不可能如此集中、统一。可是进化论则认为，只有一支猿猴进化成了人类，至于到底是进化成了何色人种，进化论根本难以说清；即使说得清，那另外三支人种又是什么进化而来的？如果承认进化论，承认人类都是古猿进化而来的，那至少有四支古猿进化成了人类，也就是古猿进化成人类就不是偶然而是必然了。照此推论，所有的猿类都该进化成人类，现在地球上的猿类同 4 万年前的并没有太大差别，但它们尚无进化成人类的迹象。

5. 下列哪项不能作为否定进化论的依据？

A 考古证明新人的脑容量与现代人不相上下

B 医学证明人脑的使用只发挥了极少的潜能

C 劳动刺激的结果使人类器官得以逐步进化

D 地球上的所有猿类并没有完全进化为人类

【答案】**C**

【解析】文中说：“根据考古学材料可知，新人的脑容量与现代人不相上下”，而按进化论推断，“人类的脑容量相同，则说明这段时间人类没有进化；若进化，则脑容量不应该相同。所以，新人与现代人脑容量相同，恰好证明进化论站不住脚”。所以 A 项可以作为否定进化论的依据。

文中说：“现代医学证明，人脑的使用只发挥了百分之几的潜能”，而按进化论推断：“现代人的智慧是以前的人无法相比的，脑潜能尚且只使用了百分之几……新人何以将脑潜能进化到这种程度而不用？这些没有使用的潜能是如何进化来的？”所以 B 项可以作为否定进化论的依据。

文中说：“现在世界上主要有白、黄、黑、棕四大人种。经科学证明，这不是变异的结果，也不可能是变异，而是从来如此”，而进化论则认为：“只有一支猿猴进化成了人类，至于到底是进化成了何色人种，进化论根本难以说清”。所以 D 项可以作为否定进化论的依据。

文中说：“按进化论来说，人类各种器官的进化都是劳动的结果，正是由于劳动的刺激，器官才逐步进化”，C 项肯定了进化论的理论，所以答案为 C。

6. 文中画线语句是为了说明什么？

A 先入为主的主观因素导致判断的错误

B 人的聪明程度与脑容量多少密切相关

C 人的聪明程度并不完全取决于脑容量

D 人类大脑进化与劳动有着密切的关系

【答案】**C**

【解析】文中说：“进化论认为，人的聪明程度跟脑容量的多少有关”，而画线的句子说，

脑容量少的聪明者不乏其人，而脑容量超常的白痴也有，故而证明“人的聪明程度并不完全取决于脑容量”，确定答案为 C。

7. 关于进化论的理论，不正确的一项是：

A 人类器官的进化是劳动的结果

B 脑容量决定了人类的聪明程度

C 人类是由一支古猿进化而来的

D 人类是由四支古猿进化而来的

【答案】**D**

【解析】文中说：“按进化论来说，人类各种器官的进化都是劳动的结果”，故排除 A。

文中说：“进化论认为，人的聪明程度跟脑容量的多少有关”，故排除 B。

文中说：“可是进化论则认为，只有一支猿猴进化成了人类”，故排除 C，确定答案为 D。

例题解析 3：民俗类 （模拟试卷 4 第 83–84 题）

“屏”，我们一般都称为“屏风”，这是很富有诗意的名词。记得童年与家人在庭院纳凉，母亲总要背诵唐人“银烛秋光冷画屏，轻罗小扇扑流萤”的诗句，其情境真够令人销魂的。后来每次读到诗词中咏屏的佳句，见到古画中的屏，便不禁心生向往之情。因为研究古代建筑，常接触这种似隔非隔、在空间中起着神秘作用的东西，更觉得它实在微妙。我们的先人擅长在屏上做这种功能与美感相结合的文章，关键是在一个“巧”字上。

屏可以分隔室内室外。过去的院子或天井中，为避免从门外直接望见厅室，必置一屏，上面有书有画，既起分隔作用，又是艺术点缀，而且还可以挡风。而内外在空间上还是流通的，如今称为“流动空间”。旧时男女有别，双方不能见面，只得借助屏风，躲在后面望一下。古代的画中常见室内置屏，它与帷幕起着同一作用。在古时的皇家宫廷中，屏就用得更普遍了。

从前女子的房中一般都要有屏，“屏者，障也”，可以缓冲一下视线。《牡丹亭》“游园”一出中有“锦屏人忒看得这韶光贱”一句，用“锦屏人”来代指闺中女子。

按屏的建造材料及其装饰的华丽程度，可分为金屏、银屏、锦屏、画屏、石屏、木屏、竹屏等，在艺术上有雅俗之别，同时也显露了使用者不同的经济与文化水平。

屏也有大小之分。从宫殿、厅堂、院子、天井，直到书斋、闺房，皆可置之，因为场合不同，自然因地制宜，大小由人了。近来我也注意到，屏在许多餐厅、宾馆中用得很普遍，可是总勾不起我的诗意，原因似乎是造型不够轻巧，色彩又觉过俗，绘画尚少诗意。这是因为制作者和使用者没有认识到屏在建筑美中应起的作用，仅仅把它当做活动门板来用的缘故。其实，屏的设置在与整体的相称、安放的位置与作用、曲屏的折度、视线的远近诸方面，均要做到得体才是。

屏真是够吸引人的，“闲倚画屏”、“抱膝看屏山”，多有滋味！也许，屏能够起到文化休憩的作用。

8. 文中第二段主要介绍了屏风的哪个方面？

A 特点　　**B** 材料　　**C** 种类　　**D** 作用

【答案】**D**

【解析】原文第二段说：“过去的院子或天井中……必置一屏”，用处有三：一是分隔，二是点缀，三是挡风。后面又作了进一步说明：“旧时男女有别，双方不能见面，只得借助屏风，躲在后面望一下”，“它与帷幕起着同一作用”，故而确定答案为 D。

9. 屏风的大小一般是由什么决定的？

A 屏风的用料　　**B** 使用的场合

C 屏风的用途　　**D** 个人的喜好

【答案】**B**

【解析】文章第四段有：“屏也有大小之分。……因为场合不同，自然因地制宜，大小由人了”，故而确定答案为 B。

例题解析 4：哲理故事 （模拟试卷 6 第 89–92 题）

在一个果实飘香的秋季，一只老狐狸无意间经过一个四周被围墙围住的葡萄园。它有一个非常敏锐的鼻子和一个出奇聪明的脑袋，凭着多年的经验，它闻出了这个园里的葡萄很特别，是自己从没吃过的极品。

这只老狐狸曾吃过无数种好葡萄，它甚至曾向自己的伙伴吹嘘：“这世上还没有我不曾吃过的葡萄呢！”面对着这一园自己没有品尝过的葡萄，它的食欲和好胜心都被挑动起来了。它暗暗对自己说：“吃不到葡萄就说葡萄酸的狐狸，就像不想当元帅的士兵一样，是最没出息的。”

于是，它发誓一定要吃到这里的葡萄，否则决不离开。可当它在四周转悠了一圈之后才发现，这个葡萄园的墙太高了，根本跳不上去。又经过一番用心的搜寻，它终于找到了一个可以进入葡萄园的小洞。可是洞口实在太小了，它根本无法顺利通过。思索片刻，它作出了一个决定：绝食减肥。

经过三天绝食，这只老狐狸真的瘦下来了，它可以从那个小洞进入葡萄园了。如它所料，这个园里的葡萄是迄今为止它吃过的最好的一种。于是，它放开肚皮，在园子里整整吃了三天。之后，它准备赶紧离开。耽搁久了，恐怕有危险。

这时，一个新的问题出现了：由于连日来吃了太多葡萄，它又胖了，无法再从那个小洞出去。无奈，它只好再次绝食，这次比上次花的时间还多了一天。利用这种方法，它的身体终于又变得非常瘦小，于是，它再次从那个小洞钻了出来。

回家后，它把这次吃葡萄的经历告诉了另外两只同样阅历丰富的狐狸，并问它们："这样做值不值得？"其中一只狐狸说："你胖了多少就瘦了多少，等于什么都没吃，还要冒着性命危险，当然不值。"另一只狐狸则说："虽然你担了不少风险，但你吃到了从没吃过的好葡萄，当然值得。"

三只狐狸之间的话体现了对人生的一种思索：当一个人的人生立足于占有时，他注定会在占有欲未能满足的痛苦与占有欲满足以后的无聊之中徘徊；当一人的人生立足于建设时，他必将会在未达目标时的追求与达到目标时的体味中潇洒。

10. 从文中可以知道，老狐狸：

A 从来没吃过葡萄　　**B** 吃过很多种葡萄

C 对葡萄向往已久　　**D** 常进园子偷葡萄

【答案】**B**

【解析】文中说："这只老狐狸曾吃过无数种好葡萄，它甚至曾向自己的伙伴吹嘘：'这世上还没有我不曾吃过的葡萄呢'"，故而确定答案为 B。

11. 老狐狸是怎么到葡萄园里去的？

A 从墙上跳过去的　　**B** 大摇大摆走进去

C 从大门溜进去的　　**D** 从小洞钻进去的

【答案】**D**

【解析】文中说："经过三天绝食，这只老狐狸真的瘦下来了，它可以从那个小洞进入葡萄园了"，故而确定答案为 D。

12. 回来时，老狐狸怎么样？

A 跟以前一样　　**B** 比以前还胖

C 认为不值得　　**D** 比以前更瘦

【答案】**D**

【解析】文中有："由于连日来吃了太多葡萄，它又胖了，无法再从那个小洞出去。无奈，它只好再次绝食，这次比上次花的时间还多了一天"，从老狐狸出来时多花了一天时间绝食可以推断出，它比以前更瘦了，因此答案为 D。

13. 对于老狐狸吃葡萄这件事，另外两只狐狸：

A 持有不同的看法　　**B** 很后悔自己没去

C 认为这样很值得　　**D** 不理解这种行为

【答案】**A**

【解析】文中有："一只狐狸说：'你胖了多少就瘦了多少，等于什么都没吃，还要冒着性命危险，当然不值。'另一只狐狸则说：'虽然你担了不少风险，但你吃到了从没吃过的好葡萄，当然值得。'"一只狐狸认为不值得，而另一只狐狸认为值得，可见两只狐狸的看法不一样，故而确定答案为 A。

例题解析 5：社科类 （模拟试卷 7 第 98–100 题）

为什么我们容易区分上下，但却不容易分辨左右？我们头顶蓝天，脚踩大地，这是区分上下最为直观方便的参照系。但左右就不同了，左和右并无明显的参照系。小时候，大人教我们：拿筷子的是右手，端碗的是左手。两只手的功能的不对称帮我们分辨了左右。可见，要区分左右，首先得有赖于某种不对称的基准。

人类能够区别左右，奥秘就在于人类的左右大脑是不对称的；动物的大脑是对称的，因而动物不能区分左右。这一设想最初由奥地利物理学家马赫提出，如今已有实验证明，马赫的设想是正确的。我们的右脑与直觉、情感有关，左脑与逻辑、语言有关。一个简单的测试就可以证明这一点。比如，给出这样的问题：所有的猴子都会爬树，豪猪是一种猴子，豪猪会爬树吗？这是一个三段论，大前提正确，但小前提却是错的。对于左侧休克的病人来说，他的右脑仍然起作用，于是他回答：豪猪怎么能爬树呢？它不是猴子，它的刺多得像一只刺猬。但对于右侧休克的病人来说，他的左脑依然起作用，他的回答则全然不同：豪猪是一种猴子，它当然会爬树。这个测试明白无误地告诉我们，右脑与具体情景有关，因而右脑正常的病人能够记得豪猪的模样，它当然不是猴子；而左脑则与逻辑有关，因而左脑正常的病人能够运用演绎逻辑来推理，但他却不知道豪猪长什么样。日常生活中的我们，偶尔也会有这样的体验，一时想不起某物或某景的抽象名词，但却能在大脑中生动地再现其具体模样。这就是左右大脑分工的不同。人类正常的思维活动有赖于左右脑的合作，否则这个世界在我们眼中就会变得荒唐不堪。

人类生活在一个近似对称的世界之中，人体就呈明显的两侧对称。但这种对称又会不时被打破，众所周知，体内的器官分布就呈现某种不对称，如心脏偏于左侧。或许因为我们处处遭遇对称，因而科学家对于自然规律的对称性有一种痴迷。然而，更加重要的却是，在所有创造性的活动中，首先必须打破的恰恰是这种原始的对称性。以哲学史上有名的“布里丹的驴子”为例，当它置身于两堆同等距离的干草之间时，将难以在向左走还是向右走之间作出抉择。它置身于对称性之中，若不打破这种对称性，它就会被活活饿死。当然，现实中的驴子决不会饿死，由于某种细微差别的影响，它会以不可预测的行动去打破这种逻辑上的对称。

就此而言，随着不对称性而来的，就是创造和活力。以性别为例，基于雌雄相异的两性生殖，为生命界带来无穷的变异与活力；而人类的两情相悦更是“生活”而不是“活着”的见证。以时间为例，未来和过去的不对称，才让我们的生活始终都充满希望。

14. 文中举“豪猪爬树”的例子是为了说明什么？

A 左右大脑分工不同导致对事物认识的不同

B 人类能区别左右奥秘在于左右大脑不对称

C 右脑与具体情景有关，左脑则与逻辑有关

D 大脑受伤将会导致无法完成正常思维活动

【答案】C
【解析】在豪猪爬树的例子前有："如今已有实验证明，马赫的设想是正确的。我们的右脑与直觉、情感有关，左脑与逻辑、语言有关"；在豪猪爬树的例子后又有总结性的语段："这个测试明白无误地告诉我们，右脑与具体情景有关……而左脑则与逻辑有关"，故而确定答案为C。

15. 文中以"布里丹的驴子"为例是为了说明什么？
A 所有的创造性活动首先得打破原始的对称性
B 驴子的逻辑思维能力远远要比其他动物更低
C 人类的创造和活力来源于所处世界的对称性
D 我们对未来充满希望因为未来必定好过现在

【答案】A
【解析】文章第三段先用转折关联词语引出核心语句："然而，更加重要的却是，在所有创造性的活动中，首先必须打破的恰恰是这种原始的对称性"；然后引出哲学史上有名的"布里丹的驴子"的例子；最后在第四段开头再次重申作者观点："就此而言，随着不对称性而来的，就是创造和活力"。故而确定答案为A。

16. 下列哪项符合文章内容？
A 马赫提出并验证了动物因大脑对称而不能区分左右的理论
B 人类要区别左右首先得找到现实中明显的且对称的参照物
C 左右大脑的不对称是我们人类区别于动物的主要特征之一
D 人类具有区别左右的能力不是先天的而是后天教育的结果

【答案】C
【解析】文章第二段指出："动物的大脑是对称的，因而动物不能区分左右。这一设想最初由奥地利物理学家马赫提出，如今已有实验证明，马赫的设想是正确的。"就是说，马赫提出了这个理论，但是验证其理论正确性的却不是马赫本人，而是"如今已有实验证明"。故而排除A选项。

文章第一段明确指出"要区分左右，首先得有赖于某种不对称的基准"，而非"对称的参照物"，故而排除B。

文章第二段开头指出"人类能够区别左右，奥秘就在于人类的左右大脑是不对称的"，可见跟教育无关，故而排除D。

文章第二段开头指出"人类能够区别左右，奥秘就在于人类的左右大脑是不对称的；动物的大脑是对称的，因而动物不能区分左右"，可见人类的"不对称大脑"与动物的"对称大脑"完全不同，故而确定答案为C。

总结 阅读第三部分、第四部分虽然形式有所不同，但在考查目的、要求、重点、难点，以及需要考生掌握的阅读技巧方面，也存在很多共同点。具体如下：

考查目的：在大量信息中进行筛选，从文章中快速提取有价值的信息。

考查要求：1. 理解词语在文中的含义；
2. 理解文中的关键句，核心句；
3. 辨别和筛选文中的重要信息。

考查重点：1. 联系上下文推断词语在文中的含义；
2. 理解揭示文章中心、观点的语句；
3. 能够对照材料辨析考题中信息的正误。

考查难点：1. 理解结构复杂、意思较难的语句；
2. 有较强的对信息进行概括总结的能力。

阅读技巧：

1. 把握关键语句。揭示段落意义的语句一般处于段首或段尾的位置，尤其是论说类文章，要善于抓住带有结论性或概括性的重点语句。还有一些承上启下的句子能帮助我们揭示文章脉络的层次。
2. 明确指代词语的含义。这类词语指代范围较广，既可以指代词语、短语、句子、语段，也可以指代其他事物，还可以指代复杂的概念。运用句子结构分析法，可以准确找出指代词语所指代的内容，理清指代对象的位置和范围，从而根据语境确定指代对象和内容。
3. 理清句子之间的关系。一般来说，句子之间的相互关系有指代（复指）、总分（分总）、说明、扩展（解说或阐述）、比较、前后呼应等，理清这些关系有助于从文中汲取有价值的信息，达到事半功倍的效果。

4. 注意细节问题。有关时间、数量、正误判断等细节题一般都能从原文中直接找到答案，只要阅读时细心一些就能答对。
5. 辨别并筛选重要信息。一段文章的重要信息一般包括：基本概念和新知识、对重要概念和知识的解释和阐述、最能表达作者意图即文章中心的语句等。有的题目涉及的范围较小，可以直接采用摘取法，把文中的重要词语摘取出来即可；对于涉及范围较大、干扰选项也较多的题目，则需要考生具有较强的分析理解能力，把握、区分信息，过滤掉无关信息，提炼出有价值的信息。
6. 了解文章类型，把握文章思路。无论是什么文体的文章，作者都会根据表达的需要按照一定的思路去安排材料，这就是所说的文章结构层次。不同文体的文章，结构层次也有所不同。记叙类文章常以时间、事件发生发展的顺序安排层次；议论类常采用提出问题、分析问题、解决问题的结构来论证事理；说明类文章常采用总分总式或并列结构来说明问题。
7. 概括归纳文章的中心。归纳中心意思必须对全文有一个整体的把握，首先要理解语句，搞清句与句之间、段与段之间的关系，然后通过文章的开头、结尾或关键句概括中心内容。
8. 分析作者的观点。具体说来，“作者的观点”就是记叙类文章的中心、议论类文章的观点、说明类文章的事物特征。

HSK（六级）书写解题攻略

题型特点

缩写就是指在中心思想和主要内容不变的情况下，把篇幅较长的文章压缩成较短的文章。本题型要求考生对一篇记叙性文章进行筛选、提炼、压缩、概括，主要考查考生的归纳、概括能力以及用准确简洁的语言把内容概括表达出来的能力。

考点精讲

1. 缩写的基本要求

（1）缩写时要遵循原文顺序，一般不作更改；

（2）要抓住重点事件，去粗取精，同时也要注意详略得当；

（3）要保持原文的完整性，忠实于原文的中心内容；

（4）注意语言精炼、通顺，能做到流畅更好；

（5）只缩写原文，不加入个人观点。

2. 缩写的一般步骤

（1）认真阅读原文，理清文章结构，抓住中心内容，首先要了解事件的起因、过程、结果；进而要对人物的言行、在事件中的作用做到心中有数；最后考虑缩写的详略及段落，要做到详略得当，层次清楚。

（2）根据原文中心内容，确定哪些内容可以删除，哪些内容应该保留。特别要注意的是，删减内容不能影响与下文的衔接。缩写的重点在于记叙和概括，要保留原文的主要情节和关键词语，对次要内容可进行概括叙述。

（3）提炼主题，为文章拟定标题。

3. 缩写的一般技巧

（1）保留：保留文章重要信息，比如，与中心事件有关的时间、地点、人物，事件的起因、过程及结果等。

（2）删除：把握中心，分清主次，删除非重点部分。可删除次要人物、非关键性的细节，以及文章中一些描写性的语言。

（3）概括：将原文有关说明性、交代性的语段用概括性的语言带过，将原文详细叙述

的部分压缩为概括叙述。

例题解析 （模拟试卷 6 第 101 题）

从母亲住进我们医院的那一刻起，我就后悔自己当初选择的职业了。曾经有那么多患者在我手上康复，但母亲的病却让我无能为力。面对越来越消瘦的母亲，我除了强颜欢笑地安慰她，就只能偷偷躲到某个角落抹眼泪。

那时，她的癌细胞已经扩散到了整个胸部。整夜整夜的疼痛让她无法入睡，可她却从来不吭一声。每次进去看她的时候，她都装作很平静的样子，面带微笑地看着我："我觉得比先前好多了。你工作忙，不用老来看我。"我扭过头，眼泪无声地掉下来。

午后的阳光照在洁白的病床上，我轻轻梳理着母亲灰白的头发。母亲唠叨着她的身后事，说她早在来这儿之前就已准备好了自己的送老衣服，可惜还少一条裙子，希望我们能尽快给她准备好。说这些的时候，母亲的脸上始终挂着平静的微笑，不像是谈死，倒像是去赴一个美丽的宴会。母亲一生爱美，临走都不忘要完美地离去。我的泪再也忍不住了，一滴一滴地落到母亲的头发上。

母亲的病房离我的办公室仅有几步之遥，可她从来没有主动要求我去她的病房。每一次去，她还忙不迭地催我走。她说还有很多病人等着我，她嘱咐我一定要像对待自己的家人那样对待病人。其实，我很清楚，每一次离开母亲的病房，身后那一双依依不舍的眼睛会一直追随着我的身影，直到我拐过屋角……

一天，一个女孩急需眼角膜，恰巧医院里来了一个救治无望的男孩，出于医生的责任，我劝那个男孩的家长捐献出孩子的眼角膜。男孩的父亲同意了，不想他的母亲却发疯般地找到我，说她绝不允许谁动他儿子一根毫毛，哪怕他不在这个世界上了。最后也许被我劝急了，那位心痛得发狂的母亲突然大声说："你觉悟高，怎么不让你的家人来捐献？"我一下子呆在那里，无言以对。是的，平心而论，我能那么做吗？

母亲是何时出现在办公室门口的，我竟然一点儿都不知道。直到听到那熟悉的声音："孩子，你看妈妈的眼角膜能给那个孩子用吗？"屋里一下子静了下来，几乎所有的目光都集中到了母亲身上。我回过头，看见母亲正泪流满面地站在那里。我几乎不敢相信，那话是从母亲嘴里说出来的，母亲最不能忍受的就是残缺，可她竟然情愿让自己残缺着离开这个世界。看大家都在惊愕地盯着自己，母亲的脸上忽然现出少见的一点儿血色。她挣扎着走到我的面前，静静地盯着我看了足足有一分钟，然后，轻轻地对我说："孩子，我想看着你，让我看着你！"

泪水狂涌而出，我第一次在自己的病人面前失态。我知道，那是母亲临走之前努力为我做的最后一件事。

后来，那个男孩的母亲含着泪同意把儿子的眼角膜捐献给那个女孩，因为她觉得儿子的眼角膜毕竟要比我母亲的年轻。更重要的一点，她说，她也想让儿子的眼睛一直看着她。从我母亲的身上，她明白，爱，原来可以用这样的方式延续……

1. 文章解析

主要人物：我（精通医术却无法救治母亲的女医生）
　　　　　我的母亲（深受癌症折磨，时日无多）
次要人物：女孩（急需眼角膜的病人）
　　　　　男孩（意外身亡）
　　　　　男孩的母亲（被丧子之痛折磨得近乎发狂）
事件 1：（略写）

时日无多的母亲深受病痛折磨，而作为医生的我却束手无策。看着母亲一天天地衰弱下去，我心痛不已却无能为力。

事件 2：（详写）

起因：有一个女孩急需眼角膜，恰好医院来了一个救治无望的男孩。

过程：我劝男孩的母亲捐献儿子的眼角膜，心痛得发狂的母亲决不允许别人动她儿子一根毫毛，事情陷入僵局。我的母亲出现在病房门口，要求把自己的眼角膜捐献给那个女孩，因为她想用这种方式一直看着我。所有的人都被我的母亲感动了。

结局：男孩的母亲同意将儿子的眼角膜捐献出来，因为她也希望儿子的眼睛一直看着她。我的母亲使她明白，爱原来可以用这样的方式延续。

2. 参考范文

爱的方式

从母亲住进我们医院的那一天起，我就开始后悔自己所选择的职业了，因为我对母亲的病无能为力。

母亲住院时，癌细胞已经扩散到了整个胸部。整夜整夜的疼痛让她无法入睡，可她从来不说。每次我去看她，她都赶我走，说自己感觉好多了，让我去忙工作。

有一次，母亲跟我说起她的身后事，让我给她准备一条裙子。一生爱美的母亲希望完美地离去。

那天，医院里有个年轻女孩急需眼角膜，而医院恰巧来了个意外死亡的男孩。我试图说服男孩的父母捐献眼角膜，但男孩的母亲发疯般地冲向我，说不准别人动他儿子一根毫毛，还质问我怎么不让自己的家人来捐献。我呆在那里，不知道怎么回答。

就在这时，一个熟悉的声音说："孩子，你看妈妈的眼角膜能给那个孩子用吗？"我回过头，发现母亲站在门口。母亲挣扎着来到我面前，静静地盯着我足足有一分钟，说："孩子，我想看着你！"我不禁泪如泉涌……

最后，男孩的母亲同意捐献眼角膜，因为她也想让儿子的眼睛一直看着自己。母亲使她明白，原来，爱可以用这样的方式延续。

HSK（六级）答题卡

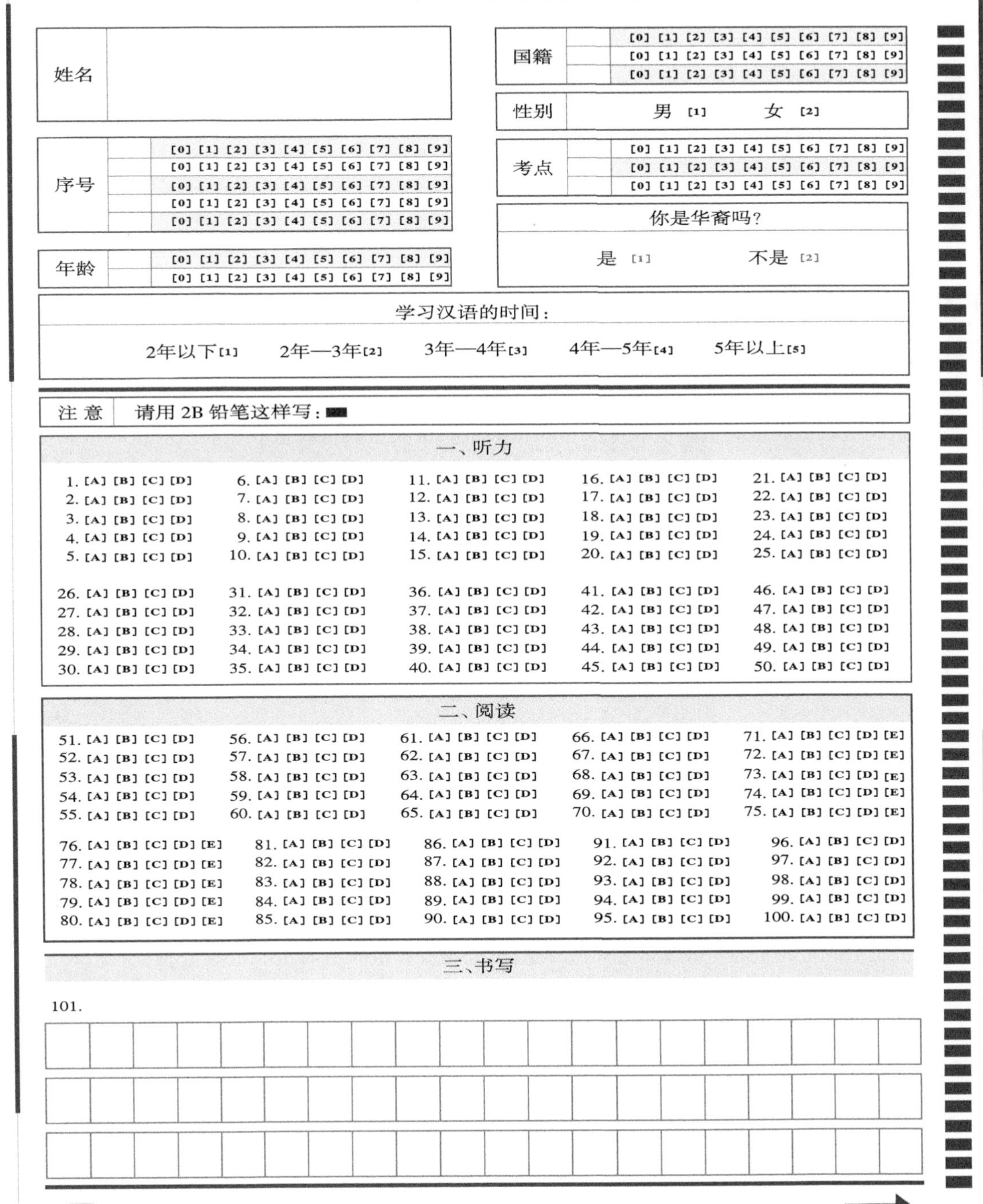

新汉语水平考试
HSK（六级）答题卡

姓名

国籍 [0] [1] [2] [3] [4] [5] [6] [7] [8] [9]
[0] [1] [2] [3] [4] [5] [6] [7] [8] [9]
[0] [1] [2] [3] [4] [5] [6] [7] [8] [9]

性别 男 [1] 女 [2]

序号 [0] [1] [2] [3] [4] [5] [6] [7] [8] [9]
[0] [1] [2] [3] [4] [5] [6] [7] [8] [9]
[0] [1] [2] [3] [4] [5] [6] [7] [8] [9]
[0] [1] [2] [3] [4] [5] [6] [7] [8] [9]
[0] [1] [2] [3] [4] [5] [6] [7] [8] [9]

考点 [0] [1] [2] [3] [4] [5] [6] [7] [8] [9]
[0] [1] [2] [3] [4] [5] [6] [7] [8] [9]
[0] [1] [2] [3] [4] [5] [6] [7] [8] [9]

年龄 [0] [1] [2] [3] [4] [5] [6] [7] [8] [9]
[0] [1] [2] [3] [4] [5] [6] [7] [8] [9]

你是华裔吗？
是 [1] 不是 [2]

学习汉语的时间：
2年以下[1] 2年—3年[2] 3年—4年[3] 4年—5年[4] 5年以上[5]

注 意 请用 2B 铅笔这样写：▬

一、听力

1. [A] [B] [C] [D] 6. [A] [B] [C] [D] 11. [A] [B] [C] [D] 16. [A] [B] [C] [D] 21. [A] [B] [C] [D]
2. [A] [B] [C] [D] 7. [A] [B] [C] [D] 12. [A] [B] [C] [D] 17. [A] [B] [C] [D] 22. [A] [B] [C] [D]
3. [A] [B] [C] [D] 8. [A] [B] [C] [D] 13. [A] [B] [C] [D] 18. [A] [B] [C] [D] 23. [A] [B] [C] [D]
4. [A] [B] [C] [D] 9. [A] [B] [C] [D] 14. [A] [B] [C] [D] 19. [A] [B] [C] [D] 24. [A] [B] [C] [D]
5. [A] [B] [C] [D] 10. [A] [B] [C] [D] 15. [A] [B] [C] [D] 20. [A] [B] [C] [D] 25. [A] [B] [C] [D]

26. [A] [B] [C] [D] 31. [A] [B] [C] [D] 36. [A] [B] [C] [D] 41. [A] [B] [C] [D] 46. [A] [B] [C] [D]
27. [A] [B] [C] [D] 32. [A] [B] [C] [D] 37. [A] [B] [C] [D] 42. [A] [B] [C] [D] 47. [A] [B] [C] [D]
28. [A] [B] [C] [D] 33. [A] [B] [C] [D] 38. [A] [B] [C] [D] 43. [A] [B] [C] [D] 48. [A] [B] [C] [D]
29. [A] [B] [C] [D] 34. [A] [B] [C] [D] 39. [A] [B] [C] [D] 44. [A] [B] [C] [D] 49. [A] [B] [C] [D]
30. [A] [B] [C] [D] 35. [A] [B] [C] [D] 40. [A] [B] [C] [D] 45. [A] [B] [C] [D] 50. [A] [B] [C] [D]

二、阅读

51. [A] [B] [C] [D] 56. [A] [B] [C] [D] 61. [A] [B] [C] [D] 66. [A] [B] [C] [D] 71. [A] [B] [C] [D] [E]
52. [A] [B] [C] [D] 57. [A] [B] [C] [D] 62. [A] [B] [C] [D] 67. [A] [B] [C] [D] 72. [A] [B] [C] [D] [E]
53. [A] [B] [C] [D] 58. [A] [B] [C] [D] 63. [A] [B] [C] [D] 68. [A] [B] [C] [D] 73. [A] [B] [C] [D] [E]
54. [A] [B] [C] [D] 59. [A] [B] [C] [D] 64. [A] [B] [C] [D] 69. [A] [B] [C] [D] 74. [A] [B] [C] [D] [E]
55. [A] [B] [C] [D] 60. [A] [B] [C] [D] 65. [A] [B] [C] [D] 70. [A] [B] [C] [D] 75. [A] [B] [C] [D] [E]

76. [A] [B] [C] [D] [E] 81. [A] [B] [C] [D] 86. [A] [B] [C] [D] 91. [A] [B] [C] [D] 96. [A] [B] [C] [D]
77. [A] [B] [C] [D] [E] 82. [A] [B] [C] [D] 87. [A] [B] [C] [D] 92. [A] [B] [C] [D] 97. [A] [B] [C] [D]
78. [A] [B] [C] [D] [E] 83. [A] [B] [C] [D] 88. [A] [B] [C] [D] 93. [A] [B] [C] [D] 98. [A] [B] [C] [D]
79. [A] [B] [C] [D] [E] 84. [A] [B] [C] [D] 89. [A] [B] [C] [D] 94. [A] [B] [C] [D] 99. [A] [B] [C] [D]
80. [A] [B] [C] [D] [E] 85. [A] [B] [C] [D] 90. [A] [B] [C] [D] 95. [A] [B] [C] [D] 100. [A] [B] [C] [D]

三、书写

101.

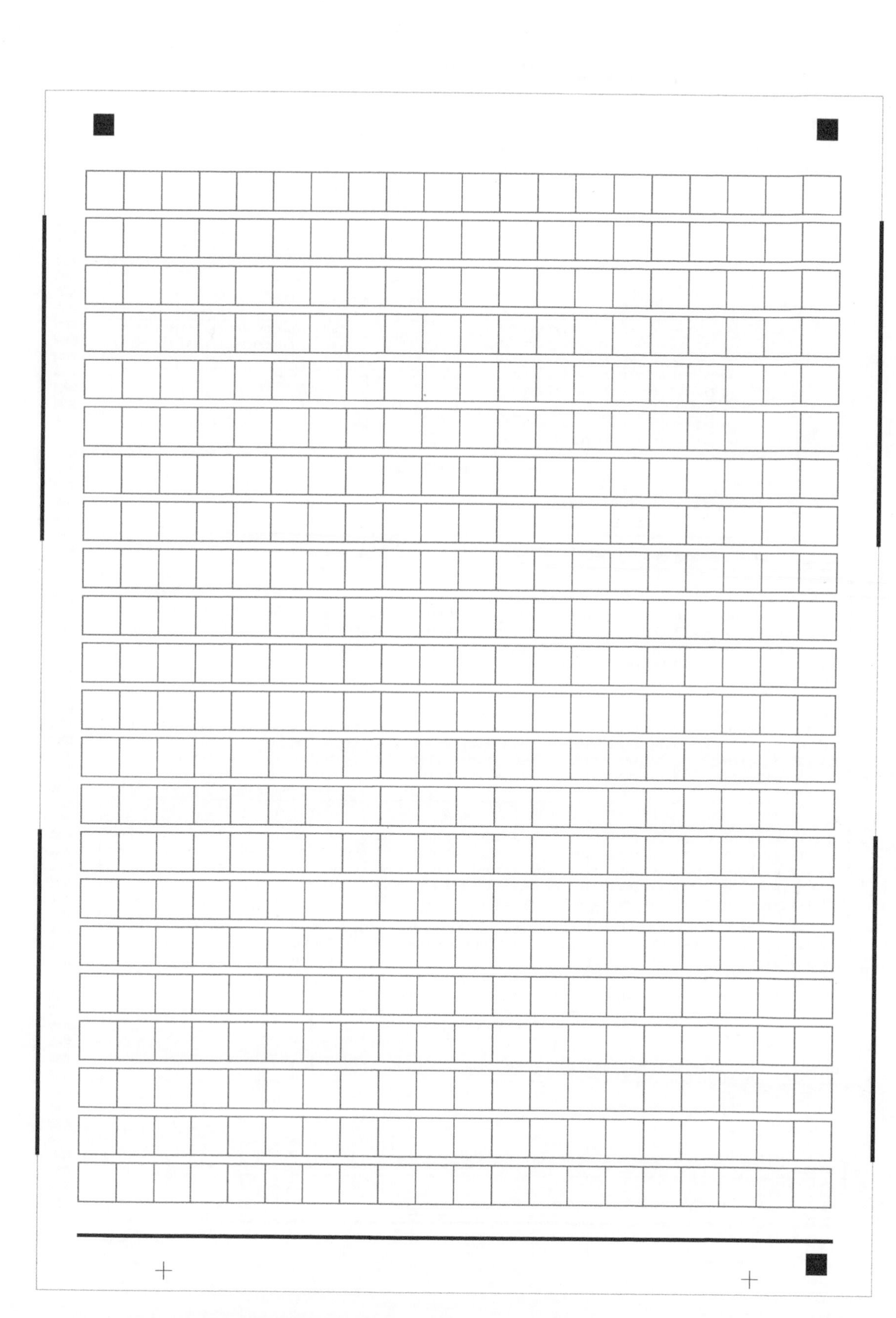

HSK（六级）答题卡

新 汉 语 水 平 考 试
HSK（六级）答题卡

姓名	

国籍	[0] [1] [2] [3] [4] [5] [6] [7] [8] [9]
	[0] [1] [2] [3] [4] [5] [6] [7] [8] [9]
	[0] [1] [2] [3] [4] [5] [6] [7] [8] [9]

性别	男 [1] 女 [2]

序号	[0] [1] [2] [3] [4] [5] [6] [7] [8] [9]
	[0] [1] [2] [3] [4] [5] [6] [7] [8] [9]
	[0] [1] [2] [3] [4] [5] [6] [7] [8] [9]
	[0] [1] [2] [3] [4] [5] [6] [7] [8] [9]
	[0] [1] [2] [3] [4] [5] [6] [7] [8] [9]

考点	[0] [1] [2] [3] [4] [5] [6] [7] [8] [9]
	[0] [1] [2] [3] [4] [5] [6] [7] [8] [9]
	[0] [1] [2] [3] [4] [5] [6] [7] [8] [9]

年龄	[0] [1] [2] [3] [4] [5] [6] [7] [8] [9]
	[0] [1] [2] [3] [4] [5] [6] [7] [8] [9]

你是华裔吗？

是 [1] 不是 [2]

学习汉语的时间：

2年以下[1] 2年—3年[2] 3年—4年[3] 4年—5年[4] 5年以上[5]

注 意 请用 2B 铅笔这样写：▬

一、听力

1. [A] [B] [C] [D]	6. [A] [B] [C] [D]	11. [A] [B] [C] [D]	16. [A] [B] [C] [D]	21. [A] [B] [C] [D]
2. [A] [B] [C] [D]	7. [A] [B] [C] [D]	12. [A] [B] [C] [D]	17. [A] [B] [C] [D]	22. [A] [B] [C] [D]
3. [A] [B] [C] [D]	8. [A] [B] [C] [D]	13. [A] [B] [C] [D]	18. [A] [B] [C] [D]	23. [A] [B] [C] [D]
4. [A] [B] [C] [D]	9. [A] [B] [C] [D]	14. [A] [B] [C] [D]	19. [A] [B] [C] [D]	24. [A] [B] [C] [D]
5. [A] [B] [C] [D]	10. [A] [B] [C] [D]	15. [A] [B] [C] [D]	20. [A] [B] [C] [D]	25. [A] [B] [C] [D]
26. [A] [B] [C] [D]	31. [A] [B] [C] [D]	36. [A] [B] [C] [D]	41. [A] [B] [C] [D]	46. [A] [B] [C] [D]
27. [A] [B] [C] [D]	32. [A] [B] [C] [D]	37. [A] [B] [C] [D]	42. [A] [B] [C] [D]	47. [A] [B] [C] [D]
28. [A] [B] [C] [D]	33. [A] [B] [C] [D]	38. [A] [B] [C] [D]	43. [A] [B] [C] [D]	48. [A] [B] [C] [D]
29. [A] [B] [C] [D]	34. [A] [B] [C] [D]	39. [A] [B] [C] [D]	44. [A] [B] [C] [D]	49. [A] [B] [C] [D]
30. [A] [B] [C] [D]	35. [A] [B] [C] [D]	40. [A] [B] [C] [D]	45. [A] [B] [C] [D]	50. [A] [B] [C] [D]

二、阅读

51. [A] [B] [C] [D]	56. [A] [B] [C] [D]	61. [A] [B] [C] [D]	66. [A] [B] [C] [D]	71. [A] [B] [C] [D] [E]
52. [A] [B] [C] [D]	57. [A] [B] [C] [D]	62. [A] [B] [C] [D]	67. [A] [B] [C] [D]	72. [A] [B] [C] [D] [E]
53. [A] [B] [C] [D]	58. [A] [B] [C] [D]	63. [A] [B] [C] [D]	68. [A] [B] [C] [D]	73. [A] [B] [C] [D] [E]
54. [A] [B] [C] [D]	59. [A] [B] [C] [D]	64. [A] [B] [C] [D]	69. [A] [B] [C] [D]	74. [A] [B] [C] [D] [E]
55. [A] [B] [C] [D]	60. [A] [B] [C] [D]	65. [A] [B] [C] [D]	70. [A] [B] [C] [D]	75. [A] [B] [C] [D] [E]
76. [A] [B] [C] [D] [E]	81. [A] [B] [C] [D]	86. [A] [B] [C] [D]	91. [A] [B] [C] [D]	96. [A] [B] [C] [D]
77. [A] [B] [C] [D] [E]	82. [A] [B] [C] [D]	87. [A] [B] [C] [D]	92. [A] [B] [C] [D]	97. [A] [B] [C] [D]
78. [A] [B] [C] [D] [E]	83. [A] [B] [C] [D]	88. [A] [B] [C] [D]	93. [A] [B] [C] [D]	98. [A] [B] [C] [D]
79. [A] [B] [C] [D] [E]	84. [A] [B] [C] [D]	89. [A] [B] [C] [D]	94. [A] [B] [C] [D]	99. [A] [B] [C] [D]
80. [A] [B] [C] [D] [E]	85. [A] [B] [C] [D]	90. [A] [B] [C] [D]	95. [A] [B] [C] [D]	100. [A] [B] [C] [D]

三、书写

101.

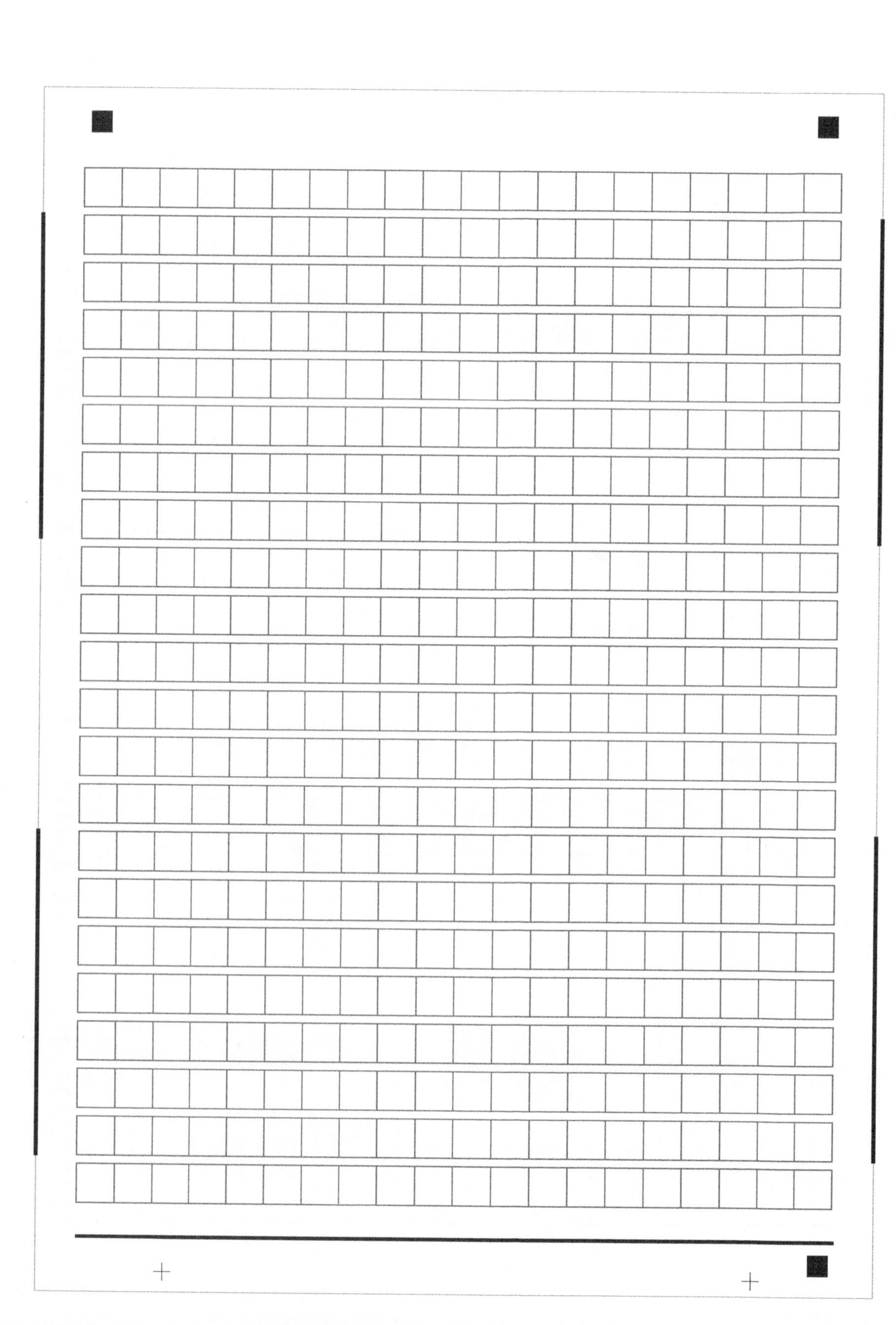

HSK（六级）答题卡

新汉语水平考试
HSK（六级）答题卡

姓名	

国籍	[0] [1] [2] [3] [4] [5] [6] [7] [8] [9]
	[0] [1] [2] [3] [4] [5] [6] [7] [8] [9]
	[0] [1] [2] [3] [4] [5] [6] [7] [8] [9]

性别	男 [1]	女 [2]

序号	[0] [1] [2] [3] [4] [5] [6] [7] [8] [9]
	[0] [1] [2] [3] [4] [5] [6] [7] [8] [9]
	[0] [1] [2] [3] [4] [5] [6] [7] [8] [9]
	[0] [1] [2] [3] [4] [5] [6] [7] [8] [9]
	[0] [1] [2] [3] [4] [5] [6] [7] [8] [9]

考点	[0] [1] [2] [3] [4] [5] [6] [7] [8] [9]
	[0] [1] [2] [3] [4] [5] [6] [7] [8] [9]
	[0] [1] [2] [3] [4] [5] [6] [7] [8] [9]

年龄	[0] [1] [2] [3] [4] [5] [6] [7] [8] [9]
	[0] [1] [2] [3] [4] [5] [6] [7] [8] [9]

你是华裔吗？

是 [1]　　不是 [2]

学习汉语的时间：

2年以下[1]　2年—3年[2]　3年—4年[3]　4年—5年[4]　5年以上[5]

注 意　请用 2B 铅笔这样写：■

一、听力

1. [A] [B] [C] [D]	6. [A] [B] [C] [D]	11. [A] [B] [C] [D]	16. [A] [B] [C] [D]	21. [A] [B] [C] [D]
2. [A] [B] [C] [D]	7. [A] [B] [C] [D]	12. [A] [B] [C] [D]	17. [A] [B] [C] [D]	22. [A] [B] [C] [D]
3. [A] [B] [C] [D]	8. [A] [B] [C] [D]	13. [A] [B] [C] [D]	18. [A] [B] [C] [D]	23. [A] [B] [C] [D]
4. [A] [B] [C] [D]	9. [A] [B] [C] [D]	14. [A] [B] [C] [D]	19. [A] [B] [C] [D]	24. [A] [B] [C] [D]
5. [A] [B] [C] [D]	10. [A] [B] [C] [D]	15. [A] [B] [C] [D]	20. [A] [B] [C] [D]	25. [A] [B] [C] [D]
26. [A] [B] [C] [D]	31. [A] [B] [C] [D]	36. [A] [B] [C] [D]	41. [A] [B] [C] [D]	46. [A] [B] [C] [D]
27. [A] [B] [C] [D]	32. [A] [B] [C] [D]	37. [A] [B] [C] [D]	42. [A] [B] [C] [D]	47. [A] [B] [C] [D]
28. [A] [B] [C] [D]	33. [A] [B] [C] [D]	38. [A] [B] [C] [D]	43. [A] [B] [C] [D]	48. [A] [B] [C] [D]
29. [A] [B] [C] [D]	34. [A] [B] [C] [D]	39. [A] [B] [C] [D]	44. [A] [B] [C] [D]	49. [A] [B] [C] [D]
30. [A] [B] [C] [D]	35. [A] [B] [C] [D]	40. [A] [B] [C] [D]	45. [A] [B] [C] [D]	50. [A] [B] [C] [D]

二、阅读

51. [A] [B] [C] [D]	56. [A] [B] [C] [D]	61. [A] [B] [C] [D]	66. [A] [B] [C] [D]	71. [A] [B] [C] [D] [E]
52. [A] [B] [C] [D]	57. [A] [B] [C] [D]	62. [A] [B] [C] [D]	67. [A] [B] [C] [D]	72. [A] [B] [C] [D] [E]
53. [A] [B] [C] [D]	58. [A] [B] [C] [D]	63. [A] [B] [C] [D]	68. [A] [B] [C] [D]	73. [A] [B] [C] [D] [E]
54. [A] [B] [C] [D]	59. [A] [B] [C] [D]	64. [A] [B] [C] [D]	69. [A] [B] [C] [D]	74. [A] [B] [C] [D] [E]
55. [A] [B] [C] [D]	60. [A] [B] [C] [D]	65. [A] [B] [C] [D]	70. [A] [B] [C] [D]	75. [A] [B] [C] [D] [E]
76. [A] [B] [C] [D] [E]	81. [A] [B] [C] [D]	86. [A] [B] [C] [D]	91. [A] [B] [C] [D]	96. [A] [B] [C] [D]
77. [A] [B] [C] [D] [E]	82. [A] [B] [C] [D]	87. [A] [B] [C] [D]	92. [A] [B] [C] [D]	97. [A] [B] [C] [D]
78. [A] [B] [C] [D] [E]	83. [A] [B] [C] [D]	88. [A] [B] [C] [D]	93. [A] [B] [C] [D]	98. [A] [B] [C] [D]
79. [A] [B] [C] [D] [E]	84. [A] [B] [C] [D]	89. [A] [B] [C] [D]	94. [A] [B] [C] [D]	99. [A] [B] [C] [D]
80. [A] [B] [C] [D] [E]	85. [A] [B] [C] [D]	90. [A] [B] [C] [D]	95. [A] [B] [C] [D]	100. [A] [B] [C] [D]

三、书写

101.

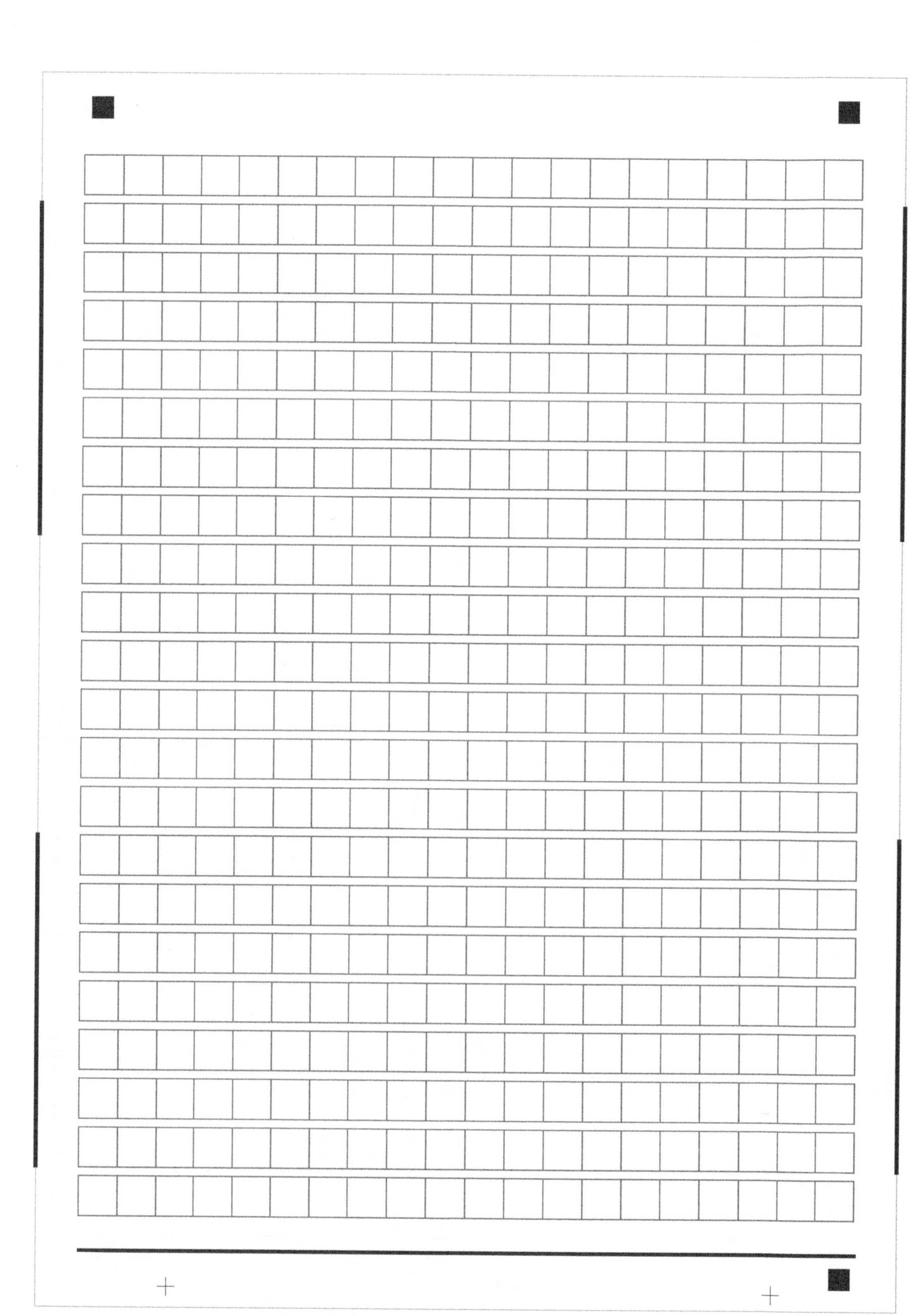

HSK（六级）答题卡

新 汉 语 水 平 考 试
HSK（六级）答题卡

姓名	

国籍	
	[0] [1] [2] [3] [4] [5] [6] [7] [8] [9]
	[0] [1] [2] [3] [4] [5] [6] [7] [8] [9]
	[0] [1] [2] [3] [4] [5] [6] [7] [8] [9]

性别	男 [1] 女 [2]

序号	
	[0] [1] [2] [3] [4] [5] [6] [7] [8] [9]
	[0] [1] [2] [3] [4] [5] [6] [7] [8] [9]
	[0] [1] [2] [3] [4] [5] [6] [7] [8] [9]
	[0] [1] [2] [3] [4] [5] [6] [7] [8] [9]
	[0] [1] [2] [3] [4] [5] [6] [7] [8] [9]

考点	
	[0] [1] [2] [3] [4] [5] [6] [7] [8] [9]
	[0] [1] [2] [3] [4] [5] [6] [7] [8] [9]
	[0] [1] [2] [3] [4] [5] [6] [7] [8] [9]

年龄	
	[0] [1] [2] [3] [4] [5] [6] [7] [8] [9]
	[0] [1] [2] [3] [4] [5] [6] [7] [8] [9]

你是华裔吗？

是 [1]　　不是 [2]

学习汉语的时间：

2年以下[1]　2年—3年[2]　3年—4年[3]　4年—5年[4]　5年以上[5]

注 意	请用 2B 铅笔这样写：▬

一、听力

1. [A] [B] [C] [D]	6. [A] [B] [C] [D]	11. [A] [B] [C] [D]	16. [A] [B] [C] [D]	21. [A] [B] [C] [D]
2. [A] [B] [C] [D]	7. [A] [B] [C] [D]	12. [A] [B] [C] [D]	17. [A] [B] [C] [D]	22. [A] [B] [C] [D]
3. [A] [B] [C] [D]	8. [A] [B] [C] [D]	13. [A] [B] [C] [D]	18. [A] [B] [C] [D]	23. [A] [B] [C] [D]
4. [A] [B] [C] [D]	9. [A] [B] [C] [D]	14. [A] [B] [C] [D]	19. [A] [B] [C] [D]	24. [A] [B] [C] [D]
5. [A] [B] [C] [D]	10. [A] [B] [C] [D]	15. [A] [B] [C] [D]	20. [A] [B] [C] [D]	25. [A] [B] [C] [D]
26. [A] [B] [C] [D]	31. [A] [B] [C] [D]	36. [A] [B] [C] [D]	41. [A] [B] [C] [D]	46. [A] [B] [C] [D]
27. [A] [B] [C] [D]	32. [A] [B] [C] [D]	37. [A] [B] [C] [D]	42. [A] [B] [C] [D]	47. [A] [B] [C] [D]
28. [A] [B] [C] [D]	33. [A] [B] [C] [D]	38. [A] [B] [C] [D]	43. [A] [B] [C] [D]	48. [A] [B] [C] [D]
29. [A] [B] [C] [D]	34. [A] [B] [C] [D]	39. [A] [B] [C] [D]	44. [A] [B] [C] [D]	49. [A] [B] [C] [D]
30. [A] [B] [C] [D]	35. [A] [B] [C] [D]	40. [A] [B] [C] [D]	45. [A] [B] [C] [D]	50. [A] [B] [C] [D]

二、阅读

51. [A] [B] [C] [D]	56. [A] [B] [C] [D]	61. [A] [B] [C] [D]	66. [A] [B] [C] [D]	71. [A] [B] [C] [D] [E]
52. [A] [B] [C] [D]	57. [A] [B] [C] [D]	62. [A] [B] [C] [D]	67. [A] [B] [C] [D]	72. [A] [B] [C] [D] [E]
53. [A] [B] [C] [D]	58. [A] [B] [C] [D]	63. [A] [B] [C] [D]	68. [A] [B] [C] [D]	73. [A] [B] [C] [D] [E]
54. [A] [B] [C] [D]	59. [A] [B] [C] [D]	64. [A] [B] [C] [D]	69. [A] [B] [C] [D]	74. [A] [B] [C] [D] [E]
55. [A] [B] [C] [D]	60. [A] [B] [C] [D]	65. [A] [B] [C] [D]	70. [A] [B] [C] [D]	75. [A] [B] [C] [D] [E]
76. [A] [B] [C] [D] [E]	81. [A] [B] [C] [D]	86. [A] [B] [C] [D]	91. [A] [B] [C] [D]	96. [A] [B] [C] [D]
77. [A] [B] [C] [D] [E]	82. [A] [B] [C] [D]	87. [A] [B] [C] [D]	92. [A] [B] [C] [D]	97. [A] [B] [C] [D]
78. [A] [B] [C] [D] [E]	83. [A] [B] [C] [D]	88. [A] [B] [C] [D]	93. [A] [B] [C] [D]	98. [A] [B] [C] [D]
79. [A] [B] [C] [D] [E]	84. [A] [B] [C] [D]	89. [A] [B] [C] [D]	94. [A] [B] [C] [D]	99. [A] [B] [C] [D]
80. [A] [B] [C] [D] [E]	85. [A] [B] [C] [D]	90. [A] [B] [C] [D]	95. [A] [B] [C] [D]	100. [A] [B] [C] [D]

三、书写

101.

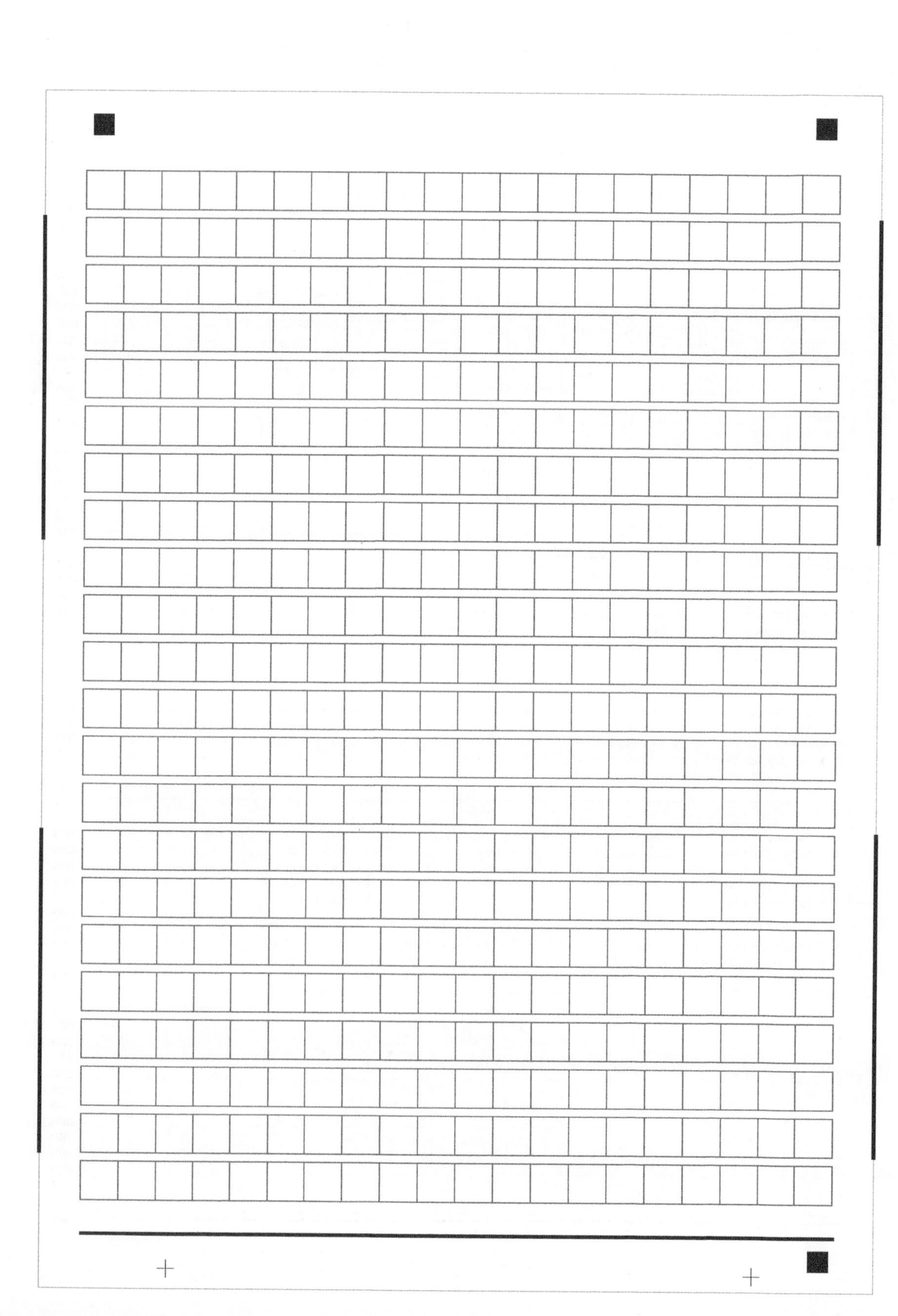

HSK（六级）答题卡

新 汉 语 水 平 考 试
HSK（六级）答题卡

姓名	

国籍	[0] [1] [2] [3] [4] [5] [6] [7] [8] [9]
	[0] [1] [2] [3] [4] [5] [6] [7] [8] [9]
	[0] [1] [2] [3] [4] [5] [6] [7] [8] [9]

性别	男 [1] 女 [2]

序号	[0] [1] [2] [3] [4] [5] [6] [7] [8] [9]
	[0] [1] [2] [3] [4] [5] [6] [7] [8] [9]
	[0] [1] [2] [3] [4] [5] [6] [7] [8] [9]
	[0] [1] [2] [3] [4] [5] [6] [7] [8] [9]
	[0] [1] [2] [3] [4] [5] [6] [7] [8] [9]

考点	[0] [1] [2] [3] [4] [5] [6] [7] [8] [9]
	[0] [1] [2] [3] [4] [5] [6] [7] [8] [9]
	[0] [1] [2] [3] [4] [5] [6] [7] [8] [9]

年龄	[0] [1] [2] [3] [4] [5] [6] [7] [8] [9]
	[0] [1] [2] [3] [4] [5] [6] [7] [8] [9]

你是华裔吗？

是 [1]　　不是 [2]

学习汉语的时间：

2年以下[1]　2年—3年[2]　3年—4年[3]　4年—5年[4]　5年以上[5]

注 意　请用2B铅笔这样写：▬

一、听力

1. [A] [B] [C] [D]	6. [A] [B] [C] [D]	11. [A] [B] [C] [D]	16. [A] [B] [C] [D]	21. [A] [B] [C] [D]
2. [A] [B] [C] [D]	7. [A] [B] [C] [D]	12. [A] [B] [C] [D]	17. [A] [B] [C] [D]	22. [A] [B] [C] [D]
3. [A] [B] [C] [D]	8. [A] [B] [C] [D]	13. [A] [B] [C] [D]	18. [A] [B] [C] [D]	23. [A] [B] [C] [D]
4. [A] [B] [C] [D]	9. [A] [B] [C] [D]	14. [A] [B] [C] [D]	19. [A] [B] [C] [D]	24. [A] [B] [C] [D]
5. [A] [B] [C] [D]	10. [A] [B] [C] [D]	15. [A] [B] [C] [D]	20. [A] [B] [C] [D]	25. [A] [B] [C] [D]
26. [A] [B] [C] [D]	31. [A] [B] [C] [D]	36. [A] [B] [C] [D]	41. [A] [B] [C] [D]	46. [A] [B] [C] [D]
27. [A] [B] [C] [D]	32. [A] [B] [C] [D]	37. [A] [B] [C] [D]	42. [A] [B] [C] [D]	47. [A] [B] [C] [D]
28. [A] [B] [C] [D]	33. [A] [B] [C] [D]	38. [A] [B] [C] [D]	43. [A] [B] [C] [D]	48. [A] [B] [C] [D]
29. [A] [B] [C] [D]	34. [A] [B] [C] [D]	39. [A] [B] [C] [D]	44. [A] [B] [C] [D]	49. [A] [B] [C] [D]
30. [A] [B] [C] [D]	35. [A] [B] [C] [D]	40. [A] [B] [C] [D]	45. [A] [B] [C] [D]	50. [A] [B] [C] [D]

二、阅读

51. [A] [B] [C] [D]	56. [A] [B] [C] [D]	61. [A] [B] [C] [D]	66. [A] [B] [C] [D]	71. [A] [B] [C] [D] [E]
52. [A] [B] [C] [D]	57. [A] [B] [C] [D]	62. [A] [B] [C] [D]	67. [A] [B] [C] [D]	72. [A] [B] [C] [D] [E]
53. [A] [B] [C] [D]	58. [A] [B] [C] [D]	63. [A] [B] [C] [D]	68. [A] [B] [C] [D]	73. [A] [B] [C] [D] [E]
54. [A] [B] [C] [D]	59. [A] [B] [C] [D]	64. [A] [B] [C] [D]	69. [A] [B] [C] [D]	74. [A] [B] [C] [D] [E]
55. [A] [B] [C] [D]	60. [A] [B] [C] [D]	65. [A] [B] [C] [D]	70. [A] [B] [C] [D]	75. [A] [B] [C] [D] [E]
76. [A] [B] [C] [D] [E]	81. [A] [B] [C] [D]	86. [A] [B] [C] [D]	91. [A] [B] [C] [D]	96. [A] [B] [C] [D]
77. [A] [B] [C] [D] [E]	82. [A] [B] [C] [D]	87. [A] [B] [C] [D]	92. [A] [B] [C] [D]	97. [A] [B] [C] [D]
78. [A] [B] [C] [D] [E]	83. [A] [B] [C] [D]	88. [A] [B] [C] [D]	93. [A] [B] [C] [D]	98. [A] [B] [C] [D]
79. [A] [B] [C] [D] [E]	84. [A] [B] [C] [D]	89. [A] [B] [C] [D]	94. [A] [B] [C] [D]	99. [A] [B] [C] [D]
80. [A] [B] [C] [D] [E]	85. [A] [B] [C] [D]	90. [A] [B] [C] [D]	95. [A] [B] [C] [D]	100. [A] [B] [C] [D]

三、书写

101.

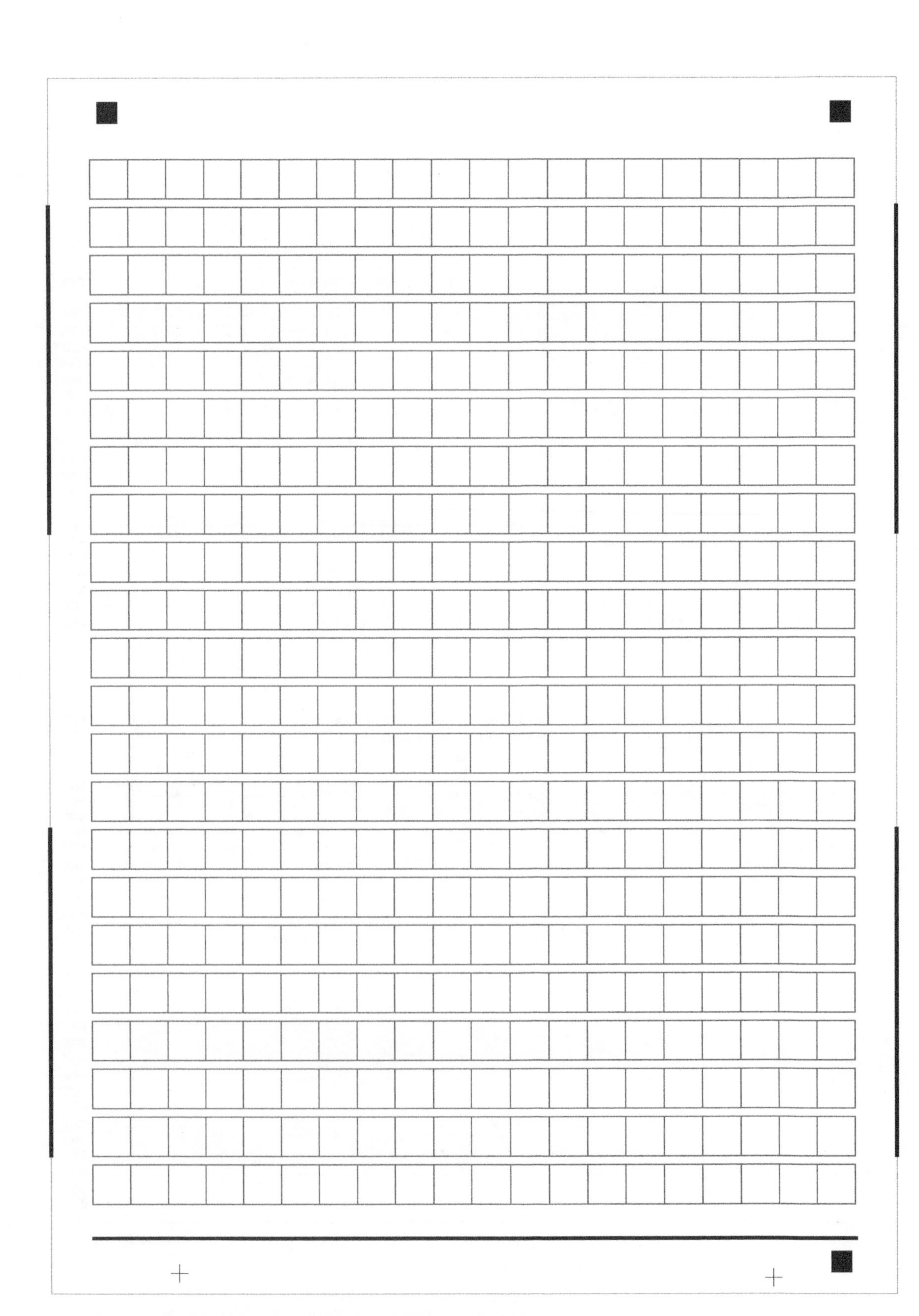

HSK（六级）答题卡

新汉语水平考试
HSK（六级）答题卡

姓名	

国籍	[0] [1] [2] [3] [4] [5] [6] [7] [8] [9]
	[0] [1] [2] [3] [4] [5] [6] [7] [8] [9]
	[0] [1] [2] [3] [4] [5] [6] [7] [8] [9]

性别	男 [1] 女 [2]

序号	[0] [1] [2] [3] [4] [5] [6] [7] [8] [9]
	[0] [1] [2] [3] [4] [5] [6] [7] [8] [9]
	[0] [1] [2] [3] [4] [5] [6] [7] [8] [9]
	[0] [1] [2] [3] [4] [5] [6] [7] [8] [9]
	[0] [1] [2] [3] [4] [5] [6] [7] [8] [9]

考点	[0] [1] [2] [3] [4] [5] [6] [7] [8] [9]
	[0] [1] [2] [3] [4] [5] [6] [7] [8] [9]
	[0] [1] [2] [3] [4] [5] [6] [7] [8] [9]

年龄	[0] [1] [2] [3] [4] [5] [6] [7] [8] [9]
	[0] [1] [2] [3] [4] [5] [6] [7] [8] [9]

你是华裔吗？

是 [1] 不是 [2]

学习汉语的时间：

2年以下 [1] 2年—3年 [2] 3年—4年 [3] 4年—5年 [4] 5年以上 [5]

注 意 请用 2B 铅笔这样写：▬

一、听力

1. [A] [B] [C] [D]	6. [A] [B] [C] [D]	11. [A] [B] [C] [D]	16. [A] [B] [C] [D]	21. [A] [B] [C] [D]
2. [A] [B] [C] [D]	7. [A] [B] [C] [D]	12. [A] [B] [C] [D]	17. [A] [B] [C] [D]	22. [A] [B] [C] [D]
3. [A] [B] [C] [D]	8. [A] [B] [C] [D]	13. [A] [B] [C] [D]	18. [A] [B] [C] [D]	23. [A] [B] [C] [D]
4. [A] [B] [C] [D]	9. [A] [B] [C] [D]	14. [A] [B] [C] [D]	19. [A] [B] [C] [D]	24. [A] [B] [C] [D]
5. [A] [B] [C] [D]	10. [A] [B] [C] [D]	15. [A] [B] [C] [D]	20. [A] [B] [C] [D]	25. [A] [B] [C] [D]
26. [A] [B] [C] [D]	31. [A] [B] [C] [D]	36. [A] [B] [C] [D]	41. [A] [B] [C] [D]	46. [A] [B] [C] [D]
27. [A] [B] [C] [D]	32. [A] [B] [C] [D]	37. [A] [B] [C] [D]	42. [A] [B] [C] [D]	47. [A] [B] [C] [D]
28. [A] [B] [C] [D]	33. [A] [B] [C] [D]	38. [A] [B] [C] [D]	43. [A] [B] [C] [D]	48. [A] [B] [C] [D]
29. [A] [B] [C] [D]	34. [A] [B] [C] [D]	39. [A] [B] [C] [D]	44. [A] [B] [C] [D]	49. [A] [B] [C] [D]
30. [A] [B] [C] [D]	35. [A] [B] [C] [D]	40. [A] [B] [C] [D]	45. [A] [B] [C] [D]	50. [A] [B] [C] [D]

二、阅读

51. [A] [B] [C] [D]	56. [A] [B] [C] [D]	61. [A] [B] [C] [D]	66. [A] [B] [C] [D]	71. [A] [B] [C] [D] [E]
52. [A] [B] [C] [D]	57. [A] [B] [C] [D]	62. [A] [B] [C] [D]	67. [A] [B] [C] [D]	72. [A] [B] [C] [D] [E]
53. [A] [B] [C] [D]	58. [A] [B] [C] [D]	63. [A] [B] [C] [D]	68. [A] [B] [C] [D]	73. [A] [B] [C] [D] [E]
54. [A] [B] [C] [D]	59. [A] [B] [C] [D]	64. [A] [B] [C] [D]	69. [A] [B] [C] [D]	74. [A] [B] [C] [D] [E]
55. [A] [B] [C] [D]	60. [A] [B] [C] [D]	65. [A] [B] [C] [D]	70. [A] [B] [C] [D]	75. [A] [B] [C] [D] [E]
76. [A] [B] [C] [D] [E]	81. [A] [B] [C] [D]	86. [A] [B] [C] [D]	91. [A] [B] [C] [D]	96. [A] [B] [C] [D]
77. [A] [B] [C] [D] [E]	82. [A] [B] [C] [D]	87. [A] [B] [C] [D]	92. [A] [B] [C] [D]	97. [A] [B] [C] [D]
78. [A] [B] [C] [D] [E]	83. [A] [B] [C] [D]	88. [A] [B] [C] [D]	93. [A] [B] [C] [D]	98. [A] [B] [C] [D]
79. [A] [B] [C] [D] [E]	84. [A] [B] [C] [D]	89. [A] [B] [C] [D]	94. [A] [B] [C] [D]	99. [A] [B] [C] [D]
80. [A] [B] [C] [D] [E]	85. [A] [B] [C] [D]	90. [A] [B] [C] [D]	95. [A] [B] [C] [D]	100. [A] [B] [C] [D]

三、书写

101.

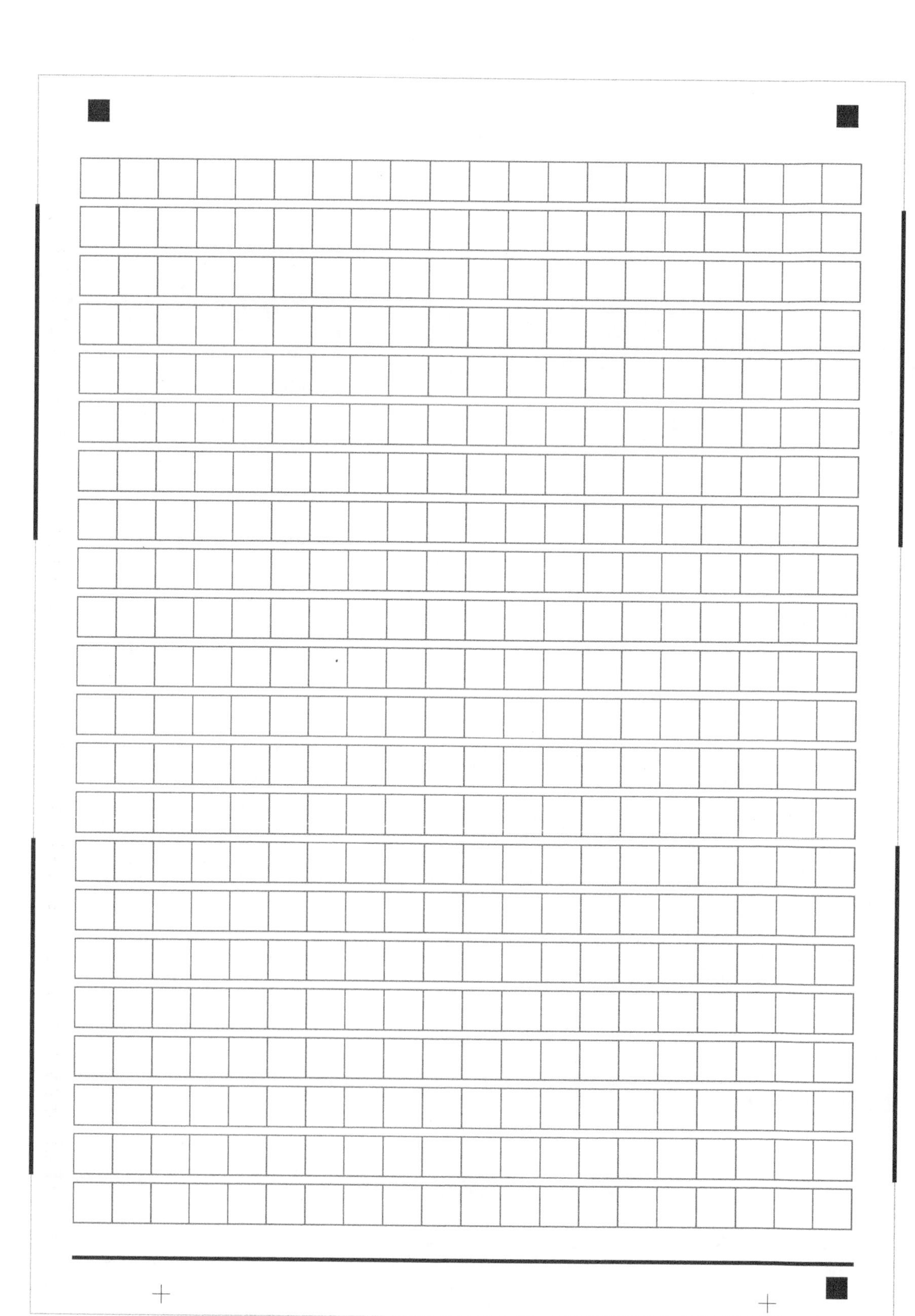

HSK（六级）答题卡

新 汉 语 水 平 考 试
HSK（六级）答题卡

姓名	

国籍	
	[0] [1] [2] [3] [4] [5] [6] [7] [8] [9]
	[0] [1] [2] [3] [4] [5] [6] [7] [8] [9]
	[0] [1] [2] [3] [4] [5] [6] [7] [8] [9]

性别	男 [1]　　女 [2]

序号	
	[0] [1] [2] [3] [4] [5] [6] [7] [8] [9]
	[0] [1] [2] [3] [4] [5] [6] [7] [8] [9]
	[0] [1] [2] [3] [4] [5] [6] [7] [8] [9]
	[0] [1] [2] [3] [4] [5] [6] [7] [8] [9]
	[0] [1] [2] [3] [4] [5] [6] [7] [8] [9]

考点	
	[0] [1] [2] [3] [4] [5] [6] [7] [8] [9]
	[0] [1] [2] [3] [4] [5] [6] [7] [8] [9]
	[0] [1] [2] [3] [4] [5] [6] [7] [8] [9]

年龄	
	[0] [1] [2] [3] [4] [5] [6] [7] [8] [9]
	[0] [1] [2] [3] [4] [5] [6] [7] [8] [9]

你是华裔吗？

是 [1]　　不是 [2]

学习汉语的时间：

2年以下[1]　2年—3年[2]　3年—4年[3]　4年—5年[4]　5年以上[5]

注 意　请用 2B 铅笔这样写：▬

一、听力

1. [A] [B] [C] [D]　6. [A] [B] [C] [D]　11. [A] [B] [C] [D]　16. [A] [B] [C] [D]　21. [A] [B] [C] [D]
2. [A] [B] [C] [D]　7. [A] [B] [C] [D]　12. [A] [B] [C] [D]　17. [A] [B] [C] [D]　22. [A] [B] [C] [D]
3. [A] [B] [C] [D]　8. [A] [B] [C] [D]　13. [A] [B] [C] [D]　18. [A] [B] [C] [D]　23. [A] [B] [C] [D]
4. [A] [B] [C] [D]　9. [A] [B] [C] [D]　14. [A] [B] [C] [D]　19. [A] [B] [C] [D]　24. [A] [B] [C] [D]
5. [A] [B] [C] [D]　10. [A] [B] [C] [D]　15. [A] [B] [C] [D]　20. [A] [B] [C] [D]　25. [A] [B] [C] [D]

26. [A] [B] [C] [D]　31. [A] [B] [C] [D]　36. [A] [B] [C] [D]　41. [A] [B] [C] [D]　46. [A] [B] [C] [D]
27. [A] [B] [C] [D]　32. [A] [B] [C] [D]　37. [A] [B] [C] [D]　42. [A] [B] [C] [D]　47. [A] [B] [C] [D]
28. [A] [B] [C] [D]　33. [A] [B] [C] [D]　38. [A] [B] [C] [D]　43. [A] [B] [C] [D]　48. [A] [B] [C] [D]
29. [A] [B] [C] [D]　34. [A] [B] [C] [D]　39. [A] [B] [C] [D]　44. [A] [B] [C] [D]　49. [A] [B] [C] [D]
30. [A] [B] [C] [D]　35. [A] [B] [C] [D]　40. [A] [B] [C] [D]　45. [A] [B] [C] [D]　50. [A] [B] [C] [D]

二、阅读

51. [A] [B] [C] [D]　56. [A] [B] [C] [D]　61. [A] [B] [C] [D]　66. [A] [B] [C] [D]　71. [A] [B] [C] [D] [E]
52. [A] [B] [C] [D]　57. [A] [B] [C] [D]　62. [A] [B] [C] [D]　67. [A] [B] [C] [D]　72. [A] [B] [C] [D] [E]
53. [A] [B] [C] [D]　58. [A] [B] [C] [D]　63. [A] [B] [C] [D]　68. [A] [B] [C] [D]　73. [A] [B] [C] [D] [E]
54. [A] [B] [C] [D]　59. [A] [B] [C] [D]　64. [A] [B] [C] [D]　69. [A] [B] [C] [D]　74. [A] [B] [C] [D] [E]
55. [A] [B] [C] [D]　60. [A] [B] [C] [D]　65. [A] [B] [C] [D]　70. [A] [B] [C] [D]　75. [A] [B] [C] [D] [E]

76. [A] [B] [C] [D] [E]　81. [A] [B] [C] [D]　86. [A] [B] [C] [D]　91. [A] [B] [C] [D]　96. [A] [B] [C] [D]
77. [A] [B] [C] [D] [E]　82. [A] [B] [C] [D]　87. [A] [B] [C] [D]　92. [A] [B] [C] [D]　97. [A] [B] [C] [D]
78. [A] [B] [C] [D] [E]　83. [A] [B] [C] [D]　88. [A] [B] [C] [D]　93. [A] [B] [C] [D]　98. [A] [B] [C] [D]
79. [A] [B] [C] [D] [E]　84. [A] [B] [C] [D]　89. [A] [B] [C] [D]　94. [A] [B] [C] [D]　99. [A] [B] [C] [D]
80. [A] [B] [C] [D] [E]　85. [A] [B] [C] [D]　90. [A] [B] [C] [D]　95. [A] [B] [C] [D]　100. [A] [B] [C] [D]

三、书写

101.

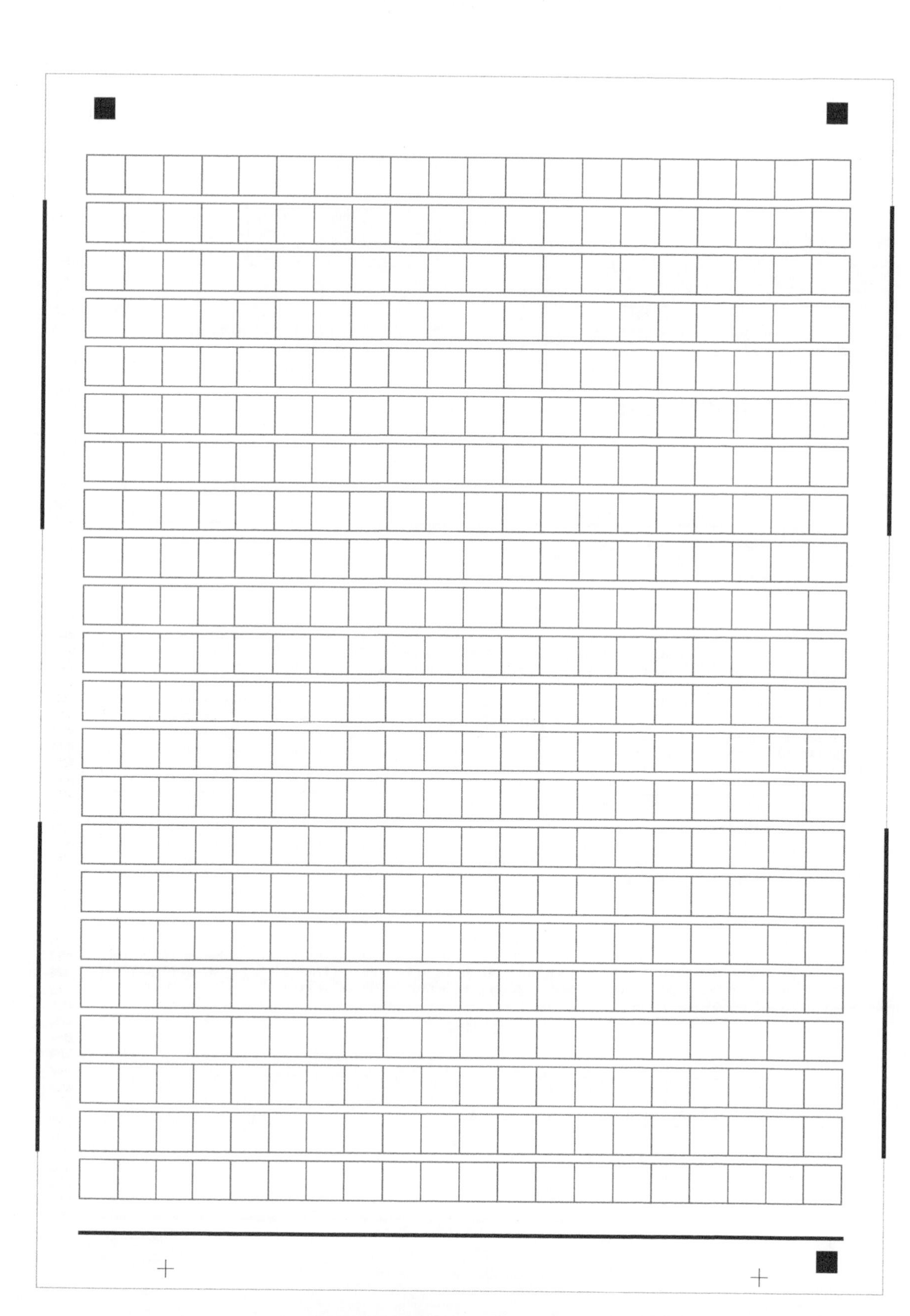

HSK（六级）答题卡

新 汉 语 水 平 考 试
HSK（六级）答题卡

姓名	

国籍		[0] [1] [2] [3] [4] [5] [6] [7] [8] [9]
		[0] [1] [2] [3] [4] [5] [6] [7] [8] [9]
		[0] [1] [2] [3] [4] [5] [6] [7] [8] [9]

性别	男 [1] 女 [2]

序号		[0] [1] [2] [3] [4] [5] [6] [7] [8] [9]
		[0] [1] [2] [3] [4] [5] [6] [7] [8] [9]
		[0] [1] [2] [3] [4] [5] [6] [7] [8] [9]
		[0] [1] [2] [3] [4] [5] [6] [7] [8] [9]
		[0] [1] [2] [3] [4] [5] [6] [7] [8] [9]

考点		[0] [1] [2] [3] [4] [5] [6] [7] [8] [9]
		[0] [1] [2] [3] [4] [5] [6] [7] [8] [9]
		[0] [1] [2] [3] [4] [5] [6] [7] [8] [9]

年龄		[0] [1] [2] [3] [4] [5] [6] [7] [8] [9]
		[0] [1] [2] [3] [4] [5] [6] [7] [8] [9]

你是华裔吗？

是 [1]　　不是 [2]

学习汉语的时间：

2年以下[1]　2年—3年[2]　3年—4年[3]　4年—5年[4]　5年以上[5]

注 意	请用 2B 铅笔这样写：▬

一、听力

1. [A] [B] [C] [D]	6. [A] [B] [C] [D]	11. [A] [B] [C] [D]	16. [A] [B] [C] [D]	21. [A] [B] [C] [D]
2. [A] [B] [C] [D]	7. [A] [B] [C] [D]	12. [A] [B] [C] [D]	17. [A] [B] [C] [D]	22. [A] [B] [C] [D]
3. [A] [B] [C] [D]	8. [A] [B] [C] [D]	13. [A] [B] [C] [D]	18. [A] [B] [C] [D]	23. [A] [B] [C] [D]
4. [A] [B] [C] [D]	9. [A] [B] [C] [D]	14. [A] [B] [C] [D]	19. [A] [B] [C] [D]	24. [A] [B] [C] [D]
5. [A] [B] [C] [D]	10. [A] [B] [C] [D]	15. [A] [B] [C] [D]	20. [A] [B] [C] [D]	25. [A] [B] [C] [D]
26. [A] [B] [C] [D]	31. [A] [B] [C] [D]	36. [A] [B] [C] [D]	41. [A] [B] [C] [D]	46. [A] [B] [C] [D]
27. [A] [B] [C] [D]	32. [A] [B] [C] [D]	37. [A] [B] [C] [D]	42. [A] [B] [C] [D]	47. [A] [B] [C] [D]
28. [A] [B] [C] [D]	33. [A] [B] [C] [D]	38. [A] [B] [C] [D]	43. [A] [B] [C] [D]	48. [A] [B] [C] [D]
29. [A] [B] [C] [D]	34. [A] [B] [C] [D]	39. [A] [B] [C] [D]	44. [A] [B] [C] [D]	49. [A] [B] [C] [D]
30. [A] [B] [C] [D]	35. [A] [B] [C] [D]	40. [A] [B] [C] [D]	45. [A] [B] [C] [D]	50. [A] [B] [C] [D]

二、阅读

51. [A] [B] [C] [D]	56. [A] [B] [C] [D]	61. [A] [B] [C] [D]	66. [A] [B] [C] [D]	71. [A] [B] [C] [D] [E]
52. [A] [B] [C] [D]	57. [A] [B] [C] [D]	62. [A] [B] [C] [D]	67. [A] [B] [C] [D]	72. [A] [B] [C] [D] [E]
53. [A] [B] [C] [D]	58. [A] [B] [C] [D]	63. [A] [B] [C] [D]	68. [A] [B] [C] [D]	73. [A] [B] [C] [D] [E]
54. [A] [B] [C] [D]	59. [A] [B] [C] [D]	64. [A] [B] [C] [D]	69. [A] [B] [C] [D]	74. [A] [B] [C] [D] [E]
55. [A] [B] [C] [D]	60. [A] [B] [C] [D]	65. [A] [B] [C] [D]	70. [A] [B] [C] [D]	75. [A] [B] [C] [D] [E]
76. [A] [B] [C] [D] [E]	81. [A] [B] [C] [D]	86. [A] [B] [C] [D]	91. [A] [B] [C] [D]	96. [A] [B] [C] [D]
77. [A] [B] [C] [D] [E]	82. [A] [B] [C] [D]	87. [A] [B] [C] [D]	92. [A] [B] [C] [D]	97. [A] [B] [C] [D]
78. [A] [B] [C] [D] [E]	83. [A] [B] [C] [D]	88. [A] [B] [C] [D]	93. [A] [B] [C] [D]	98. [A] [B] [C] [D]
79. [A] [B] [C] [D] [E]	84. [A] [B] [C] [D]	89. [A] [B] [C] [D]	94. [A] [B] [C] [D]	99. [A] [B] [C] [D]
80. [A] [B] [C] [D] [E]	85. [A] [B] [C] [D]	90. [A] [B] [C] [D]	95. [A] [B] [C] [D]	100. [A] [B] [C] [D]

三、书写

101.

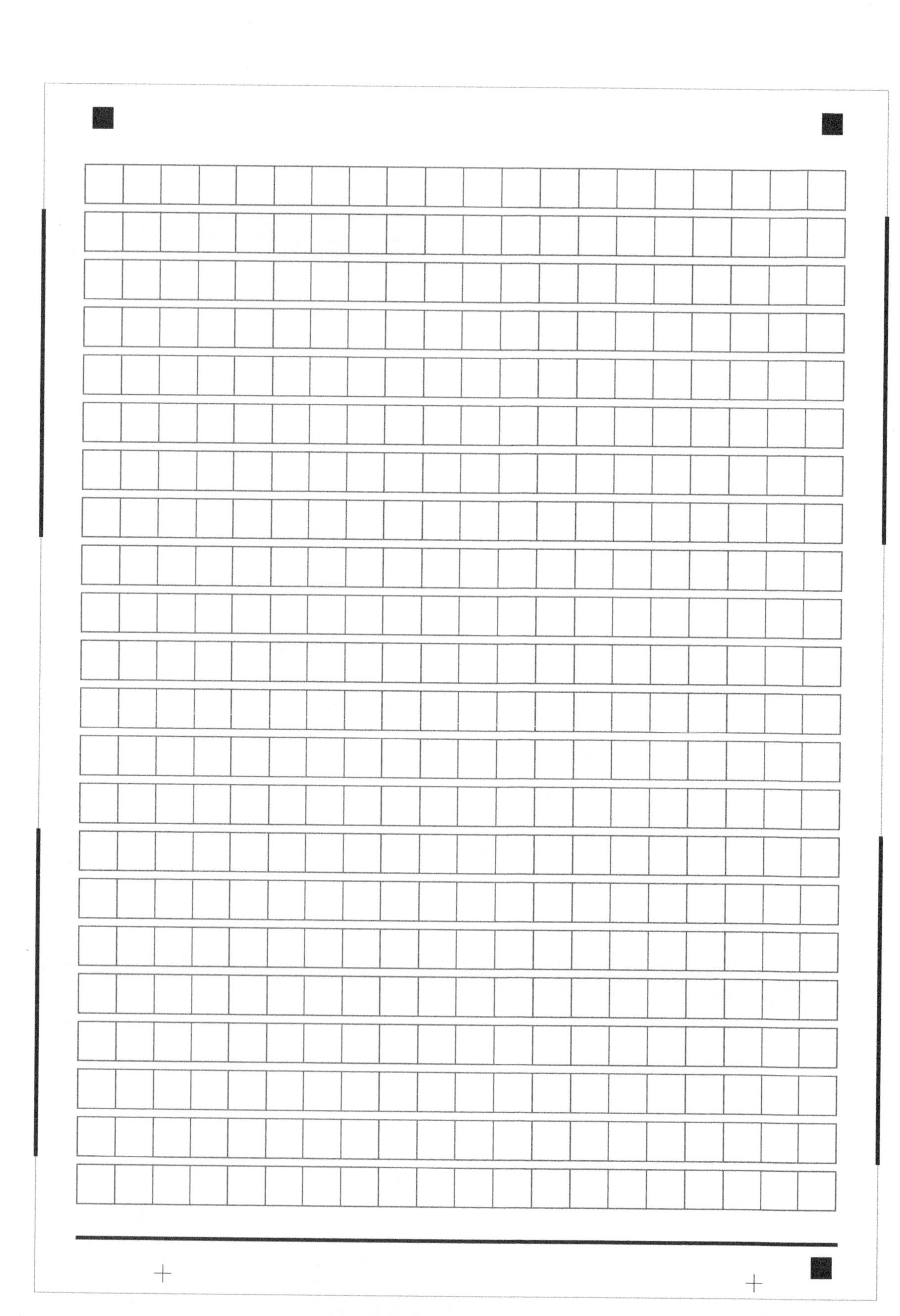